KT-574-029

Le Club des Baby-Sitters

Ce volume regroupe trois titres de la série
Le Club des Baby-Sitters d'Ann M. Martin

La nouvelle amie de Claudia (Titre original : *Claudia and the New Girl*)
Traduit de l'anglais par Dominique Laplier et Camille Weil
Édition originale publiée par Scholastic Inc., New York, 1989
© Ann M. Martin, 1989, pour le texte
© Gallimard Jeunesse, 1998, pour la traduction française

Mallory entre en scène (Titre original : *Hello, Mallory*)
Traduit de l'anglais par Martine Gosselin et Camille Weil
Édition originale publiée par Scholastic Inc., New York, 1988
© Ann M. Martin, 1988, pour le texte
© Gallimard Jeunesse, 1998, pour la traduction française

Le retour de Lucy (Titre original : *Welcome back, Stacey !*)
Traduit de l'anglais par Sophie Merlin
Édition originale publiée par Scholastic Inc., New York, 1989
© Ann M. Martin, 1989, pour le texte
© Gallimard Jeunesse, 2000, pour la traduction française

© Éditions Gallimard Jeunesse, 2009, pour les illustrations

Le Club des Baby-Sitters

Les meilleures copines du monde

Ann M. Martin

Traduit de l'anglais
par Dominique Laplier, Camille Weil,
Martine Gosselin et Sophie Merlin

Illustrations d'Émile Bravo

GALLIMARD JEUNESSE

La lettre de KRISTY

Présidente du Club des Baby-Sitters

Le Club des Baby-Sitters, c'est une histoire de famille. On se sent tellement proches les unes des autres… comme si on était sœurs. Pourtant, il nous arrive parfois de nous chamailler, mais c'est pour mieux nous réconcilier ensuite !

Mais avant de commencer, nous allons nous présenter. Même si nous sommes tout le temps ensemble et que nous nous ressemblons beaucoup, nous avons chacune notre personnalité et nos goûts, dans lesquels vous allez peut-être d'ailleurs vous retrouver. Alors pour mieux nous connaître, lisez attentivement nos petits portraits !

Je vous souhaite de vous amuser autant que nous…

Bonne lecture à toutes !

Kristy

Comme promis, voici le portrait des sept membres du

Club des Baby-Sitters...

NOM : Kristy Parker, présidente du club
ÂGE : 13 ans – en 4e
SA TENUE PRÉFÉRÉE : jean, baskets et casquette.
ELLE EST... fonceuse, énergique, déterminée.
ELLE DIT TOUJOURS : « J'ai une idée géniale... »
ELLE ADORE... le sport, surtout le base-ball.

NOM : Mary Anne Cook,
secrétaire du club
ÂGE : 13 ans – en 4e
SA TENUE PRÉFÉRÉE :
toujours très classique,
mais elle fait des efforts !
ELLE EST... timide,
très attentive aux autres
et un peu trop sensible.
ELLE DIT TOUJOURS :
« Je crois que je vais pleurer. »
ELLE ADORE... son chat,
Tigrou, et son petit ami, Logan.

NOM : Lucy MacDouglas,
trésorière du club
ÂGE : 13 ans – en 4e
SA TENUE PRÉFÉRÉE : tout,
du moment que c'est à la mode…
ELLE EST... new-yorkaise
jusqu'au bout des ongles,
parfois même un peu snob !
ELLE DIT TOUJOURS :
« J'♥ New York. »
ELLE ADORE... la mode,
la mode, la mode !

NOM : Carla Schafer, suppléante
ÂGE : 13 ans – en 4e
SA TENUE PRÉFÉRÉE :
un maillot de bain pour bronzer sur les plages de Californie.
ELLE EST... végétarienne, cool et vraiment très jolie.
ELLE DIT TOUJOURS :
« Chacun fait ce qu'il lui plaît. »
ELLE ADORE... le soleil, le sable et la mer.

NOM : Claudia Koshi, vice-présidente du club
ÂGE : 13 ans – en 4e
SA TENUE PRÉFÉRÉE :
artiste, elle crée ses propres vêtements et bijoux.
ELLE EST... créative, inventive, pleine de bonnes idées.
ELLE DIT TOUJOURS :
« Où sont cachés mes bonbons ? »
ELLE ADORE... le dessin, la peinture, la sculpture (et elle déteste l'école).

NOM : Jessica Ramsey,
membre junior du club
ÂGE : 11 ans – en 6e
SA TENUE PRÉFÉRÉE :
collants, justaucorps
et chaussons de danse.
ELLE EST... sérieuse,
persévérante et fidèle en amitié.
ELLE DIT TOUJOURS :
« J'irai jusqu'au bout de mon
rêve. »
ELLE ADORE... la danse
classique et son petit frère,
P'tit Bout.

NOM : Mallory Pike,
membre junior du club
ÂGE : 11 ans – en 6e
SA TENUE PRÉFÉRÉE : aucune
pour l'instant, elle rêve juste
de se débarrasser de ses lunettes
et de son appareil dentaire.
ELLE EST... dynamique et très
organisée. Normal quand on a sept
frères et sœurs !
ELLE DIT TOUJOURS : « Vous
allez ranger votre chambre ! »
ELLE ADORE... lire, écrire. Elle
voudrait même devenir écrivain.

SOMMAIRE

LE CLUB DES BABY-SITTERS

La nouvelle amie de CLAUDIA

Aux fidèles lecteurs des livres
du Club des Baby-Sitters

1

Ça faisait une éternité que j'observais cette mouche. Elle s'était d'abord posée sur la tête d'Austin Bentley et s'était promenée dans ses cheveux une bonne minute.

Puis elle s'était baladée sur la basket droite de Dorianne O'Hara, mais avait dû s'envoler lorsque Dorianne s'était gratté la jambe gauche avec sa chaussure. Ensuite, elle avait essayé de se poser sur le stylo de Peter Black qui, d'une pichenette, l'avait chassée à nouveau.

Je me suis demandé si c'était un mâle ou une femelle, si les mouches avaient une famille, et si elles faisaient des repas de famille. J'ai supposé que non car, la plupart du temps, elles font des pique-niques en solitaire sur un gâteau ou sur une pomme. Ensuite, j'ai imaginé ce que ça devait être de voir à travers ces yeux énormes.

Est-ce qu'elle trouvait ce cours aussi ennuyeux que moi ? En fait, notre prof (Mme Hall) s'efforce de rendre le cours intéressant. Par exemple, les élèves des autres classes doivent lire *Les Aventures de Tom Sawyer* ou *Les Hauts de Hurlevent*. Mme Hall, elle, a choisi des livres moins épais ! Mais le problème c'est que je n'aime pas lire, à part les romans policiers d'Agatha Christie que je trouve amusants. D'ailleurs, je suis plutôt bonne détective.

Mme Hall était en train de parler de *Julie des vagues*. D'accord, je l'avoue, je ne l'ai pas lu. Pourtant, je crois qu'un des personnages porte mon prénom, Claudia. En fait, le seul livre de littérature que j'aie lu jusqu'à maintenant, c'est *Sarah la pas belle*, sans doute parce qu'il ne fait même pas cent pages.

– Claudia Koshi ?

– Oui ? (Mme Hall voulait-elle simplement que j'écoute ou m'avait-elle posé une question ?)

– Peux-tu nous aider ? (Zut, elle avait dû me poser une question.)

En rougissant, j'ai baissé les yeux vers mon cahier où j'avais griffonné des portraits de mes camarades.

– Hum, à quel sujet ? ai-je demandé.

Mme Hall a soupiré :

– Claudia Koshi ! (C'était mauvais signe car elle ne nous appelle presque jamais par notre nom de famille.) Pourrais-tu, s'il te plaît, être plus attentive ?

J'ai hoché la tête.

– Oui, ai-je réussi à répondre.

Mme Hall avait l'air désespéré. Aussi ai-je ajouté :

– Excusez-moi d'avoir gâché votre journée.

Parce que ça semblait vraiment être le cas. Je n'étais pas très fière de moi mais, quand même, quel pouvoir ! Imaginez un peu : être capable, comme ça, de gâcher la journée d'une adulte !

Mme Hall l'a mal pris.

– Fermez vos cahiers et prenez une feuille. Contrôle d'orthographe.

On a entendu des grognements. Quelques élèves m'ont fusillée du regard comme si tout était de ma faute. Mais j'étais prête à parier que d'autres avaient aussi regardé la mouche et gribouillé dans leur cahier.

– Les mots, continua Mme Hall, sont extraits des leçons sept et huit que vous aviez à étudier hier soir.

« Et que j'ai oublié de lire », ai-je complété dans ma tête.

– Je commence. Pharaon.

J'attendais qu'elle l'emploie dans une phrase ; ça ne m'aidait pas vraiment, mais quand elle faisait ça, elle prononçait les syllabes très distinctement. Elle a repris :

– Les é-lè-ves sont en train d'é-tu-di-er l'his-toi-re d'un fa-meux pha-ra-on é-gyp-ti-en.

« Ah ! ai-je pensé. Mme Hall nous donne un indice. » Elle avait employé « fameux » et « pharaon » dans la même phrase, donc ça devait commencer par la même lettre. Je suis nulle en orthographe, mais je sais que « fameux » commence par un « f ». Lentement, j'ai écrit « f-a-r-a-o-n » sur ma feuille puis, après avoir réfléchi, j'ai ajouté un « r ». Au dernier moment, j'ai ajouté un « h » au milieu. Ça me semblait pas trop mal : « farrahon ». J'étais fière d'avoir pensé à doubler cette consonne que l'on n'entendait pas. Qui avait donc inventé ces règles qui ne servaient à rien ?

– Institut, a poursuivi Mme Hall.

Je l'entendais à peine. Dehors, nos meilleures équipes sportives s'entraînaient pour le prochain match contre le lycée de Stamford. J'ai soudain regretté de ne pas pouvoir être à deux endroits en même temps. Puis j'ai repris mes esprits et gribouillé « un sttitu » sur ma feuille… et voilà.

– Trimestriellement.

Avant même que Mme Hall ait pu utiliser ce mot dans une belle phrase, la porte de la classe s'est ouverte. Toutes les têtes se sont tournées, y compris celle de notre professeur. C'était Mme Downey, la secrétaire du collège, elle ne se déplaçait en personne que pour des choses très importantes, autrement le directeur envoyait un élève.

Mme Hall s'est approchée et elles ont chuchoté un moment. J'ai vraiment horreur de ça. Puis la secrétaire a reculé pour laisser entrer quelqu'un que notre professeur a salué chaleureusement.

– Bonjour, Cynthia, nous sommes heureux de t'accueillir parmi nous.

Mme Downey lui a tendu des papiers avant de s'en aller.

Je retenais mon souffle. Nous avions une nouvelle élève dans la classe ! J'ai toujours pensé que les nouveaux, surtout ceux qui arrivent en milieu d'année, ou en milieu de journée – encore mieux ! – sont particulièrement intéressants.

Mais la nouvelle (comment Mme Hall l'avait-elle appelée, déjà ?) avait l'air encore plus intéressante. Ce sont ses vêtements qui ont d'abord attiré mon attention. Ils me rappelaient quelque chose. Quoi, déjà ? Ah ! oui. J'avais vu à la télévision, il y a peu de temps, un curieux film appelé *Woodstock*. C'était sur un gigantesque concert de rock en plein air qui avait eu lieu à la fin des années soixante, et tous les jeunes qui y assistaient étaient des hippies, d'après ce que m'avaient dit mes parents. Vous savez, ils portaient des tonnes de colliers avec des pantalons pattes d'éléphant ou de longues jupes bariolées. Les garçons avaient les oreilles percées et une queue de cheval et les filles, les cheveux lâchés.

Voilà, cette fille avait l'air d'une hippie. Elle portait une jolie jupe à fleurs rose, si longue qu'elle traînait par terre. Elle avait aussi un chemisier en dentelle avec des fleurs roses brodées, ainsi que de nombreux bracelets en argent aux poignets. Ses cheveux blond foncé étaient presque aussi longs que ceux de mon amie Carla, et elle en avait fait une grosse tresse qui tenait sans ruban ni élastique et lui descendait jusqu'à la taille. Elle avait trois boucles d'oreilles en argent qui pendaient à chaque lobe, mais aucune d'entre elles n'était assortie aux autres.

La chance ! Mes parents ne m'auraient jamais laissé me faire percer six trous.

J'aurais donc quelque chose d'intéressant à raconter aux filles du Club des Baby-Sitters cet après-midi !

La nouvelle nous a regardés. Elle avait l'air très sensible.

– Voici Cynthia Hopper, a dit Mme Hall. Elle vient d'arriver à Stonebrook et sera avec vous en anglais. J'espère que vous ferez en sorte qu'elle se sente ici chez elle.

Mme Hall a conduit Cynthia vers l'unique place libre, qui se trouvait justement à côté de moi. J'avais le cœur qui battait très fort. Les cours d'anglais devenaient soudain plus intéressants.

La prof a recommencé à dicter des mots. J'essayais d'être attentive, mais mon regard était attiré par la nouvelle. Pas par sa copie car je n'avais pas l'intention de tricher. Je regardais simplement Cynthia et je n'en revenais pas de sa façon de s'habiller… ni de ses six boucles d'oreilles.

Et puis, il y avait aussi son nom de famille : Hopper. Je me demandais si elle avait un lien avec le célèbre peintre Edward Hopper. Je ne suis peut-être pas une bonne élève, mais je peins et j'ai toujours espéré pouvoir devenir un jour aussi douée qu'un artiste comme Edward Hopper, même moitié moins m'irait tout à fait !

Après avoir écrit « mêdical », je lui ai lancé un regard furtif et je l'ai surprise à me regarder, elle aussi. Nous avons replongé immédiatement le nez dans nos copies. Je lui ai jeté un nouveau coup d'œil, nos regards se sont croisés. Je lui ai souri mais elle ne m'a pas rendu mon sourire.

Le contrôle terminé, nous avons fait passer nos copies à Mme Hall.

– Cynthia, a-t-elle dit après les avoir glissées dans une chemise, nous avons étudié *Le Neveu du magicien* et nous venons de commencer *Julie des vagues*. As-tu lu l'un des deux ?

– Oui, a répondu Cynthia.

– Lequel ?

– Les deux.

Notre professeur a haussé les sourcils.

– Nous l'avons étudié dans mon école l'an dernier, a-t-elle précisé.

– Ah !

Mme Hall semblait un peu déçue.

– Et as-tu lu *Les Aventures de Tom Sawyer* et *Les Hauts de Hurlevent* ?

Elle devait déjà envisager de mettre Cynthia avec un autre prof.

La nouvelle a acquiescé.

– Je les ai lus cet été. Mais ça ne me dérange pas de les étudier. À moins que je ne fasse un exposé sur la littérature des années trente, si vous voulez.

Mme Hall avait l'air impressionnée. Moi aussi, d'ailleurs. Quel élève aurait osé proposer un exposé à un professeur ?

À la fin de l'heure, Cynthia et moi nous sommes regardées de nouveau. Puis elle m'a dit en articulant à peine, comme si ça lui écorchait les lèvres :

– Sais-tu où est la salle 216 ?

Bonjour l'amabilité...

– Bien sûr. Je passe devant pour aller en maths. Tu n'as qu'à me suivre.

– D'accord... Merci.

Nous sommes sorties dans le couloir plein d'élèves et nous nous sommes dirigées vers l'escalier.

– Je m'appelle Claudia Koshi. Tu vas peut-être me trouver ridicule, mais je me demandais si tu étais de la famille d'Edward Hopper.

Elle a gardé le silence comme si elle se demandait ce qu'elle pourrait bien répondre.

– Non, mais j'aurais bien aimé.

Elle savait donc à qui j'avais fait allusion !

– Oh ! moi aussi, ai-je dit.

– Tu apprécies ses peintures ? m'a-t-elle demandé en me lançant un regard furtif.

– J'adore, tu veux dire ! Je prends des cours d'arts plastiques et j'aimerais un jour devenir peintre, ou sculpteur, ou faire de la poterie.

– Ah oui ? a fait Cynthia. Moi aussi. Enfin, je veux dire, j'aimerais aussi devenir sculpteur.

Elle allait ajouter quelque chose, quand la sonnerie a retenti et nous avons dû regagner nos salles de classe. En la regardant s'éloigner, je me suis dit que quelqu'un de très… différent venait d'entrer dans ma vie.

2

Je n'ai pas revu Cynthia ce jour-là, mais c'était normal. Il ne me restait que deux heures : une heure d'étude avant mon cours de soutien en maths.

Il était évident qu'une élève aussi brillante que Cynthia n'avait pas besoin de cours de rattrapage.

J'étais un peu déçue de ne pas l'avoir revue, mais j'avais une réunion avec le Club des Baby-Sitters cet après-midi-là, et j'adore les réunions. Vous vous souvenez de mon amie Carla Schafer ? Celle qui a les cheveux plus longs et plus blonds que Cynthia. Elle fait partie du club, comme mes autres amies Kristy Parker, Mary Anne Cook et Lucy MacDouglas. C'est vraiment super. On se réunit trois fois par semaine et les habitants de Stonebrook nous appellent quand ils ont besoin de quelqu'un pour garder leurs enfants. Nous avons de nombreux clients et je gagne pas mal d'argent, ce qui me permet d'acheter mon matériel de peinture, mon maquillage, mes bijoux, etc.

Comme vous pouvez le constater, notre club fonctionne comme une petite entreprise et ça fait maintenant un an qu'il existe. Nous nous retrouvons donc le lundi, le mercredi et le vendredi après-midi de cinq heures et demie à six heures, chez moi, car j'ai une ligne téléphonique personnelle dans ma chambre. C'est pour ça qu'on m'a nommée vice-présidente du club. Les gens savent qu'ils peuvent nous appeler à ces heures-là ; ils nous disent quand ils ont besoin de quelqu'un et nous nous répartissons les gardes. Comme nous sommes cinq, ils sont presque toujours sûrs de pouvoir obtenir une baby-sitter, en un seul coup de fil, et c'est ce qu'ils apprécient. Vous vous demandez peut-être ce qui se passe lorsque deux ou trois d'entre nous sont libres. Qui prend la garde ? En fait, ça n'arrive heureusement pas trop souvent. Cependant, quand le cas se présente, nous avons la délicatesse de dire par exemple : « J'ai déjà deux autres baby-sittings cette semaine, tu peux y aller Lucy », ou « Kristy, c'est toi qui la feras puisque c'est pour ton frère David Michael ».

Mary Anne, notre secrétaire, s'occupe de répartir les gardes dans nos emplois du temps. Elle est responsable de la tenue de notre agenda qui contient les adresses et numéros de téléphone des clients, des informations sur les enfants, les dates et horaires des baby-sittings et divers autres renseignements.

Lucy, notre trésorière, s'occupe de la comptabilité et gère nos cotisations hebdomadaires. Cet argent sert aux dépenses du club. Par exemple, nous payons Samuel, le grand frère de Kristy, notre présidente, car il la conduit et vient la rechercher à chaque réunion. C'est normal, car après avoir fondé le club, elle a dû déménager l'été dernier. L'argent de la caisse nous permet également de renouveler les coffres à jouets, une autre invention de Kristy. Ce sont des boîtes en carton remplies de nos anciens livres, jeux et jouets, auxquels nous avons ajouté des albums de coloriage et des jeux nouveaux ainsi que des crayons de couleur. Nous les emmenons parfois chez les enfants et ils ont toujours du succès.

Encore une chose. Carla a le rôle de suppléante. Elle remplace celle d'entre nous qui ne peut assister à une réunion. Puis nous avons également deux membres intérimaires, Logan Rinaldi et Louisa Kilbourne qui, au besoin, nous dépannent lorsqu'aucune d'entre nous ne peut se libérer. Enfin, en plus de l'agenda du club, Kristy veut que l'on tienne un journal de bord où nous racontons nos baby-sittings. De cette façon, nous sommes au courant de ce qui s'est passé pour chacune d'entre nous avec les enfants, ce qui est souvent très utile. (Mais, si vous voulez mon avis, ce n'est pas toujours très palpitant de lire ce journal toutes les semaines.)

Une fois les cours terminés, le jour de ma rencontre avec Cynthia, j'ai couru chez moi finir mes devoirs (j'en avais fait la majeure partie en étude). Ensuite, j'ai jeté un coup d'œil sur *Julie des vagues*. Il était plus que temps que je le lise, surtout si Mme Hall nous interrogeait dessus.

J'ai lu jusqu'à cinq heures et quart. L'histoire n'était pas mal. Ça parlait d'une fille qui s'appelait Claudia. En plus, cette Claudia se sentait victime d'injustice. Quand j'ai regardé le sens d'« injustice » dans le dictionnaire, ça m'a intéressée. Je trouve qu'il y a des tas de choses injustes dans ma vie, particulièrement en ce qui concerne l'école ou ma « géniale » sœur Jane.

Puis je suis descendue rejoindre ma grand-mère Mimi en attendant l'arrivée de mes amies.

Mimi était dans la cuisine et préparait le dîner. Elle a fait une attaque cérébrale l'été dernier, mais elle va beaucoup mieux, excepté pour deux choses : elle ne peut plus se servir de sa main droite (heureusement, elle est gauchère) et a encore quelques difficultés d'élocution (mais pas trop, si l'on considère que sa langue maternelle est le japonais et non l'anglais). Néanmoins, elle aime se sentir utile et commence à préparer le dîner tous les soirs avant que mes parents ne rentrent.

– Bonjour, ma Claudia, m'a-t-elle dit alors que j'entrais dans la cuisine. Tu as bien travaillé ?

– Oui, pas mal. Je suis en train de lire un livre. Il y a quelques mots compliqués mais ça me plaît. C'est drôle.

– Et si on se préparait un petit thé spécial ?

– Oh ! je n'ai pas le temps ; nous avons notre réunion du club et tout le monde va arriver dans quelques minutes.

– Ah oui. Je vois. (C'est ce que Mimi dit toujours ces jours-ci alors qu'elle a envie de dire autre chose, mais ce sont toujours les mêmes mots qui reviennent.)

– Mimi, ai-je repris en sortant un couteau pour éplucher les carottes, il y a une nouvelle à l'école, elle est avec moi en cours d'anglais. Elle s'appelle Cynthia Hopper et elle aime la peinture et la sculpture, comme moi. Nous n'avons pu discuter que deux minutes aujourd'hui, mais je pense que nous allons devenir amies. C'est drôle, non ?

– Parfois, ça se passe comme ça. C'est comme quand j'ai rencontré ton grand-père. Au bout d'une seconde, je savais que nous allions tomber amoureux, nous marier et avoir des enfants.

– C'est vrai ?

J'étais impressionnée. Quelle seconde ça avait dû être ! Je crois que nous avons besoin de ces instants intenses pour compenser ceux où l'on n'a rien d'autre à faire que de regarder les mouches.

On a sonné à la porte. Ce devait être Kristy. Son frère la dépose toujours un peu en avance.

C'était bien elle. Elle était même entrée avant que j'arrive à la porte.

– Salut, Claudia !

Elle semblait en forme, mais elle aurait pu faire un effort sur sa tenue et sa coiffure. Kristy est vraiment mignonne, mais elle ne prend pas la peine de se mettre en valeur. Pendant tout l'automne, elle a porté le même uniforme : jean, col roulé et baskets, et elle se contente de brosser ses longs cheveux. C'est fou ce que nous sommes différentes ! Moi, je portais une robe rose très courte en coton, des collants blancs et des ballerines noires. J'avais tiré mes cheveux sur le côté et les avais attachés avec un ruban du même rose que ma robe. Je n'avais découvert qu'une oreille, où j'avais accroché ma grande boucle en forme de palmier. (Kristy, elle, ne porte jamais de bijoux.)

Carla, Mary Anne et Lucy sont arrivées quelques minutes plus tard. Lucy est un peu comme moi. Elle met toujours des habits à la mode et essaie de nouvelles coiffures, mais elle n'est pas aussi excentrique que moi. J'ai remarqué qu'elle s'était mis du vernis à ongles jaune et avait peint des pois noirs par-dessus. Quand même !

Mary Anne, qui est timide et calme, est plutôt du même genre que Kristy (qui, elle, n'est pas tellement calme). Elle commence cependant à faire attention à ce qu'elle met. Carla, elle, a son propre style. Elle vient de Californie et a tendance à s'habiller un peu selon son humeur, mais avec goût.

Nous sommes montées dans ma chambre et j'ai fermé la porte. J'ai sorti un paquet de bonbons de ma cachette spéciale et je l'ai fait passer à mes amies, alors que Kristy s'installait à sa place de chef et que Mary Anne ouvrait l'agenda de manière à noter les rendez-vous au premier coup de fil. Grignotant les M&M's en attendant que le téléphone sonne, j'ai demandé :

–Vous avez vu la nouvelle ? Cynthia Hopper ?

Les autres ont secoué la tête. Mais il n'y eut aucun commentaire car... Dring, dring ! Le téléphone a sonné et nous avons bondi sur le combiné. C'est Kristy qui a décroché.

– Allô, Club des Baby-Sitters, j'écoute, a-t-elle dit de sa voix très pro. Bonjour, madame Rodowsky... Jeudi ? C'est un peu juste, mais je vérifie et je vous rappelle tout de suite. Au revoir.

– Mme Rodowsky? ai-je grogné alors que Kristy raccrochait.

Les Rodowsky ont trois fils, dont Jackie qui provoque toutes les catastrophes possibles et imaginables. Chaque fois que nous y allons, il trouve le moyen de tomber de, sur, ou dans quelque chose. Parfois, il se retrouve coincé, casse des objets ou en perd. Mais sinon il est mignon comme tout.

Mary Anne s'est esclaffée :

– Hé, Claudia ! Devine qui est la seule à être libre ce jour-là !

– Oh non ! ai-je gémi en me frappant le front, alors que Kristy se préparait à rappeler Mme Rodowsky.

Tout compte fait, ça ne m'ennuyait pas tant que ça. J'avais gardé Jackie et ses frères plusieurs fois et ils commençaient à s'habituer à moi.

La réunion s'est poursuivie. Il y a eu d'autres coups de téléphone et du travail pour tout le monde. C'était une réunion sans histoires, comme je les aime.

Le Club des Baby-Sitters compte beaucoup pour moi, presque autant que la peinture. Et je ne sais pas ce que je ferais sans le club, ou sans mes amies.

3

Toute la nuit, et le lendemain matin sur le chemin de l'école, j'avais attendu impatiemment de revoir Cynthia Hopper. Assisterait-elle à un autre de mes cours ?

Quel était son emploi du temps le matin ? En fait, je ne l'ai vue qu'en anglais. Et je ne l'ai même pas retrouvée à la cafet' le midi, bien que tous les élèves de notre âge mangent à la même heure.

En anglais, je lui ai souri et elle m'a répondu, mais à la fin du cours, Mme Hall m'a retenue, alors je n'ai pas pu partir avec elle. (Ce n'était rien de grave, la prof voulait simplement me remettre des exercices de grammaire à faire en étude.) J'étais vraiment désolée de ne pas avoir pu parler à Cynthia. « Tant pis, peut-être demain », me suis-je dit.

Cet après-midi-là, j'avais cours d'arts plastiques. En ce moment, je prends deux sortes de cours : dans le premier j'aborde différentes techniques (la sculpture, le dessin, la peinture à l'huile, l'acrylique et l'aquarelle). En ce moment, on fait modelage sur argile ; ça me plaît beaucoup, mais c'est dur. Je suis meilleure en peinture et en dessin. Et, le week-end, je prends des cours de poterie : c'est ma nouvelle folie. Cet été, ma famille et moi sommes allées dans un village de vacances à la montagne où l'on pouvait faire de la natation, de l'équitation, de l'escalade et de la poterie (c'était une sorte de colonie de vacances, sauf qu'il y avait aussi des adultes). J'ai donc suivi des cours de poterie et j'ai adoré, alors papa et maman m'ont inscrite à Stonebrook. Comme le centre d'arts plastiques est tout près du collège, j'arrive souvent un peu en avance. Ce jour-là, j'étais la deuxième et j'étais même là avant le prof. Je me suis installée devant ma sculpture ; j'allais juste y apporter une petite modification lorsque quelqu'un m'a tapoté sur l'épaule.

Je me suis retournée.

– Cynthia !

Elle portait un chemisier blanc bouffant, une longue jupe et une veste en jean, et des espadrilles en toile. Aux poignets, elle avait des bracelets de perles et elle s'était noué un foulard autour de la tête. On ne voyait pas ses oreilles car elle n'avait pas attaché ses cheveux, et j'aurais bien voulu savoir si elle portait toujours ses six anneaux.

– Salut, Claudia. Alors comme ça, tu es inscrite ici ?

– Toi aussi ?

Cynthia a acquiescé.

– J'ai suivi de nombreux cours à Chicago. Mais c'est le seul que l'on trouve ici. C'est bien ?

– C'est super. Si tu voyais ce qu'on fait !

– Comment est le prof ?

– Mme Baher ? Elle est sympa. Elle nous encourage vraiment.

– Où a-t-elle étudié ? a demandé Cynthia. A-t-elle exposé certaines de ses œuvres ?

– Hein ? Quoi ?

– Quelle est sa formation ? A-t-elle des diplômes ?

Je sentais mes joues devenir écarlates. Bien sûr que Mme Baher devait avoir des diplômes puisqu'elle était professeur.

– Je… je ne sais pas, ai-je bafouillé.

Mais Cynthia était déjà partie sur un autre sujet. Elle regardait ma sculpture. C'était une main, une simple main. Mais si vous pensez qu'il est facile de sculpter (ou même de dessiner) une vraie main, essayez un peu.

– Eh, Claudia, c'est génial ! C'est beau ! s'est-elle exclamée en se promenant tout autour et en la regardant sous différents angles.

– Merci, ai-je dit, mais c'est juste un exercice, pour m'entraîner et apprendre de nouvelles choses.

– C'est quand même génial. Tu as fait quoi, encore ?

J'ai vu que Cynthia avait apporté son carton à dessins.

– Tu veux voir mes dessins ? lui ai-je demandé timidement.

J'ai toujours l'impression de me vanter lorsque je les montre, même si je ne suis pas sûre que mon travail soit si bon que ça. Beaucoup de gens disent que si, mais comment savoir ?

– Bien sûr, a répondu Cynthia.

– Bon… d'accord, ai-je fait, hésitante.

Nos cartons à dessins sont rangés sur une étagère au fond de la classe. J'ai pris le mien, je l'ai posé sur la table de travail à côté de ma sculpture, et je l'ai ouvert devant Cynthia.

Elle a regardé chaque dessin avec beaucoup d'attention, avant de le retourner pour examiner le suivant. J'étais debout en face d'elle, guettant les réactions sur son visage. J'étais aussi nerveuse que si je passais un examen.

Quand elle a eu terminé, elle a refermé le dossier et a planté ses yeux bleus dans les miens.

– Tu es vraiment très douée. J'espère que tu en es consciente.

J'ai soupiré, soulagée :

– Oh merci, je suis contente que ça te plaise.

Comme l'art est l'une des seules choses où je pense ne pas être trop mauvaise, je suis vraiment très mal quand les gens n'apprécient pas mon travail. J'ai hésité avant de demander :

– Je peux voir le tien ? Ça ne te dérange pas ?

– Oh non, pas du tout.

Cynthia me l'a passé.

Je me demandais quel genre d'artiste elle était. Voir un carton à dessins peut apprendre beaucoup sur quelqu'un. Moi, je regarde toujours les sujets que l'artiste a choisis, et les œuvres que la personne a décidé de garder dans son dossier. Enfin ce genre de choses. C'est psychologique, je suppose.

J'ai eu un sursaut en voyant le premier dessin de Cynthia. Jamais de ma vie je n'avais vu un portrait aussi réaliste : on aurait dit une photo. Je suis sûre que mes yeux trahissaient mon étonnement.

– Waouh ! ai-je soufflé. C'est ahurissant !

– Oh, c'est un vieux truc, a affirmé Cynthia. Mais tu vas voir, le suivant…

J'ai retourné le premier dessin pour découvrir ensuite une aquarelle. Je n'étais pas certaine de ce qu'elle représentait, mais je savais qu'elle était vraiment, vraiment belle.

– Ça, c'est une innovation, m'a expliqué Cynthia.

Je l'ai regardée pour voir si elle plaisantait, mais elle avait toujours son air grave et sérieux.

Le reste était tout aussi extraordinaire. J'ai refermé le carton, le cœur battant.

– Ça fait combien de temps que tu prends des cours ?

– Oh, depuis toujours, m'a-t-elle répondu. Depuis que j'ai quatre ou cinq ans.

– Oh ! Et où ça ? Dans une école spéciale ?

– Tu connais l'académie Keyes ? C'est à Chicago, là où j'habitais avant.

– Tu as étudié à l'académie ? (Je parvenais à peine à garder mon calme.)

Cynthia a fait oui de la tête.

– Mais comment y es-tu entrée ? Très peu de gens sont sélectionnés.

Cette école est très célèbre dans le milieu de la peinture. Une fois, j'avais demandé à mes parents si je pouvais essayer d'y aller pour suivre les cours d'été, mais ils avaient répondu que c'était trop loin et beaucoup trop cher.

– J'ai simplement été choisie, a-t-elle expliqué, modeste, quand j'avais huit ans.

Elle a promené un regard incertain tout autour de notre petite salle de cours de Stonebrook.

– J'espère que c'est une bonne école, et que Mme Baher est aussi douée que Simmons. C'était mon ancien professeur à Chicago.

– Oh, mais j'en suis certaine, ai-je affirmé (sans en être vraiment convaincue). Dis, tu as vraiment aimé ce que je fais ?

– Tu plaisantes ! C'est super. Si tu habitais Chicago, tu pourrais aller à l'académie.

– Waouh...

Je sentais le sol se dérober sous mes pieds. Quelqu'un qui avait fréquenté l'académie appréciait mes dessins. J'espérais avoir impressionné Cynthia autant qu'elle m'avait impressionnée.

Entre-temps, de nouveaux élèves étaient arrivés. Je leur ai présenté Cynthia. Je pensais que c'était un bon moyen pour elle de rencontrer d'autres jeunes de Stonebrook. Mais elle ne semblait pas très intéressée. J'ai remarqué qu'elle fixait le travail de l'élève (et non pas l'élève lui-même) pendant que je faisais les présentations. Puis elle hochait la tête et on passait au suivant. La seule personne qu'elle a regardée un moment, c'était Fiona McRae, la deuxième meilleure élève du cours. (C'était moi la meilleure, du moins jusqu'à l'arrivée de Cynthia.) Les yeux de Cynthia allaient de Fiona au cerf que celle-ci avait sculpté et qu'elle semblait apprécier. Puis je lui ai montré l'endroit où nous rangions notre matériel.

Au moment même où nous nous sommes assises, Mme Baher est entrée dans la salle.

Cynthia s'est redressée, à la fois nerveuse et pleine d'espoir, et je l'ai présentée à notre professeur.

Mme Baher a paru aussi impressionnée que moi d'apprendre qu'elle venait de l'académie. Elle a haussé les sourcils avec un sifflement admiratif en découvrant les dessins de Cynthia. Peut-être aurais-je dû être jalouse, mais ce n'était pas le cas. Après tout, elle avait étudié à l'académie et m'avait dit que j'étais douée. Elle devait s'y connaître. En plus, elle m'avait choisie comme amie parmi tous ceux du cours. Elle regardait à peine les autres, n'adressant la parole qu'à Mme Baher et à moi.

J'étais sur un petit nuage.

Après avoir parlé avec Cynthia, Mme Baher s'est tournée face à nous.

– J'ai quelque chose d'important à vous annoncer. Une nouvelle galerie d'art va s'ouvrir à Stonebrook et, pour l'inaugurer, les propriétaires ont prévu un concours de sculpture qui s'adresse aux élèves des cours d'arts plastiques de la ville. J'aimerais que vous y participiez tous. Vous pouvez commencer quelque chose de nouveau ou terminer ce sur quoi vous êtes en train de travailler. Même si vous ne gagnez pas, votre travail sera exposé pendant la première semaine d'ouverture. Je pense que ce serait pour vous tous une bonne expérience.

Cynthia m'a lancé un regard, tout excitée.

– Une exposition ! Il faut le faire !

– Y a-t-il un prix ? a voulu savoir Fiona McRae.

– Le premier prix est un chèque de deux cent cinquante dollars, a répondu Mme Baher.

Super ! Tout ce que je pourrais acheter avec ça ! Je croyais rêver.

– C'est quand cette exposition, enfin, combien de temps avons-nous pour réaliser nos sculptures ? a demandé John Steiner.

– Quatre semaines à partir d'aujourd'hui.

Mon visage s'est décomposé. Je pouvais dire adieu au concours et aux deux cent cinquante dollars de prix, car j'étais incapable de faire quelque chose de bien en un mois.

Ma main n'était qu'un exercice, non une pièce d'exposition. Chez moi, je travaillais sur deux sculptures – une de Mimi (mon modèle préféré), et une du chat de Mary Anne, Tigrou. La sculpture de Mimi était trop personnelle, et Tigrou ne faisait pas vraiment l'affaire pour une exposition. Non, si je voulais concourir, je devais repartir de zéro. Un mois ne me suffirait jamais pour commencer quelque chose et le faire jusqu'au bout, suivre mes cours de poterie, aller au collège et aussi garder des enfants.

– Je ne peux pas participer au concours, ai-je confié à Cynthia, alors que le cours avait commencé.

Elle a levé les yeux de sa motte d'argile.

– Pourquoi ?

Je lui ai exposé mes raisons.

– Mais tu dois y participer, a-t-elle insisté. Ce serait une grave erreur de ne pas le faire. Tu n'as pas le droit de négliger ton talent. Je t'aiderai. D'ailleurs, je parie que je pourrais t'apprendre beaucoup de choses, te montrer d'autres voies. Et je ne fais ça que pour des personnes douées.

– C'est impossible, ai-je répondu simplement.

– Moi, je me lance. Si je ne fais que ça pendant les quatre prochaines semaines, je vais réussir à faire quelque chose qui sera digne de ce concours. Et je pense que tu devrais essayer aussi. Souviens-toi, je peux t'aider.

– Bon, ai-je soupiré, je vais voir.

Cynthia a souri.

– Je savais bien que tu changerais d'avis.

4

– Oh, non ! Attention ! ai-je crié.
Foufff ! Crunch, crunch.
– Ooups, a fait Jackie Rodowsky.

J'ai fermé les yeux, espérant que les céréales se seraient miraculeusement volatilisées quand je regarderais à nouveau. Mais non, lorsque j'ai rouvert les yeux, le sol était recouvert d'un tapis de grains de riz croustillants, et Jackie était toujours assis au milieu du désastre, le paquet à l'envers à la main. C'était un jeudi, et mon calvaire chez les Rodowsky venait de commencer. Après le départ de sa mère, le petit garçon m'avait dit :

– J'ai faim. Préparons-nous un petit goûter.

Et deux minutes plus tard, je me retrouvais dans une mer de céréales.

J'ai jeté un coup d'œil vers la table où Richie (neuf ans)

et Archie (vous imaginez un prénom pareil, Archibald pour un petit de quatre ans !) étaient installés. Eux, normalement, ne me posaient aucun problème. Ils ressemblaient à leur frère, mais Jackie, ce petit rouquin de sept ans couvert de taches de rousseur, était la catastrophe ambulante de la maison.

– Bon, on va nettoyer, ai-je soupiré.

Richie et Archie ont sauté de leur chaise pour revenir avec une pelle, une balayette et un aspirateur de table. Ce sont des spécialistes du nettoyage. Avec Jackie, ils ont intérêt.

Archie tenait la pelle pendant que Richie poussait les céréales, et je les suivais pour aspirer le reste.

Jackie nous regardait sans bouger.

– Qu'est-ce que je peux faire ?

– Rester tranquille, ai-je répliqué.

Mais, pour lui, c'était beaucoup plus facile à dire qu'à faire.

Après avoir fait place nette, j'ai ajouté « céréales » à la liste des courses de Mme Rodowsky, fixée sur le réfrigérateur par un petit aimant.

Je venais juste de terminer lorsque j'ai entendu Richie prononcer ces mots terribles :

– Où est Jackie ?

– Oh ! là, là ! Richie, Archie, allez voir en haut. Moi, je descends dans la salle de jeux.

Les garçons ont monté l'escalier quatre à quatre pendant que je me précipitais dans le salon, puis dans la salle à manger. Aucune trace de Jackie, tout était calme.

J'ai foncé dans la salle de jeux.

– Jackie ?

Pas de réponse.

J'ai enfin entendu la voix de Richie :

– Euh, Claudia, tu peux venir voir ?

J'ai couru à l'étage. Richie et Archie étaient devant la salle de bains.

– Jackie est à l'intérieur ?

– Oui, a répondu Richie. Et la porte est fermée à clé.

– Eh, Jackie ! Ouvre la porte ! Tu sais comment on fait, n'est-ce pas ?

– Ouais ! a-t-il répondu. Mais je ne peux pas.

– Pourquoi ?

– Je suis coincé dans la baignoire.

– Comment peux-tu être coincé dans la baignoire ?

– Ma main est bloquée dans le trou. Je n'arrive pas à l'enlever.

Archie tirait sur ma chemise.

– Il voulait récupérer son avion en plastique qui a été avalé quand on a vidé l'eau du bain hier soir.

– Oh non, c'est pas vrai ! me suis-je écriée en portant la main à mon front. Bon. Richie, où est la clé de la salle de bains ?

Il a haussé les épaules.

– Comment ? Tu ne sais pas ?

Nous, les baby-sitters, nous posons beaucoup de questions aux parents, sur les allergies des enfants et sur l'endroit où est rangée la trousse à pharmacie d'urgence, mais je n'aurais jamais pensé à leur demander où se trouvait la clé de la salle de bains.

Richie m'a regardée, les larmes aux yeux.

– Désolé.

– Oh, c'est moi qui suis désolée. Je ne suis pas en colère, mais je ne sais vraiment pas comment aider Jackie.

– Moi, je sais, a-t-il décrété en retrouvant son sourire.

– C'est vrai ?

– Ouais, c'est facile. En passant par la fenêtre.

– Mais nous sommes au premier étage.

– Je sais. Il n'y a qu'à monter sur le toit de la niche, sur le toit de la remise et sur le toit de la véranda et, de là, on peut ouvrir la fenêtre de la salle de bains. Tu veux que j'y aille ?

– Non, merci, je vais le faire. J'espère seulement que la fenêtre n'est pas fermée, elle aussi.

Cinq minutes plus tard, j'étais debout sur la niche. Archie et Bo (le chien) me regardaient, alors que Richie était resté à l'intérieur pour pouvoir parler à Jackie. J'ai fait un effort surhumain pour me hisser sur le toit de la remise, en me félicitant d'avoir mis un jean et non une jupe. D'ailleurs, j'ai décidé d'en mettre un chaque fois que je viendrais chez les Rodowsky.

– Super ! m'a encouragée Archie alors que je traversais d'un pas hésitant le toit de la remise et que j'entamais la dernière partie de mon ascension.

Quand j'ai enfin atteint la fenêtre de la salle de bains, j'ai prié en silence : « Faites qu'elle soit ouverte ! » Elle l'était.

– Merci, ai-je murmuré en me glissant à l'intérieur.

– Merci de quoi ? a demandé Jackie.

– Ah, ce n'est pas à toi que je parle.

J'ai ouvert la porte de la salle de bains. Richie m'attendait patiemment derrière. « Et maintenant ? » ai-je pensé en voyant la main de Jackie coincée dans le siphon. J'ai soudain eu une bonne idée et, pour une fois, j'étais contente que notre journal de bord existe. Je me souvenais y avoir lu comment Mary Anne et Logan Rinaldi avaient un jour sorti la main de Jackie d'un bocal.

– Richie, tu pourrais aller me chercher du beurre ? Dis aussi à Archie de rentrer.

– Bien sûr.

Et un instant après, il était de retour avec Archie et le beurre.

J'en ai étalé une épaisse couche un peu partout sur la main de Jackie et le rebord du siphon.

– Maintenant, tire ta main très doucement.

Il a tiré sa main en la tournant un peu et l'a libérée.

– Eh ben, ai-je soupiré.

– Eh ben, ont-ils répété en chœur.

– Et si on allait dehors ? ai-je suggéré. (En fait, le jardin me paraissait moins dangereux que la maison.)

– D'accord !

Une fois que tout a été nettoyé, nous sommes allés sur la pelouse devant la maison. C'était un peu près de la rue, mais le jardin derrière la maison était trop petit pour jouer, avec la niche de Bo, la remise, etc.

– À quoi voulez-vous jouer ? leur ai-je demandé.

Comme ils n'arrivaient pas à se mettre d'accord, j'ai proposé :

– Vous connaissez « Un, deux, trois, soleil » ?

Trois têtes rousses ont fait signe que non.

– Bon, c'est facile. Les garçons, vous restez ici.

Je les ai alignés d'un côté du jardin avant de courir à l'autre bout.

– Je vais me tourner, fermer les yeux et compter jusqu'à trois. Pendant ce temps, vous avancerez le plus vite possible vers moi. Dès que je dis « soleil », il faut vous arrêter car, à ce moment, je me retourne, et si j'en vois un bouger, je le renvoie au point de départ. Le premier qui me rejoint a gagné et prend ma place. Compris ?

– Compris ! ont fait Richie et Jackie.

– Compris quoi ? a dit Archie.

– Ce n'est pas grave. On va essayer et voir comment ça se passe. S'il y a quelque chose que vous ne comprenez pas, dites-le-moi, d'accord ?

Archie a acquiescé.

– Bon, alors maintenant, attention.

Je me suis retournée, les yeux fermés :

– Un, deux, trois...

J'entendais de petits bruissements derrière moi.

– Soleil !

J'ai fait volte-face et j'ai ouvert les yeux. Richie et Archie, qui avaient fait un tiers du parcours étaient figés comme des statues, penchés en avant, comme s'il y avait eu un arrêt sur image. Mais Jackie, qui les devançait de peu, bougeait encore. Quand il a tenté de s'immobiliser, il a perdu l'équilibre et il est tombé.

– Allez ! Tu retournes au départ, ai-je ordonné.

Il est reparti en grognant. Quand il a été prêt, j'ai fermé les yeux et crié à nouveau :

– Un, deux, trois…

Presque immédiatement, j'ai senti quelqu'un me tapoter l'épaule.

– Gagné ! me suis-je exclamée, toute surprise.

Qui était arrivé si vite ? J'ai ouvert les yeux.

Cynthia Hopper se tenait devant moi.

– Cynthia ?

Les trois garçons, qui ne savaient plus s'il fallait continuer ou s'arrêter, ont tous perdu l'équilibre et se sont écroulés. J'ai éclaté de rire, mais Cynthia me regardait bizarrement.

– Qu'est-ce que tu fabriques ?

– Du baby-sitting, nous jouons à « Un, deux, trois, soleil ». Mais toi, qu'est-ce que tu fais ici ?

– J'habite à côté.

Les trois petits Rodowsky l'ont entourée. Ce devait être la première fois qu'ils la voyaient dans cette tenue.

– Pourquoi dois-tu les garder ? m'a demandé Cynthia en désignant les enfants (qui ont visiblement été choqués par sa question).

– C'est mon travail. J'adore ça.

Je lui ai parlé de notre club, de la façon dont il fonctionnait et des enfants que nous gardions.

– Et toi, que fais-tu de ton temps libre ?

– Je peins. Ou je sculpte, a-t-elle répondu.

– Oui, mais avec tes amis ? Qu'est-ce que tu faisais à Chicago ?

– Ah, juste… juste mon travail artistique. C'est vraiment ce qui compte le plus pour moi. J'avais une amie qui fréquentait aussi l'académie. Parfois, on peignait toutes les deux. Le meilleur moyen de développer son talent, c'est d'y consacrer tout son temps, tu sais…

J'écoutais Cynthia avec intérêt. Elle devait savoir de quoi elle parlait… Peut-être aurais-je dû réserver un après-midi par semaine rien que pour mes activités artistiques, sans interruption, ni distraction. Je pariais que c'était ce qu'elle faisait, au minimum.

– Le Club des Baby-Sitters doit te prendre pas mal de temps, a-t-elle remarqué.

– Oh oui, ça marche très bien et, en plus, nous avons nos réunions.

– Mais alors quand trouves-tu le temps de peindre ?

– Dès que j'ai un moment de libre, ai-je répliqué. (Était-elle en train d'insinuer que je ne prenais pas assez au sérieux mon travail d'artiste ?)

Elle a froncé les sourcils en voyant Archie qui s'était agrippé à ma jambe et qui essuyait ses mains pleines de framboises sur mon jean. Soudain, je me suis sentie gênée et un peu… comment dire… bêbête. Je l'ai repoussé gentiment.

– Je… je passe pas mal de temps sur mes sculptures, ai-je menti. En fait, je pense avoir assez de temps pour pouvoir préparer quelque chose pour le concours.

Cynthia a souri.

– Parfait, a-t-elle fait en s'éloignant.

– Hé ! Tu ne veux pas rester un peu ?

– Eh bien, en fait, j'aimerais te parler. Mais, (elle a fait une pause en fixant les enfants)… ce n'est pas le bon moment, je crois.

Et elle s'en est allée.

Pendant presque tout l'après-midi, j'ai repensé à ce que Cynthia m'avait dit. Elle avait l'air si mûre. Elle était sérieuse, se fixait des buts et s'investissait à fond dans son travail. C'était comme ça que je voulais être, sérieuse et mature, comme elle.

Ce jour-là, en revenant de chez les Rodowsky sur ma bicyclette, j'ai pris deux décisions : j'accepterais l'aide de Cynthia pour ma sculpture, puisqu'elle me l'avait proposée ; et plus jamais elle ne me verrait jouer dehors à des jeux idiots quand je garderais les trois garçons.

5

Un des avantages du Club des Baby-Sitters, c'est qu'il nous a permis à toutes les cinq de devenir de super amies.

Il y a un an, nous formions de petits clans : Mary Anne et Kristy étaient inséparables car elles se connaissaient depuis l'enfance. Quand Lucy est arrivée, nous avions tant de points communs, elle et moi, que nous nous sommes tout de suite très bien entendues. Nous n'étions pratiquement jamais ensemble toutes les quatre, sauf pour nos réunions et, à la cantine, nous mangions à des tables différentes, chacune avec son propre groupe d'amis. Puis, Carla est arrivée à Stonebrook. Elle a d'abord sympathisé avec Mary Anne mais, dès qu'elle est entrée au club, elle est devenue amie avec tout le monde et, au collège, elle mangeait tantôt avec les unes, tantôt avec les autres. Cette année, c'est différent. Nous avons pris l'habitude de déjeuner à la même table et de sortir en groupe (bien que nous ayons également des amis en dehors du club). À midi, dès que la sonnerie retentit, nous courons à la cafétéria et la première arrivée réserve notre table favorite.

C'est pourquoi, le jour où Cynthia Hopper m'a proposé de déjeuner avec elle (le lendemain de ma garde chez les Rodowsky), je ne savais pas trop quoi répondre. Je ne voulais pas abandonner mes amies.

Finalement, j'ai dit :

– Veux-tu venir à la table de mes amies du club ? Nous mangeons toujours ensemble.

– Je préférerais qu'on s'installe à une autre table toutes les deux. Tu ne manges pas toujours avec elles quand même ? En plus, de quoi allez-vous parler ? De baby-sitting ?

– Pas nécessairement. Nous parlons de tas de choses, des garçons, des prochaines soirées et d'autres trucs…

– Bon, mais il faut que nous parlions art.

– Rien que toi et moi ?

– Qui d'autre ici s'y connaît autant que nous ?

Je me sentais extrêmement flattée.

– Nous avons une exposition à préparer, m'a-t-elle rappelé. Il faut que nous choisissions des sujets et j'aimerais t'aider, si tu veux bien.

Si je voulais un coup de main de quelqu'un qui avait étudié à l'académie ? Bien sûr que oui.

– Oh ! merci. Ce serait formidable. Tu as des idées de sujet ?

Cynthia a souri.

Intriguée, j'ai poussé la porte à double battant de la cafétéria.

Elle s'est dirigée vers une table près de la fenêtre, mais je l'ai entraînée dans la direction opposée.

– Je dois d'abord voir mes amies une seconde…

Puis, j'ai ajouté :

– Tu es sûre de ne pas vouloir venir à leur table ?

– Tu sais, il n'y a pas de temps à perdre si tu veux devenir une grande artiste.

– Tu as peut-être raison.

J'étais mal à l'aide. Comment réagiraient les membres du club si l'une d'entre nous laissait tomber ? Ce n'était pas comme si j'étais malade ou que j'avais des devoirs de rattrapage à faire ou quelque chose comme ça.

J'ai conduit Cynthia à la table du club, où Kristy et Mary Anne s'installaient justement avec leur plateau. Comme d'habitude, Kristy faisait ses commentaires sur le plat du jour.

– Je sais à quoi ça ressemble ! s'est-elle exclamée en montrant sa pizza. Ça ressemble… vous vous souvenez de cet écureuil écrasé sur le bord de la route ?

Voyant Cynthia devenir verte, je me suis empressée de lancer :

– Salut, les filles !

– Oh, salut ! a répondu Mary Anne en poussant une chaise vers moi. Carla et Lucy sont parties chercher du lait. Pourquoi tu arrives si tard ?

– Eh bien, je… vous connaissez Cynthia Hopper ? C'est la nouv… Je veux dire… elle vient d'arriver et elle suit les cours de peinture avec moi. Et, bon, nous allons manger ensemble aujourd'hui car nous devons discuter de quelque chose, un projet.

J'ai débité tout ça d'un trait sans laisser à personne la moindre possibilité de répliquer.

Cynthia m'a pris le bras.

– Oh, d'accord, a répondu Kristy en plongeant le nez vers son plateau.

Mary Anne a détourné les yeux, elle aussi, sans un mot.

Comme Cynthia demeurait muette également, j'ai fini par dire :

– Bon, alors à plus tard, les filles.

– C'est ça, à plus tard, a répondu Kristy.

J'étais furieuse. Pourquoi ne pourrais-je pas avoir une nouvelle amie ? Y avait-il une loi m'obligeant à manger tous les jours avec Kristy, Mary Anne, Carla et Lucy ? Bien sûr que non. Elles n'avaient pas le droit de me traiter comme si j'avais commis un crime ou je ne sais quoi.

– Hé, ai-je fait alors que nous posions nos livres sur la table. On n'a pas oublié quelque chose ?

– Quoi ? a demandé Cynthia en rejetant ses cheveux en arrière.

J'ai aperçu ses six boucles d'oreilles : deux clous en or et un anneau à une oreille ; sur l'autre, un coquillage, une vraie plume et un flamant rose en pendentif. Assez cool, tout ça.

– Nos plateaux ! me suis-je exclamée avec une grimace.

Cynthia a souri.

– Ah oui, c'est vrai.

Nous avons tout laissé sur la table et nous sommes

parties faire la queue. Je ne prends jamais de plat chaud le midi, je préfère un sandwich. Cynthia a pris une salade, un yaourt et une pomme : menu diététique. Carla et elle s'entendraient probablement à merveille, puisque Carla ne mange que des fruits, des légumes ou des céréales. Dommage que Cynthia n'ait pas l'air de vouloir faire plus ample connaissance avec mes amies.

Quand nous sommes revenues à notre table, elle m'a demandé :

– Alors, tu as pensé à ce que tu voulais sculpter ?

– Non, ai-je répondu. (Ce qui n'était pas tout à fait exact, mais j'espérais que Cynthia aurait quelques bonnes idées puisqu'elle était experte en la matière.)

– Et toi, tu y as réfléchi ?

Elle a hoché la tête.

– Oui, mais je n'ai pas encore décidé. Par contre, j'ai une bonne idée. J'ai lu qu'il y avait une expo à la galerie Kuller.

La galerie Kuller est la plus ancienne de Stonebrook.

– Je pense que c'est une exposition d'aquarelles, mais on peut toujours aller y faire un tour. En général, cela m'inspire souvent d'aller voir une exposition.

– Mais c'est pour la sculpture qu'on a besoin d'idées, pas pour la peinture.

– Ça peut quand même nous en donner quelques-unes. Claudia, j'aimerais vraiment que tu viennes avec moi. Personne d'autre ne serait capable d'apprécier les tableaux comme toi.

Quel compliment !

– D'accord. Mais il faut que je sois rentrée pour cinq

heures et demie car j'ai ma réunion du Club des Baby-Sitters.

En fait, je n'ai pas pu m'échapper avant six heures moins le quart. Dès cinq heures, j'avais commencé à dire : « Je ferais bien d'y aller », puis « il est temps que je rentre ». Mais, à chaque fois, elle m'entraînait vers un autre tableau en disant :

– Attends, il faut que tu voies celui-là, Claudia.

Elle était tellement concentrée qu'elle devait à peine entendre ce que je lui disais. Je dois avouer que j'ai retiré beaucoup de choses de cette exposition, plus que si j'y étais allée toute seule. Je voyais les œuvres avec un autre œil et Cynthia m'indiquait des détails auxquels je n'aurais pas prêté attention sans elle. Et elle m'écoutait vraiment quand j'avais des commentaires sur les aquarelles.

J'ai regretté de devoir partir tant je prenais du plaisir à contempler ces œuvres. Je savais que mes autres amies n'auraient pas apprécié cette exposition, du moins, pas de la même façon que nous.

Je suis arrivée en courant dans ma chambre à six heures moins le quart. Mes amies étaient en pleine réunion.

– Mais vous avez commencé sans moi ! ai-je constaté, blessée.

– Salut, a fait Kristy. Bien sûr que oui. Le téléphone sonnait. Qu'est-ce que tu crois ? Qu'on allait dire à tout le monde de rappeler plus tard, quand Claudia serait de retour ? On ne savait même pas si tu allais venir. Où étais-tu ?

– Cynthia et moi, nous sommes allées à une exposition à la galerie Kuller.

En entendant le nom de Cynthia, mes amies se sont regardées.

– Tu aurais pu appeler pour prévenir que tu serais en retard, m'a reproché Kristy. Ça fait partie des règles du club, tu le sais.

– J'ai essayé de me dépêcher, j'ai couru tout le long du chemin. Je suis partie tard de là-bas, mais Cynthia et moi avons passé un moment tellement agréable.

Lucy a pâli.

– Aussi agréable que lorsqu'on fait les boutiques ensemble ?

– Ça je ne sais pas ! ai-je répliqué avec un sourire forcé.

Heureusement, la sonnerie du téléphone a retenti, et nous avons arrêté là la discussion pour noter un rendez-vous. Puis deux autres encore.

– J'ai raté quelque chose ? ai-je demandé à la fin. Je veux dire, au début de la réunion.

– Trois appels, a répondu Kristy. À en croire l'agenda, tu devais être libre pour deux gardes, mais nous n'en étions pas sûres. Alors Lucy et Mary Anne les ont prises.

J'ai hoché la tête. C'était normal et, de toute façon, c'était une règle. Si on arrivait en retard à une réunion sans prévenir, on était pénalisée. Pourtant, je n'aimais pas vraiment leur réaction, ni le regard que me lançait Lucy.

6

Oh! là là, les filles ! David a un peu perturbé ma garde aujourd'hui. Il faut que je vous raconte ce qui s'est passé. J'étais chez les Perkins. Myriam et Gabbie étaient sages comme des images. Elles jouent bien toutes les deux. C'est vrai qu'elles avaient mis un peu de désordre dans la salle de bains, mais leur mère m'avait dit que ce n'était pas grave car c'était facile à nettoyer. On s'amusait beaucoup toutes les trois et Shewy ne nous embêtait même pas. C'est alors que le téléphone a sonné.

Ce qu'il faut savoir à propos du petit frère de Carla, David, c'est qu'il a des problèmes depuis la rentrée des classes. Il dit que son père lui manque. En fait, Carla et son frère sont venus s'installer à Stonebrook en janvier dernier parce que leurs parents ont divorcé. Mme Schafer a grandi à Stonebrook, et ses parents, les grands-parents de Carla, y vivent encore. Mme Schafer est donc revenue avec ses enfants dans sa ville natale, tandis que son ex-mari restait en Californie.

Au début, tout semblait bien se passer. Évidemment, Carla n'aimait pas trop l'hiver ici, mais elle s'était fait des amis et était entrée dans notre club. David aussi s'était fait des copains et Mme Schafer avait trouvé un travail et même un petit ami.

Puis, à la fin de l'été, Carla et David sont retournés voir leur père en Californie, et peut-être que David a attrapé le mal du pays ou un truc de ce genre. Qui sait ? En tout cas, il est devenu vraiment insupportable. Il répète sans arrêt que son père lui manque et qu'il ne veut plus habiter avec Carla et sa mère. À l'école aussi, il a des problèmes.

Mais voilà ce qui est arrivé à Carla lorsqu'elle est allée garder les petites Perkins.

Quand elle a sonné, elle a aussitôt entendu Shewy, leur jeune labrador noir, qui se précipitait à la porte.

– Shewy ! Shewy !

Puis il y a eu une petite bousculade.

– C'est Carla ? a demandé une voix.

– Oui, c'est moi.

– Tu peux entrer. Je vais mettre Shewy dans le jardin.

– D'accord !

Carla est entrée en tendant l'oreille. À part Mme Perkins qui emmenait le chien dehors, elle n'entendait pas un bruit. Où étaient donc Myriam et Gabbie ? D'habitude, elles se ruaient sur la porte quand l'une de leurs baby-sitters sonnait.

Mme Perkins est revenue, et a posé un doigt sur ses lèvres avant de murmurer :

– Viens, je voudrais te montrer quelque chose.

Carla l'a suivie dans l'escalier. Mme Perkins lui a fait signe de regarder dans la salle de bains des filles.

En se penchant, Carla a vu la petite Gabbie, qui avait presque trois ans, assise sur l'abattant des toilettes, en train de s'appliquer soigneusement d'un œil à l'autre une ligne continue de fard à paupières vert devant le miroir. On aurait dit une Apache.

Myriam, qui avait six ans, était debout sur un escabeau et se barbouillait de rouge à lèvres mauve, en se penchant au-dessus du lavabo pour se voir dans la glace de l'armoire à pharmacie.

Autour d'elles, le sol était jonché de coton à démaquiller, de coton-tiges et, ici et là, ce qui restait de produits de maquillage, des tubes de rouge à lèvres vides, des restes de fard à joues et de mascara sec. Les poupées et les ours étaient bien alignés par terre.

En levant les yeux, Myriam a aperçu sa mère et Carla dans la glace.

– Bonjour ! a-t-elle lancé, tout excitée.

– Bonjour, Carla Schafer ! a renchéri Gabbie qui adorait appeler les gens par leur nom de famille.

– Voilà notre salon de beauté ! s'est exclamée Myriam en sautant de l'escabeau. Et voici nos clients, a-t-elle ajouté en désignant les poupées et les ours.

– Nos gentils clients, a précisé Gabbie.

– Nous sommes en train de nous faire belles, a ajouté Myriam. Je me maquille en premier.

– Les filles, je vais y aller maintenant, a annoncé Mme Perkins. Bon, Carla, j'ai rendez-vous chez le gynécologue (elle attendait un bébé). Son numéro de téléphone est sur le frigo. Ensuite, j'ai des courses à faire, je ne rentrerai probablement pas avant cinq heures. Tu connais la maison, n'est-ce pas ?

Carla a hoché la tête.

– Tu as des questions à poser ?

– Eh bien, a fait Carla en contemplant le chantier de la salle de bains, les filles peuvent vraiment jouer avec tout ça ?

– Oh oui, ne t'en fais pas. Je leur donne mes restes de maquillage. Ne t'inquiète pas non plus pour le nettoyage, on fera ça ce soir ou demain. Elles s'amusent trop bien.

Carla a souri. Mme Perkins est formidable. Quelle gentille maman comparée à celle de Jenny Prezzioso qui devient hystérique rien qu'à l'idée d'un peu de désordre ou d'une petite tache.

Une fois sa mère partie, Myriam a présenté à Carla quelques clients du salon de beauté. Elle a d'abord soulevé un ours dont le museau était barbouillé de rouge à lèvres et qui portait un bonnet de bain.

– Ça, c'est Mme Xerox. On lui fait une permanente.

– C'est moi qui lui ai mis le rouge à lèvres, a affirmé Gabbie.

Elle avait terminé de se maquiller et regardait solennellement Carla avec ses yeux peinturlurés. Elle avait du rouge à lèvres jusqu'aux oreilles. Elle s'est admirée dans le miroir.

– Je suis ravissante, n'est-ce pas ?

– Et voici Mme Frigo, a poursuivi Myriam en brandissant une poupée. Elle avait juste besoin d'un maquillage des yeux... Oh, je ferais bien de faire les miens !

Elle a rassemblé une poignée de tubes de mascara et de crayons pour les yeux.

Le téléphone a alors sonné.

– Je peux décrocher ? a crié Gabbie.

Elle a sauté des toilettes en faisant tomber tous ses bigoudis.

– Ce serait mieux que j'y aille, est intervenue Carla. Je reviens tout de suite. Vous, continuez à bien travailler.

Elle s'est précipitée dans la chambre des parents et a décroché le téléphone qui sonnait pour la troisième fois.

– Allô ?

– Carla ? a fait une voix maussade.

– Oui. C'est toi, David ?

– Ouais.

– Que se passe-t-il ? Tu es à la maison ?

– Pas vraiment. Je suis encore à l'école et je t'appelle avec le téléphone des profs. J'ai un problème...

– Comment ça, tu as un problème, que veux-tu dire ?

– Eh bien, Mme Besser voulait appeler maman et elle ne veut pas me laisser rentrer avant de lui avoir parlé. J'ai essayé de lui téléphoner au bureau mais il paraît qu'elle est partie à une réunion à Stamford. Alors, je me suis souvenu que tu faisais un baby-sitting chez les Perkins et j'ai cherché leur numéro. Qu'est-ce que je dois faire maintenant, Carla ?

– Bon, reprenons depuis le début. Pourquoi as-tu des problèmes avec Mme Besser ?

– J'ai jeté une éponge à l'autre bout de la classe. Tu sais, une grosse éponge pour effacer le tableau.

– Bon, ça n'a pas l'air si grave que ça. Tu n'aurais pas dû le faire, mais... tu es sûr que c'est tout ?

– C'était à peu près la troisième fois que je la lançais, et elle a touché l'ardoise de Simon Beal, qui est tombée. En tombant, elle s'est cassée, un des morceaux a coupé la jambe de Lynn Perone... (La voix de David a faibli.)

– Oh, David ! a soupiré Carla. Tu es sûr de ne pas pouvoir joindre maman ?

– On m'a dit qu'elle ne retournerait plus au bureau aujourd'hui. Elle est à Stamford jusqu'à cinq heures. Elle est en réunion, on ne peut pas la déranger.

– Bien, a fait Carla. Je vais venir à l'école parler à Mme Besser. Je ne peux pas te laisser là tout l'après-midi.

– Ce serait super.

– D'accord, mais, David, je voudrais que tu saches que je ne suis pas du tout contente. Je suis en train de garder Myriam et Gabbie et je vais être obligée de les emmener avec moi.

– OK, a-t-il répliqué sans s'excuser.

Carla est retournée dans la salle de bains.

– Bon, les filles, désolée, mais nous devons fermer le salon de beauté un moment. Il faut que nous allions à l'école.

– Ah bon ? s'est inquiétée Myriam.

À leur âge, aller à l'école en dehors des heures de classe, c'était comme s'introduire dans un parc de jeux fermé pour la nuit.

Carla a essayé de leur expliquer pourquoi, tout en

réfléchissant au moyen le plus rapide d'y aller avec les petites.

– Mais ne fermons pas le salon de beauté, laisse-nous l'emporter, a supplié Myriam.

– Comme vous voulez, a répondu Carla, pressée de partir au plus vite.

– Ouais ! se sont écriées les filles en ramassant tout leur matériel.

Carla les a fait descendre en vitesse sans même prendre le temps de leur nettoyer le visage. Elle les a installées avec leurs affaires dans le gros camion rouge de Myriam, et les a tirées en courant vers l'école à une vitesse record.

Arrivée devant le portail, elle ne savait pas quoi faire du camion et elle a donc emmené les filles à l'intérieur jusqu'à la classe de David. Elle l'a trouvé assis à sa place, l'air renfrogné, alors que Mme Besser travaillait à son bureau en silence.

– Hum, excusez-moi, a fait Carla.

Mme Besser et David ont été surpris en voyant Myriam et Gabbie dans le camion, le visage tout barbouillé de rouge à lèvres.

– Je suis Carla Schafer, la sœur de David.

Elle a expliqué pourquoi elle était venue à la place de sa mère.

– Et moi, est intervenue Myriam, je suis Mlle Esméralda. Je suis esthéticienne et voici mon assistante, a-t-elle ajouté en sautant du camion et en montrant Gabbie.

– Moi, je suis Mlle Gabbie.

– Voulez-vous que je vous maquille ? a proposé Myriam à Mme Besser.

– Non merci, pas aujourd'hui, mademoiselle, hum…

– Esméralda, a complété Myriam.

Elle s'est tournée vers David.

– Voulez-vous que je vous maquille dans notre salon de beauté ambulant ?

– Pas vraiment, a répondu le garçon en rougissant.

– Moi, je veux bien, est intervenue Gabbie.

– Très bien, a répliqué Myriam en se mettant aussitôt au travail.

Mme Besser a emmené Carla dans le couloir.

– Je suis très inquiète au sujet de votre frère. Il devient vraiment pénible en classe et il perturbe les cours. Si Lynn avait été coupée plus profondément, on aurait dû lui faire des points de suture. J'aurais voulu avoir un entretien avec votre mère. Je crois que nous avons un sérieux problème.

– Je suis vraiment désolée, mais nous ne pouvons la joindre, s'est excusée Carla. Je peux lui dire de vous rappeler demain, ou ce soir. Peut-être pourrait-elle prendre un rendez-vous avec vous, ou s'arranger, je ne sais pas.

Mme Besser a acquiescé.

– Écoutez, demandez-lui, s'il vous plaît, de me rappeler ce soir. Je vais vous donner mon numéro.

Puis, elle a ajouté :

– Merci d'avoir pris la peine de vous déplacer jusqu'ici. Je vois que ça n'était vraiment pas commode pour vous ; vous semblez être une jeune fille responsable.

Ne sachant quoi répondre, Carla a simplement dit :

– Merci.

Quelques minutes plus tard, elle quittait l'école en compagnie de son frère et des deux petites Perkins. David a pris le chemin de la maison, l'air toujours renfrogné. Il avait à peine parlé à sa sœur. Carla et le salon de beauté ambulant ne sont arrivés chez les fillettes qu'à cinq heures et quart.

Mme Perkins est venue à leur rencontre.

– Où étiez-vous donc ? a-t-elle demandé, paniquée.

– Je suis absolument désolée, a expliqué Carla, j'aurais dû laisser un mot.

Elle lui a raconté ce qui s'était passé en s'excusant six ou sept fois. Heureusement, Mme Perkins avait compris et pardonné.

Plus tard, en rentrant chez elle à vélo, Carla a réfléchi aux problèmes de son frère. En franchissant un petit dos d'âne, elle a fait un bond sur sa selle, comme sur des montagnes russes. Puis elle a pris de la vitesse. « Maman, a-t-elle pensé, j'ai l'impression que toi et moi, nous allons traverser une période difficile. »

7

– Je suis une artiste et ma vocation est un appel, a affirmé Cynthia, d'une voix très sérieuse.

– Elle appelle qui ? ai-je répondu.

– Moi ! Comme l'appel du large.

C'était l'heure du déjeuner, et Cynthia et moi, nous mangions ensemble. Mais je n'écoutais pas vraiment, je ne sais même pas de quoi nous avons parlé ensuite. C'est dramatique de perdre ainsi le fil de la conversation.

J'ai jeté un coup d'œil vers Kristy, Lucy, Mary Anne et Carla à la table du club. Le rituel du déjeuner semblait se passer comme d'habitude. Carla mangeait une sorte de salade de fruits. Kristy exhibait une nouille en disant quelque chose qui a fait verdir Mary Anne, et Lucy écarquillait les yeux. J'ai souri en moi-même. Kristy fait toujours des réflexions douteuses à table et nous le lui reprochons toujours mais, là, ses commentaires dégoûtants me manquaient vraiment.

J'espérais que l'une de mes amies aurait regardé dans ma direction et m'aurait souri ou fait un signe, mais rien.

J'étais avec Cynthia parce qu'il me fallait absolument choisir ce que j'allais sculpter et me mettre au travail au plus vite, si je voulais toujours participer à ce concours. Voilà d'ailleurs ce qui avait amené Cynthia à dire : « Je suis une artiste et ma vocation est un appel. »

– Cynthia, je crois qu'on ferait bien de commencer nos sculptures. (Avec tout ce que j'avais à faire, les baby-sittings, la poterie et tout le reste, c'est moi qui avais le moins de temps.)

– Eh bien, j'ai pris une décision, a-t-elle déclaré.

– Laquelle ? ai-je demandé, tout excitée.

– Je vais faire une nature morte. Je pense que c'est ce que tu devrais faire, toi aussi.

– Tu veux que l'on sculpte des choses mortes ? me suis-je exclamée, horrifiée. (J'imaginais déjà des vampires, des cadavres et des momies.)

– Mais non. Je veux dire que j'aimerais sculpter des objets sans vie. Regarde, nous sommes entourées d'objets sans vie : livres, stylos, tables, chaises, plateaux. Ils sont tous inanimés.

– Mais, je n'ai presque jamais vu de sculptures de... de choses inanimées. On sculpte plutôt les animaux ou les gens, enfin sauf dans l'art abstrait. C'est ce que Mme Baher nous a toujours appris : en sculpture, il faut redonner à l'argile ou à la pierre l'âme du modèle qui vit...

Je ne sais pas, Cynthia. Tu es sûre de vouloir t'aventurer là-dedans ? Pourquoi ne pas rester dans le style habituel ?

– Viens avec moi en ville après l'école, a-t-elle proposé enfin. Nous irons voir sur le terrain et je suis sûre que ça va nous inspirer.

– Quel terrain ?

– Oh, je veux dire le monde réel.

– Ah bon, d'accord.

Tout cela semblait passionnant. Se rendre sur le terrain n'était probablement réservé qu'aux vrais artistes. J'ai souri. Nous serions des pionnières en matière de sculpture. Cynthia et moi allions expérimenter des techniques auxquelles les autres sculpteurs n'avaient jamais pensé.

– Très bonne idée. Ça va être formidable et, en plus, on pourra se mettre au travail immédiatement… Oh, mais j'ai une autre réunion du club cet après-midi et je devrai être chez moi à cinq heures et demie.

– Bien sûr, aucun problème, m'a assuré Cynthia.

Quand je me promenais dans les rues de Stonebrook avec Cynthia, j'avais l'impression de voir les choses différemment, tout comme l'exposition d'aquarelles m'avait ouvert les yeux. Peut-être parce qu'elle venait d'arriver ici ou qu'elle était une artiste de talent, mais elle remarquait de nombreuses choses qui ne m'avaient jamais frappée auparavant. Et, elle relevait des détails que je n'avais jamais perçus jusqu'alors.

À peine étions-nous arrivées dans la rue principale de Stonebrook qu'elle m'a saisi le bras.

– Quoi ? Qu'est-ce qu'il y a ?

– Regarde !

– Quoi ?

– Ça.

– Cette bouche d'incendie ?

– Oui. Regarde la forme qu'elle a. C'est… presque noble. Elle est petite et ramassée, mais elle se tient toute droite, comme un jockey sur un cheval de course.

– Waouh ! ai-je soufflé, interloquée.

– Ce sera peut-être mon modèle, a-t-elle ajouté pensivement en hochant la tête.

– Pour ta sculpture ? Mais pourquoi prendrais-tu ça ? Qu'est-ce qu'une vieille bouche d'incendie a de vraiment spécial ?

– C'est petit, mais plein de noblesse. C'est ce que j'essaierai de faire ressortir en la sculptant. Je pense que le secret, c'est justement de donner vie aux objets inanimés.

Je comprenais ce que Cynthia voulait dire. Cependant, je ne voyais vraiment pas comment y arriver.

– Allez, viens, cherchons encore ailleurs.

Pendant des années, j'avais parcouru les rues de Stonebrook, à la recherche de chaussures, de blousons en jean, ou de fournitures scolaires, ou encore de lunettes pour Mary Anne, mais c'était la première fois que je me promenais en m'extasiant devant les enjoliveurs des voitures, les poubelles ou les lampadaires. Et j'essayais malgré tout de pénétrer l'esprit des choses.

– Oh ! s'est à nouveau écriée Cynthia. Regarde ce feu de signalisation !

Je ne l'avais encore jamais vue dans un tel état. L'art avait une influence stupéfiante sur elle.

– Ouais…, ai-je commencé.

Je jure que je ne sais pas d'où me venaient les mots mais j'ai poursuivi :

– Regarde le pouvoir qu'il a. Il contrôle la circulation, il peut mettre des gens en retard et éviter les accidents. Cette petite boîte fait un sacré boulot.

– Mais oui, a fait Cynthia, admirative.

Puis, inspirée, elle a ajouté :

– Ça pourrait être ton modèle.

– Peut-être, ai-je répondu d'un ton incertain.

Et nous avons continué à marcher.

– Regarde cet emballage de chewing-gum, a-t-elle fait.

– Et cette boîte de Coca écrasée, ai-je renchéri.

Nous nous sommes assises dans un café pour grignoter quelque chose et j'ai continué :

– Regarde cette paille ! Et ce torchon !

Jusqu'au moment où j'ai consulté ma montre.

– Regarde l'heure qu'il est ! Cinq heures dix. Je vais encore être en retard à la réunion. Excuse-moi, mais il faut que j'y aille.

– Claudia, nous n'avons encore rien décidé. Retournons voir la bouche d'incendie et le feu de signalisation.

– Mais je dois absolument aller à la réunion. Le club est important pour moi. C'est nous qui l'avons fondé et il marche bien. En plus, les autres filles sont mes amies.

Cynthia a cligné des paupières.

– Mais je suis aussi ton amie, n'est-ce pas ?

Elle m'a fait penser à mon génie de sœur, Jane.

J'ai une sœur plus âgée qui est surdouée. Pas seulement intelligente comme Cynthia, mais si brillante que je suis gênée pour les gens qui font des fautes devant elle.

– Si, si, ai-je répondu doucement, tu es mon amie.

Elle m'a souri. Mais je commençais à être mal à l'aise. J'étais peut-être réellement importante pour elle, mais je n'en étais pas sûre. Ce dont j'étais certaine, c'était d'être sa seule amie. J'avais quatre bonnes copines, mais elle, elle n'avait que moi. En plus, il y avait l'art. Ce que Cynthia et moi faisions était important, et c'était quelque chose qui n'était possible qu'avec elle et avec aucune autre de mes amies.

– Tu sais, lui ai-je dit, cette réunion n'est pas vraiment urgente. On devrait plutôt retourner voir la bouche d'incendie et le feu rouge. Je vais appeler Carla pour la prévenir que je ne peux pas venir.

Je me suis éloignée un peu, puis j'ai sorti mon portable et j'ai composé le numéro de Carla.

– Allô ? c'est moi, Claudia.

– Oh ! salut.

– Écoute, je ne peux pas venir à la réunion. Cynthia et moi devons choisir le thème de nos sculptures. Pourrais-tu me remplacer ?

– Bien sûr.

– Et préviens les autres, s'il te plaît.

Il y a eu un silence assez embarrassant.

– Tu veux qu'on te réserve des baby-sittings ? Tes heures de cours de peinture et autres sont bien notées sur notre agenda, on sait quand tu es ou non disponible ? m'a demandé Carla.

– Je pense que oui. Bon, je dois te laisser ; je suis sur mon portable et je n'ai plus de batterie.

– D'accord, a dit Carla sèchement, salut.

En soupirant, j'ai rejoint Cynthia qui m'a accueillie avec le sourire.

Ce soir-là, j'ai relu cinq fois le message que m'avait laissé Mary Anne, notre secrétaire, après la réunion qui s'était tenue dans ma chambre :

Claudia, tu gardes Nina et Eleanor Marshall
vendredi, de 15 h 30 à 18 h.
M. A.

Ni de « salut, Claudia » ni de « à bientôt » ou quoi que ce soit. Je pense que mes amies devaient être furieuses contre moi. C'est en allant me coucher que j'en ai eu la certitude. Sous mon oreiller, j'ai trouvé un mot de Kristy qui disait :

Tout le monde au collège trouve que Cynthia
est bizarre. Je voulais juste que tu le saches.
Kristy

Le pire, c'est que je n'avais même pas choisi de modèle pour ma sculpture. Cynthia allait faire la bouche d'incendie, mais je ne me voyais pas sculpter un feu de signalisation, même dans l'intention de devenir une artiste d'avant-garde. J'avais raté une réunion, gâché un après-midi et je n'étais pas plus avancée qu'avant pour l'exposition.

8

Il y a un traître parmi nous. Et vous savez de qui il s'agit. D'habitude, le carnet de bord sert à raconter nos baby-sittings, mais nous y faisons aussi part de nos problèmes. Nous avons un petit souci en ce moment, et ce problème, c'est qu'une certaine personne manque sans arrêt les réunions. Heureusement que nous avons une remplaçante, parce que Carla a dû souvent faire le travail de notre vice-présidente ces derniers temps. Et ça ne me dérange pas, vous savez ! Bon, peut-être que ça ne dérange pas Carla non plus, mais ce qui nous dérange, c'est d'avoir une V.P. qui se prend pour une artiste. Avant elle était très sympa, mais maintenant elle ne vient plus aux réunions et traîne avec une personne qui vient au collège avec un kilo de bijoux accrochés aux oreilles.

Le texte de Kristy était tellement long que, en le lisant, j'ai eu une idée assez claire de tout ce qui s'était passé lors de la deuxième réunion à laquelle je n'avais pas assisté. Bien plus tard – quand nous nous sommes réconciliées –, Lucy m'a raconté tous les petits détails que j'avais ratés.

Mais je vais beaucoup trop vite. Ce qui m'avait fait manquer encore une réunion, c'est que Cynthia m'avait convaincue de faire une nouvelle promenade d'inspiration sur le terrain avec elle afin de trouver autre chose, puisque je n'avais pas envie de sculpter les feux rouges. Nous étions rentrées en retard, et j'avais encore dû appeler Carla pour qu'elle me remplace. Tout s'est donc passé comme d'habitude dans ma chambre, mais sans moi.

La réunion commençait quand Carla est arrivée en courant dans ma chambre, juste après Kristy. Elle a annoncé qu'elle jouerait encore les vice-présidentes.

– Ah oui, a fait Kristy, et pourquoi ça ?

– Claudia vient de m'appeler. Elle a un truc à faire avec Cynthia.

– Quoi ? a demandé Kristy.

– Je ne sais pas. Je crois que ça a un rapport avec leur expo de sculptures.

Tout en marmonnant, Kristy a soulevé mon oreiller et mon couvre-lit, puis s'est penchée la tête en bas pour regarder en dessous.

– Qu'est-ce que tu fais ? s'est inquiétée Carla.

– Je cherche les Malabar de Claudia. Je sais qu'elle les a cachés quelque part.

C'est alors que Mary Anne est entrée, suivie de Lucy.

– Qu'est-ce que tu fais ?

– Je cherche les Malabar.

– Ils sont dans son livre creux, a dit Lucy en montrant l'étagère. Où est Claudia ?

– Devine. Tu as droit à trois essais, a répliqué Kristy en colère.

Elle a tiré le livre creux de mon étagère (c'est de loin ma meilleure cachette), l'a ouvert, et a pris deux chewing-gums (un pour elle et un pour Mary Anne, Carla et Lucy n'en mangent jamais).

– Tu parles d'une énigme, a soupiré Lucy. Elle est encore avec Cynthia.

– Gagné !

Lucy s'est laissée tomber sur mon lit en ajoutant :

– Cynthia portait un patte d'éléphant en velours orange aujourd'hui. Tout le monde en parlait.

– Elle est tellement bizarre, a renchéri Mary Anne. Elle ne parle à personne, excepté à Claudia. Elle est prétentieuse.

Dring ! Dring !

Pour une fois, mes amies ne se sont pas précipitées sur le téléphone. Lucy a décroché au bout de la troisième sonnerie et a pris un rendez-vous chez les Newton. Puis, la mère de Carla a demandé quelqu'un pour garder David un soir.

– Comment ça va avec David ? a voulu savoir Mary Anne une fois le téléphone raccroché.

Carla a haussé les épaules.

– Pas trop mal. Maman est allée voir sa maîtresse et lui a expliqué ce qui se passait à la maison. Mme Besser lui a alors raconté ce qu'il faisait à l'école, c'est-à-dire rien, aucune participation, aucune envie de faire des efforts, absolument rien, à part des bêtises. Elles ont décidé d'essayer d'être fermes avec lui et de ne rien laisser passer. Mais bien sûr de le féliciter pour tout ce qu'il fera de bien. Je ne crois pas que ça arrangera les choses. Je pensais qu'elles allaient peut-être évoquer la possibilité qu'il retourne vivre en Californie avec papa. Mais je suppose qu'on cherche d'abord des petites solutions en espérant que ça s'arrangera.

– Bien sûr, a acquiescé Mary Anne. C'est comme de donner à un malade un comprimé alors qu'il a besoin d'une grosse opération.

Cette comparaison a fait rire tout le monde. L'idée d'opérer David pour lui retirer sa mauvaise humeur était amusante.

– Mais, a poursuivi Carla, pensive, papa et maman se téléphonent vraiment beaucoup ces derniers temps.

– À cause de David ? a demandé Lucy.

– Probablement. Je cherchais du Scotch dans le bureau de maman, l'autre jour, et je suis tombée sur la facture de téléphone posée sur une pile de papiers. C'était facile de voir qu'il y avait plein d'appels pour la Californie. Tous dataient des dernières semaines et souvent tard dans la soirée. Ce doit être parce qu'ils ne veulent pas que David et moi entendions leurs conversations. Donc, ils doivent parler de lui. Qu'est-ce qui pourrait être plus important pour eux ? Ils ne vont sûrement pas se remettre ensemble, en tout cas.

– Que penses-tu qu'ils se disent ? l'a questionnée Mary Anne.

Carla a secoué la tête.

– Aucune idée…

Le téléphone a sonné et Carla s'est jetée dessus, comme pour esquiver l'interrogatoire de Mary Anne.

– Allô ? ici le Club des Baby-Sitters. Oui… D'accord… Jusqu'à onze heures ? Je regarde et je vous rappelle… Entendu… Au revoir.

Toujours prête et organisée, notre secrétaire attendait, l'agenda sur les genoux. Il était ouvert à la page des rendez-vous.

– Un baby-sitting le soir ? a-t-elle fait, les yeux brillants.

Nous adorons garder les enfants le soir, même si nous avons quelquefois un peu peur.

– Ouais, a confirmé Carla. Chez les Papadakis.

– Quand ça ? a voulu savoir Mary Anne.

Carla lui a donné la date.

– Eh bien, Kristy, tu es libre et Claudia aussi.

– C'est pour Kristy, alors, ont décrété Carla et Lucy en chœur.

En fait, les Papadakis habitent près de chez Kristy et, en général, nous lui laissons faire les baby-sittings dans son quartier, c'est plus pratique pour elle et les gens n'ont pas besoin de la reconduire. Mais, cette fois, il était clair que mes copines me punissaient pour mon absence à la réunion.

Mary Anne a noté le baby-sitting dans l'agenda, alors que Carla rappelait Mme Papadakis pour l'informer que c'était Kristy qui viendrait garder les enfants.

Quand Carla a eu raccroché, Mary Anne a murmuré, d'un ton coupable :

– Peut-être aurions-nous dû aussi proposer le travail à Claudia ? On aurait pu rappeler Mme Papadakis demain.

– Pas question, a répliqué Lucy. Pourquoi faire attendre un bon client ? En plus, d'habitude, c'est Kristy qui fait les gardes dans son quartier. C'est convenu comme ça, pas vrai, Kristy ?

Elle a acquiescé et il y a eu un silence.

Puis Lucy a repris :

– Claudia n'a pas le temps, de toute façon. Elle est tellement occupée avec Cynthia.

– Ça fait des jours qu'elle ne mange plus avec nous, a renchéri Carla.

– Je pense qu'elle ne m'aime plus, a soupiré doucement Lucy, les larmes aux yeux.

Mary Anne l'a regardée, émue, et ses yeux se sont remplis également de larmes.

– Et puis zut ! a crié Lucy en donnant un coup de poing dans mon oreiller et en écrasant les biscuits qui étaient cachés dessous. Je déteste pleurer.

– Ce n'est rien, a dit Mary Anne, en s'approchant d'elle. Ça ne nous dérange pas que tu pleures, nous savons que Claudia est ta meilleure amie. Ça doit être dur pour toi…

Elle s'est mise à sangloter.

– C'est dingue ! s'est exclamée Kristy. Claudia n'est pas là, mais regardez ce qu'elle fait de cette réunion. Un festival de larmes. Où sont ses M&M's ? Je sais qu'ils sont quelque part. J'ai absolument besoin d'un M&M's, sinon je vais faire une crise.

Kristy avait pratiquement mis ma chambre à sac pour trouver ces bonbons. C'était ridicule. N'importe qui ayant un soupçon de cervelle aurait su qu'ils étaient dans mon tiroir à chaussettes.

– Mary Anne, secoue-toi un peu ! s'est écriée Lucy qui avait déjà séché ses larmes. Pense à des choses agréables. Pense à Tigrou. (C'est le petit chat de Mary Anne.)

– Pense à Logan, a suggéré Carla. (Logan est le petit ami de Mary Anne. Croyez-le si vous voulez, mais c'est la seule du club à avoir un petit ami.)

– J'essaie, a dit Mary Anne en reniflant.

– Oh ! là, là ! ce n'est pas vrai ! s'est emportée Kristy. Écoutez-vous, les filles : « Pensez à des choses agréables. » Vous savez à qui ça me fait penser ? À Peter Pan. Nous sommes des baby-sitters, pas des garçons volants. Alors, maintenant, les filles...

– Oui ? ont dit Carla, Lucy et Mary Anne.

– Séchez vos larmes, redressez-vous, attendez que le téléphone sonne, cessez de penser comme Peter Pan, et... conduisez-vous en baby-sitters.

9

J'ai claqué la porte de mon casier. Il y a eu un bruit à l'intérieur et je l'ai rouverte aussitôt. C'était mon poster de Tom Cruise, l'acteur le plus craquant de toute l'histoire du cinéma, qui s'était détaché.

Ça arrive environ une fois par jour. Au collège de Stonebrook, nous n'avons pas le droit d'afficher des posters avec du Scotch dans les casiers, alors nous utilisons des morceaux de chewing-gum mâché. Le problème, c'est qu'au bout d'un moment, ça ne colle plus. J'ai refixé le poster sur les morceaux de chewing-gum, en me disant qu'il fallait que j'en remette de nouveaux, et j'ai refermé mon armoire. En me retournant, j'ai failli heurter Cynthia. Elle portait une longue jupe qui lui arrivait aux chevilles avec trois volants de dentelle, et s'était noué un foulard noir autour de la tête. Je ne voyais pas ses boucles d'oreilles mais, bon, elle avait l'air un peu bizarre.

– Je suis contente de te voir. J'ai eu une idée formidable ce matin pour ta sculpture, et je voulais t'en parler tout de suite.

– Oh, super ! me suis-je écriée, parce que je ne suis pas sûre d'être vraiment inspirée par une nature, euh... morte.

– Je sais...

– Salut, Claudia ! m'ont dit quatre voix.

J'ai fait volte-face. C'étaient mes amies du club et j'étais très heureuse qu'elles soient venues me parler (d'habitude, elles ne m'approchent pas quand Cynthia est dans les parages).

– Salut, les filles !

J'attendais qu'elles saluent Cynthia ou que Cynthia les salue, mais elles se sont ignorées mutuellement.

– Eh bien...

– Ton absence a perturbé la réunion d'hier, m'a reproché Kristy d'un ton mordant.

– Je suis désolée, je devais m'occuper de...

– On sait, on sait. Ta sculpture, a poursuivi Carla.

Lucy a toisé Cynthia d'un œil critique.

– Jolie jupe, a-t-elle commenté.

Cynthia a rougi, mais n'a rien répondu. Tout le monde savait que Lucy se moquait d'elle.

– Tu crois que tu pourras te libérer pour la prochaine réunion ? m'a demandé Carla.

Je l'ai regardée, surprise. Quelle question bizarre de la part de notre remplaçante à l'humeur toujours égale !

– C'est prévu, ai-je répondu.

– J'espère que tu es d'accord, a lancé Kristy à Cynthia.

Ma nouvelle amie était horriblement mal à l'aise.

– Claudia…, a-t-elle commencé d'une voix peu assurée.

Puis se ressaisissant, elle a complété :

– Claudia Koshi est une artiste !

– Inutile de nous le rappeler, est intervenue Kristy.

– C'est une artiste, a-t-elle continué, et elle doit consacrer du temps à son travail.

– Et toi, tu es qui ? Son professeur ? a ironisé Lucy.

– Je suis son mentor, a affirmé Cynthia, avec son ton toujours sérieux.

La conversation s'est interrompue un moment car Cynthia était la seule à connaître la signification de « mentor ». (Plus tard, j'ai regardé dans le dictionnaire. Cela veut dire « conseiller averti et de confiance », et j'imagine que c'est beaucoup mieux qu'un simple professeur.)

– Si Claudia Koshi développe ses talents au mieux, je suis convaincue qu'elle peut aller très loin dans le domaine artistique. (Je rayonnais à nouveau. Difficile de résister à pareil compliment.) Elle doit consacrer le plus de temps possible à son art, a décrété Cynthia.

– Mais c'est ce qu'elle fait, a répliqué Mary Anne. Beaucoup de temps.

Mes amies n'avaient pas l'air de très bien comprendre.

Cynthia a hoché la tête.

– Passer du temps à autre chose, spécialement à faire du baby-sitting n'est que du gaspillage.

– Hé ! a protesté Kristy en se tournant vers moi, ça veut

dire que tu quittes le club ? Ce serait gentil de ta part de nous tenir au courant. Il faudra que l'on fasse les réunions ailleurs que dans ta chambre, que l'on donne un nouveau numéro de téléphone, que l'on prépare de nouveaux prospectus, et plein d'autres choses.

– Je ne quitte pas le club ! me suis-je défendue.

– Tu nous prends pour des idiotes, a répliqué Lucy.

– Ouais ! a acquiescé Mary Anne d'un ton féroce.

– Tu aurais quand même pu nous prévenir, a insisté Kristy.

– Je ne quitte pas le club !

– Bon d'accord, ont dit Kristy et Lucy.

– Bon d'accord, ai-je répété.

– Au revoir, ont fait Carla et Mary Anne.

– Au revoir, ai-je répondu.

Elles se sont éloignées toutes les quatre et ont disparu. Je suis restée seule avec Cynthia.

– Oh ! de toute façon, je n'ai pas besoin d'elles, ai-je conclu d'un ton maussade.

– Très juste, a acquiescé Cynthia, un artiste a-t-il besoin d'amis ?

J'ai voulu lui sourire mais c'était difficile.

– Mais ! Laisse-moi ! hurlait Fiona McRae.

– Ouhhh ! Tu ne pourras pas échapper au monstre de boue qui va t'attraper !

John Steiner poursuivait Fiona à travers la salle, les mains dégoulinantes d'eau et d'argile.

C'est ce qui se passe souvent lorsque Mme Baher est un peu en retard à son cours. John et Fiona n'étaient pas les seuls en pleine action. Rickie Walder était en train de façonner des yeux en argile, et Mary Drabek essayait de faire des lunettes.

Je les regardais tous en riant – surtout à cause des yeux – mais Cynthia était assise bien droite devant sa bouche d'incendie. Elle travaillait avec application et ne faisait même pas attention aux autres. J'aurais bien aimé être aussi concentrée qu'elle.

– Bonjour ! a lancé Mme Baher en entrant.

Nous nous sommes immédiatement calmés. John a couru à l'évier – comme si de rien n'était – pour se laver les mains. Rickie et Mary ont écrasé les yeux et les lunettes, et tous les autres se sont rués à leur place (sauf Cynthia qui y était déjà).

– Aujourd'hui, pendant que vous travaillerez, a annoncé Mme Baher sans se douter de rien, je passerai dans les rangs pour voir comment chacun se débrouille avec sa sculpture. N'hésitez pas à me demander si vous avez besoin d'aide.

Comme Cynthia et moi, nous étions au premier rang, Mme Baher s'est approchée de nous d'abord.

– Cynthia, a-t-elle demandé, tu es vraiment décidée à présenter la bouche d'incendie ?

– Oui, la voilà. Je veux dire, je suis en train de la commencer, a-t-elle précisé en montrant la masse d'argile grumeleuse qui prenait peu à peu forme devant elle.

Mme Baher l'a regardée pendant quelques secondes. Son visage était sans expression. Puis elle a dit :

– Tu es consciente que c'est un choix étrange pour une sculpture, n'est-ce pas ?

Cynthia a froncé les sourcils.

– Je pense que c'est original, c'est tout. Je veux faire quelque chose d'inhabituel.

– Ne préférerais-tu pas plutôt terminer l'aigle que tu avais commencé ? Il était magnifique. Parfait pour une exposition.

– Non, a répondu Cynthia, C'est trop... commun. Je veux vraiment faire passer un message à travers mon travail.

Elle s'est mordillé la lèvre. Je savais qu'elle craignait que Mme Baher ne lui dise d'arrêter de travailler sur sa bouche d'incendie. Je me demandais ce qu'une bouche d'incendie pourrait bien faire passer comme message. Je me doutais que notre professeur se posait la même question. Mais elle a simplement conclu :

– Très bien.

Puis elle s'est tournée vers moi.

Je m'étais remise à travailler sur ma main, et Mme Baher m'a félicitée :

– Magnifique, Claudia ! Ça prend forme !

– Mais c'est juste une pièce d'étude, ce n'est pas pour l'exposition. Je ne sais d'ailleurs pas encore ce que je vais présenter.

– Tu ferais mieux de vite te décider et de t'y mettre, a ajouté gentiment Mme Baher. Mais, j'aime beaucoup cette main. Pourquoi ne pas la proposer ?

– Je... je voudrais également faire passer un message, ai-je déclaré tout en regardant Cynthia.

Elle m'a souri. Elle était contente que j'écoute ses conseils, ceux de mon mentor.

Mais Mme Baher a soupiré :

– Comme tu voudras, Claudia.

Et elle s'est dirigée vers Fiona McRae.

– Hé ! Je suis fière de toi, a murmuré Cynthia doucement afin que Mme Baher ne l'entende pas.

– Vraiment ?

– Oui. Et, bon, écoute, je ne t'ai pas encore parlé de l'idée que j'ai eue ce matin. Nous avons été interrompues par tes… amies. Si tu ne veux pas faire une nature morte, pourquoi tu ne ferais pas passer ton message en sculptant un concept ?

– Quoi ?

– Tu sais, tu pourrais sculpter l'amour, la paix ou la fraternité.

– Je…

Je ne savais pas du tout comment on pouvait réussir à faire ça, ni quoi répondre à Cynthia.

– Oh, ne t'en fais pas. Cela ne me gêne pas que tu prennes mon idée. Vraiment.

– Eh bien, je… je ne sais pas quoi dire. Euh… Je suis sans voix.

Cynthia s'est mise à rire.

– Tu devrais essayer, tu sais. Quiconque peut sentir le pouvoir d'un feu rouge doit être capable de donner une belle interprétation visuelle d'un concept.

Je me suis éclairci la gorge.

– Oui, bien sûr. Comment… Comment sculpterais-tu l'amour, toi ?

– Moi, je représenterais l'amour avec des courbes douces et de tendres sentiments.

Bon, cela ne m'aidait pas beaucoup.

– Hum… J'y songerai.

Je suis retournée à ma main.

Maintenant, il fallait que je trouve comment annoncer à Cynthia que je ne sculpterais jamais un objet inanimé ni une idée. Je ne pourrais jamais faire ça. Le problème était de le lui annoncer sans paraître trop stupide.

– Hé, Claudia ?

– Ouais ?

– Ça te plairait de venir chez moi un jour ? Je pourrais te montrer des sculptures sur lesquelles je travaille à la maison. Et aussi l'atelier que mes parents sont en train de m'aménager au dernier étage, là où la lumière est la meilleure. Je pourrai y peindre, dessiner, sculpter… Toute une pièce rien qu'à moi, pour travailler.

– Waouh ! C'est génial ! me suis-je exclamée. Oui, je viendrai. Ça me plairait de voir tout ça.

Mes doutes ont été balayés par l'excitation. Cynthia, cette grande artiste, m'aimait bien, m'estimait et me faisait confiance. Qu'aurais-je pu demander de plus à une amie ?

Bon, alors, tu vas encore manquer combien de réunions, comme ça, mademoiselle l'artiste? Et tu vas te défiler encore combien de fois quand je te proposerai de faire les boutiques avec moi? Le mot «amie» a-t-il seulement un sens pour toi?

Pour moi, c'est quelqu'un avec qui l'on partage beaucoup, avec qui l'on s'appelle souvent et l'on déjeune de temps en temps.

Pas quelqu'un qui ment ou qui fait sauter ses rendez-vous. C'est aussi quelqu'un qui n'oublie pas ses anciennes amies dès qu'une nouvelle personne arrive!

Je ne pense pas que nous soyons encore amies. C'est ce que tu souhaitais, non?

Eh bien ! Lucy est douée pour faire monter les larmes aux yeux. Peut-être que si j'avais lu cela plus tôt, les choses ne seraient pas allées si mal pour nous, les filles du club. Non seulement j'avais raté des réunions, mais je ne lisais pas le journal de bord. En plus, j'avais fait quelque chose de terrible à Lucy. Sans le vouloir, mais quand même.

Un jour, après le collège, elle m'a proposé d'aller faire les magasins avec elle. Je lui ai dit que je ne pouvais pas, à cause de mes devoirs de français. Et c'était vrai, j'avais réellement prévu d'aller travailler à la bibliothèque. Mais en chemin, je suis tombée sur Cynthia qui m'a invitée chez elle. Comme nous devions discuter de mes sculptures, j'ai accepté, en oubliant complètement Lucy, à tel point que, quand j'ai appelé Carla pour lui dire que je ne pouvais pas venir à la réunion, je lui ai expliqué pourquoi.

C'était une grave erreur (enfin, une parmi d'autres).

Croyez-moi, ça ne me plaisait pas de manquer les réunions du club et de passer si peu de temps avec mes amies. Mais j'étais tellement heureuse d'avoir quelqu'un qui appréciait mon travail, qui me trouvait douée et qui ne cessait de me dire que j'avais beaucoup de capacités. Quand on est une élève médiocre et qu'on doit suivre des cours de soutien dans presque toutes les matières, ce ne sont pas des choses que l'on entend souvent. Sauf quand un professeur ou l'un de vos parents dit : « C'est vraiment une honte. Je ne comprends pas pourquoi tu n'as pas de meilleures notes. Tu as pourtant des capacités… »

Mais je m'éloigne du sujet. Je voulais vous raconter la réunion suivante, c'est-à-dire celle que j'avais encore ratée. J'ai donc appelé Carla vers cinq heures ce jour-là. Elle paraissait un peu froide mais, bon, on peut penser qu'elle devait quand même être contente d'être la vice-présidente.

Comme d'habitude, les membres du club sont arrivés chez moi et ont été accueillis par Mimi qui leur a dit de monter dans ma chambre, bien que je ne sois pas là. Elle comprend l'importance du club et elle aime beaucoup mes amies. Les filles trouvaient peut-être curieux de se retrouver dans ma chambre sans moi, mais ça semblait normal à ma grand-mère.

Carla et Kristy sont arrivées les premières puis, ça été au tour de Lucy.

– Bon, où est-elle ? a-t-elle demandé.

– Tu veux dire Claudia ? a fait Carla.

– De qui d'autre veux-tu que je parle ?

– Elle est chez Cynthia.

Lucy est devenue rouge comme une pivoine.

– Chez Cynthia ? Quelle grosse menteuse ! Tu en es sûre ? Elle m'a dit qu'elle ne pouvait pas m'accompagner en ville car elle devait travailler à la bibliothèque.

– Tu plaisantes ? est intervenue Kristy.

– Je suis tout à fait sérieuse, s'est emportée Lucy, tellement furieuse qu'elle ne trouvait plus ses mots.

Elle a arraché le journal de bord des mains de Kristy pour y écrire son petit texte sur l'amitié.

Mary Anne est arrivée à cinq heures et demie pile.

– Salut les f..., a-t-elle commencé puis elle a froncé les sourcils. Elle est encore absente ?

– Bravo, Sherlock Holmes, a commenté Kristy.

– Hé ! Pas la peine de vous en prendre à moi ! Moi, au moins, je suis là.

– Excuse-moi.

– Vous savez ce que j'ai envie de faire ? Une razzia sur ses bonbons, a proposé Lucy en reposant le journal de bord. J'aimerais voir sa tête quand elle se rendra compte qu'on a tout mangé.

– Mais tu n'as pas le droit de manger de sucreries ! a fait valoir Carla.

– Je peux manger un peu de ses bretzels et de ses biscuits, a répondu Lucy, pas trop, bien sûr. Je sais où ils sont cachés : dans ce vieux sac à pyjama et dans la boîte de Monopoly.

– J'en mangerais bien, moi aussi, a affirmé Kristy. Voyons, elle a des Chamallow dans cette boîte à chaussures et des bâtons de réglisse sous son matelas.

– Je vais vous aider, moi aussi, s'est dévouée Carla en faisant un énorme sacrifice.

– Bon, moi aussi, a renchéri Mary Anne. Et écoutez, après, on n'aura qu'à remettre ce qui reste un peu n'importe où !

Mes amies ont ricané, mais elles ont dû se calmer pour répondre au téléphone qui a sonné trois fois.

Une fois les rendez-vous notés, Lucy a commencé sa razzia. Elle a lancé les bâtons de réglisse à Mary Anne, les Chamallow à Kristy, les bretzels à Carla et a gardé les biscuits. Mes amies ont grignoté un peu puis se sont échangé leurs friandises. Après avoir ingurgité trois Chamallow, Carla a annoncé qu'elle devait se rincer la bouche pour ne pas avoir de caries.

Quand elles ont été repues, Lucy a proposé :

– Maintenant, prenons tout ce qui reste et mettons ça n'importe où.

Mary Anne a fourré les derniers Chamallow dans une de mes baskets.

Kristy a mis les bâtons de réglisse tout au fond d'un tiroir du bureau.

Carla a caché les biscuits dans un sac à main dont je ne me sers plus.

Et Lucy a rangé les bretzels sous mon vieux chapeau noir, sur l'étagère.

Puis elles ont attrapé un fou rire.

Il m'a fallu presque une heure pour tout retrouver ce soir-là. Il me manque encore un paquet de bonbons au chocolat, mais personne ne veut me dire s'il a été caché, lui aussi.

Elles ont dû se calmer à nouveau lorsque Mme Perkins a appelé pour faire garder Myriam et Gabbie, ainsi que Mme Delaney pour Amanda et Max.

Mais, dès que tout a été arrangé avec ces dames, Kristy a décidé :

– Faisons-lui un lit en portefeuille !

Elles ne m'appelaient même plus par mon prénom ; elles disaient « elle » et tout le monde savait de qui il s'agissait.

Kristy et Mary Anne m'ont donc fait un lit en portefeuille. J'étais folle de rage ce soir-là quand je m'en suis rendu compte ! J'étais morte de fatigue, car j'avais essayé de rattraper mon retard dans mes devoirs, et j'avais dû lire *Les Vingt et Un Ballons*. Quand enfin je me suis glissée dans les draps, mes jambes sont restées coincées en plein milieu. J'ai donné des coups de pied, sans comprendre ce qui n'allait pas. Puis j'ai soulevé la couverture pour voir ce qui clochait. Je n'en croyais pas mes yeux ! Il y avait un mot épinglé au drap, qui disait : « Ha ! ha ! Dors bien empaquetée ! »

J'ai d'ailleurs trouvé d'autres messages, car, pendant que Kristy et Mary Anne préparaient mon lit, Lucy avait dit à Carla :

– Et si on cachait des petits mots pour Claudia ?

– Quel genre de petits mots ?

– Pas sympas. Comme elle.

Lucy a arraché une feuille du journal de bord et a écrit :

Bonne nuit, lâcheuse !

– Et maintenant ?

– Je vais le mettre sous son oreiller.

Le sourire aux lèvres, Carla a déchiré une autre feuille et a inventé un petit poème sur les traîtres. Je l'ai trouvé dans ma boîte à bijoux.

C'est Kristy qui a eu l'idée de cacher une feuille toute blanche sous ma poupée de chiffon.

– Pourquoi ? s'est étonnée Lucy.

– Pour la rendre folle. Elle se demandera si on a écrit avec de l'encre invisible ou si c'était quelque chose de tellement méchant qu'on a dû l'effacer.

Lucy a pouffé mais elle a dû se reprendre pour décrocher le téléphone qui sonnait. C'était un nouveau client. Elle a pris les renseignements qu'il nous fallait et a trouvé quelqu'un pour garder ses jumelles. Puis elle a déclaré d'un ton très sérieux :

– Les filles, pourquoi pensez-vous que Cynthia Hopper tient tant à être amie avec Claudia ?

Mary Anne a ouvert de grands yeux.

– Que veux-tu dire ? Elle veut simplement une amie. Elle est nouvelle ici et ne connaît personne.

– Oui, mais pourquoi seulement Claudia ? On dirait qu'elle ne veut qu'une seule amie et que cette amie, c'est Claudia.

– Ouais, a fait lentement Carla, je comprends ce que tu veux dire, Lucy. Quand je suis arrivée ici, je voulais me faire des amis, en général. C'était super lorsqu'on s'est connues toutes les deux, Mary Anne et moi, mais je ne voulais pas n'avoir qu'une seule amie. J'étais vraiment contente quand on m'a présenté le reste du club. En Californie, j'avais tout un groupe d'amis et, quand nous avons déménagé, j'espérais m'en faire autant par ici.

– C'est exactement ce que j'ai ressenti lorsque je suis arrivée de New York, a enchaîné Lucy. J'ai d'abord rencontré Claudia et nous sommes devenues amies… Enfin, c'était ce que je croyais. Mais j'ai vraiment été heureuse aussi de vous rencontrer toutes, ainsi que Peter, Howie, Dorianne et les autres avec qui nous mangions l'année dernière. Cynthia, elle, n'a d'yeux que pour Claudia.

– Ouais, c'est à peine si elle nous adresse la parole, a remarqué Carla.

– Il n'y a que Claudia qui l'intéresse, elle ne parle pas non plus aux autres élèves. Et, si Claudia n'était pas là, je suis sûre qu'elle mangerait toute seule, a continué Lucy.

– Cynthia est avec nous en gym, est intervenue Mary Anne, et elle est toujours toute seule. Pour elle, il n'y a que l'art qui compte et elle a trouvé une bonne artiste en Claudia.

Elle s'est interrompue :

– Oh, je m'exprime mal.

– Pas du tout, a affirmé Lucy. Tu viens simplement de dire que Cynthia aime bien Claudia parce qu'elle est une artiste et non parce qu'elle est Claudia. Et, si c'est vrai, je me demande si Cynthia Hopper est vraiment une bonne amie.

11

– Oups ! s'est exclamé Jackie Rodowsky.
Je ne sais pas ce qu'il deviendrait si on lui interdisait de dire « oups ».

Je n'avais plus gardé d'enfants depuis longtemps ; comme je manquais les réunions, les filles ne me laissaient pas beaucoup faire de baby-sitting. Mais elles m'avaient désignée pour aller chez les Rodowsky depuis un certain temps et, croyez-moi, j'étais vraiment contente d'y aller, bien que Jackie provoque les pires catastrophes. De toute façon, quand sa mère rentrait et voyait quelque chose de cassé, une tache sur le tapis ou un pansement à son doigt, elle ne disait rien. Bien sûr, si Jackie s'était blessé, elle s'inquiétait de son état, mais elle ne m'a jamais rien reproché en tant que baby-sitter. En fait, elle devait être habituée à ce genre d'incidents.

De plus, Jackie est attendrissant avec ses taches de rousseur, sa tignasse écarlate et son large sourire où il manque une dent, et il me donne envie de sourire, moi aussi ; même s'il me rapporte un jouet qu'il vient de casser ou me dire qu'il a renversé de la colle sur le téléphone par accident.

J'avais donc attendu ce jour avec impatience. Cependant en entendant le « oups » de Jackie, je me suis demandé ce qui était arrivé. J'étais en train de rincer la vaisselle de leur goûter et, quand j'ai eu terminé, j'ai entendu qu'on arrêtait l'aspirateur.

– Jackie ? ai-je crié. Archie ? Richie ?

– Euh, nous sommes dans le salon, a annoncé Richie d'un ton très incertain, alors que le bruit du moteur cessait peu à peu.

Je me suis précipitée dans le salon. Jackie était en train d'inspecter l'intérieur du tuyau de l'aspirateur sous les yeux de ses frères, tout penauds. Ils étaient tous les trois pieds nus et avaient aligné leurs chaussures sous la table du salon.

– Que se passe-t-il ?

– Nous avons fait une expérience, a déclaré Jackie, et, tu sais quoi ? Eh bien, on peut aspirer des chaussettes.

– Des chaussettes ! me suis-je exclamée. Vous avez aspiré toutes vos chaussettes ?

– Toutes les six, a précisé Richie. Trois paires, six chaussettes.

J'ai fait la grimace.

– On ne voulait pas vraiment faire ça, m'a expliqué Richie. On les avait mises en pile, et on pensait que l'aspirateur n'en aurait avalé qu'une mais elles sont toutes parties : frop, frop, frop, frop, frop, frop !

– Richie, quand même, c'est toi l'aîné ! ai-je râlé, tout en sachant que ça ne signifiait pas grand-chose.

– C'était l'idée de Jackie, a-t-il répliqué.

– Alors, Jackie, que comptais-tu faire de tes chaussettes une fois qu'elles auraient été aspirées ?

– Voir ce qui allait leur arriver, a-t-il simplement répondu.

Évidemment.

– Bien, ai-je soupiré, maintenant, il faut les retrouver.

Jackie a sauté en l'air.

– Super ! Je me demande comment elles vont être.

– L'abominable aspirateur les a peut-être attaquées. Il les a peut-être mises en pièces, a suggéré Archie.

J'ai soulevé le couvercle de l'appareil pour retirer le sac et je l'ai emporté dans la cuisine, les garçons sur les talons.

– Qu'est-ce que tu vas faire ? a voulu savoir Jackie.

– Le découper pour voir ce qu'il y a à l'intérieur.

– Terrifiant ! s'est exclamé Richie.

J'ai regardé dedans : rien, mis à part un nuage de poussière.

– Beurk, c'est dégoûtant, a fait Jackie en éternuant.

J'ai mis le sac à la poubelle et je suis retournée vers l'aspirateur. J'ai alors remarqué que les garçons n'avaient pas mis d'accessoire au bout du tuyau. Délicatement, j'y ai enfoncé ma main le plus loin possible, pour en ressortir une chaussette du bout des doigts. Elle était seulement froissée. Les garçons m'ont regardée avec les yeux ronds.

– Je me demande pourquoi l'abominable aspirateur n'en a pas voulu ! s'est étonné Archie.

– Bof, pas génial, a commenté Richie.

Il m'a fallu plus de dix minutes mais, grâce à une pince à cornichons, j'ai finalement extrait toutes les chaussettes du tuyau.

– Maintenant, les garçons, vous allez me promettre quelque chose.

– Quoi ? a demandé Jackie en remettant ses chaussettes.

– De ne plus vous servir de l'aspirateur sans m'en avoir demandé la permission.

– C'est promis.

– Très bien. Et si on faisait quelque chose d'amusant, maintenant ?

– Regarder la télé ? a proposé Archie.

– Tu ne préfères pas faire un jeu ? ai-je demandé.

– « Un, deux, trois, soleil » ! s'est écrié Jackie. S'il te plaît, Claudia !

– Eh bien…

J'hésitais : je m'étais juré de ne plus jamais jouer à des jeux stupides devant la maison des Rodowsky.

– Allez, a supplié Jackie. C'était rigolo. Est-ce que je peux compter ?

Je n'avais pas répondu qu'ils se ruaient déjà vers la porte d'entrée.

Je les ai suivis. D'accord pour « Un, deux, trois, soleil ». Après tout, j'étais la baby-sitter.

Mais, en ouvrant la porte, Jackie s'est retrouvé nez à nez avec Cynthia, qui avait le doigt sur la sonnette.

Bien qu'ils aient été un peu impressionnés par elle lors de leur première rencontre, Jackie s'est mis à sautiller.

– Salut ! a-t-il crié. On va jouer à « Un, deux, trois, soleil » ! Tu veux jouer aussi ?

Il est tombé sur Cynthia en sautant sur les marches (il a d'ailleurs failli rater la dernière).

Archie le suivait en criant :

– Aujourd'hui, c'est moi qui compte, pas toi !

Richie est sorti le dernier en disant :

– De toute façon, c'est Claudia qui compte le mieux, pas vrai, Claudia ?

Et il a sauté les quatre marches d'un bond.

Heureusement, il ne semblait pas attendre de réponse.

Cynthia me regardait en levant un sourcil.

– Encore ce « Un, deux, trois, soleil » ?

J'ai eu un petit rire forcé.

– Ils adorent ça.

Elle a froncé les sourcils.

– Je ne vois vraiment pas pourquoi tu perds ton temps avec… (elle a désigné du menton les petits Rodowsky qui étaient déjà prêts à jouer) tout ça.

– Comment, tout ça ? ai-je demandé avec une certaine irritation.

– Toutes ces sottises.

– Ce sont des enfants, ai-je répondu calmement, et ils sont importants pour moi.

– Oh, comme tu es sentimentale ! a ironisé Cynthia.

– Il vaut mieux l'être, quand on est artiste. Les artistes sont des personnes très réceptives qui doivent faire passer leurs émotions dans leurs œuvres.

Elle n'a rien répliqué. C'était la première fois que j'essayais de lui dire quelque chose qui avait à voir avec l'art.

– De plus, ai-je continué, alors qu'elle ne cessait de jouer avec les fronces de sa blouse, qui a parlé de sculpter « l'amour avec des courbes douces et de tendres sentiments » ? C'était de la guimauve tout ça…

– De la guimauve ?

– Les sentiments, les choses douces, tu sais…

Son regard bleu est devenu glacial.

– Alors, voilà ta façon de me dire merci pour…

– Pour quoi, Cynthia ? Pour quoi devrais-je te remercier ? Tu n'as pas fait tout ça parce que tu es mon amie ?

– Je t'ai appris des choses sur la sculpture. Je t'ai appris à voir plus loin que ce qu'enseigne Mme Baher et à faire de nouvelles choses.

– Et tu estimes devoir recevoir quelque chose en échange ? Tu penses que j'ai une dette envers toi ? L'amitié, ce n'est pas ça. Les gens sont amis parce qu'ils s'apprécient, et il n'y a pas de dettes entre eux.

J'étais en colère, mais n'ai pas haussé le ton pour ne pas effrayer les petits Rodowsky.

– Mais je t'aime bien, a protesté Cynthia.

Et, pour la première fois, je me suis rendu compte qu'elle semblait ne plus aussi bien se contrôler. Elle avait la voix et le menton qui tremblaient, et ses yeux se sont emplis de larmes.

– Je te veux vraiment comme amie.

– Mais tu veux aussi que je consacre toute ma vie à l'art. Ça, ce n'est pas normal. Tu ne peux pas imposer des conditions à notre amitié. De plus, il y a beaucoup d'autres choses dans ma vie en dehors de toi et de l'art, et je n'ai pas l'intention d'abandonner quoi que ce soit.

Cynthia a repris son sang-froid aussi vite qu'elle l'avait perdu.

– Tu veux dire que tu n'es pas prête à abandonner quelque chose pour moi ? C'est cela que tu veux dire, n'est-ce pas ? Mais je ne compte pas sur toi. Laisse-moi te dire une chose, Claudia. Tu es une ingrate et une idiote, et tu ne sais pas ce qu'est l'amitié.

Relevant la tête, les yeux étincelants, Cynthia a fait demi-tour et est repartie chez elle, me laissant seule sur le perron des Rodowsky.

Je me sentais comme un sac vide qui a contenu de jolies choses, des fleurs séchées par exemple, et que l'on venait de remplir de cailloux ! Et chaque caillou était une pensée désagréable. Les pensées se bousculaient dans ma tête :

« Elle a raison. Je n'ai pas été une bonne amie. Du moins, pas pour Lucy ni pour les autres membres du club. Tout le monde doit me détester. J'aimerais bien pouvoir parler à Lucy, mais ça m'étonnerait qu'elle m'adresse à nouveau la parole. »

– Eh, les garçons ! ai-je crié à Jackie, Richie et Archie. Allons jouer à l'intérieur, d'accord ? Je crois qu'il va pleuvoir.

Ils sont rentrés en grognant un peu. Je les ai installés devant la télévision dans la salle de jeux, puis je suis allée réfléchir dans le salon. Je désirais être seule un moment. Que m'était-il arrivé ces deux dernières semaines ? Je m'étais laissé entraîner par Cynthia. Me restait-il encore des amis ? Avant, j'appelais Lucy quand ça n'allait pas.

Maintenant, je ne pouvais même plus. Et l'exposition ? Mme Baher ainsi que mes parents s'attendaient à ce que j'y participe, et je ne savais même pas encore ce que j'allais faire.

– Claudia ?

Jackie m'a tirée de mes pensées. Il s'est approché de moi, une basket au pied, l'autre à la main avec les lacets emmêlés.

– Tu peux m'aider ? m'a-t-il demandé avec un grand sourire, en me présentant sa chaussure.

– Bien sûr.

Tout en dénouant le nœud, j'ai soudain eu une idée : « Jackie ! Je vais faire une sculpture de Jackie. Voilà un bon modèle. » J'avais toujours eu envie de prendre un sujet « vivant ».

Je lui ai souri et, en retour, il m'a fait son plus beau sourire édenté.

Vraiment, j'ai vécu un après-midi palpitant. Alors que je gardais les petits Rodowsky, Claudia est arrivée à l'improviste. Lorsque j'ai ouvert la porte, elle s'est efforcée de cacher sa surprise et moi, mon embarras.

Elle avait décidé de faire une statue de Jackie. Elle venait de commencer un croquis de lui lorsque la sonnerie a retenti à nouveau. Cette fois, c'était Cynthia ! Je crois qu'elle s'était disputée avec Claudia. Et elles ont recommencé devant Jackie et moi. La situation devenait de plus en plus bizarre. Heureusement que Claudia m'a tout expliqué plus tard, sinon je me serais posé beaucoup de questions...

Mary Anne a eu raison d'écrire « un après-midi palpitant ». Mais je crois que c'était encore pire pour moi que pour elle. Depuis que j'avais décidé de prendre Jackie pour modèle, je n'arrêtais pas d'y penser, et les doigts me démangeaient déjà. Je me suis donc rendue chez les Rodowsky le lendemain après-midi, pour pouvoir faire quelques rapides croquis de Jackie, car il n'aurait pas pu poser pour moi pendant des heures. Je voulais aussi demander à Mme Rodowsky la permission de prendre son fils comme modèle et, bien sûr, il me fallait l'accord de Jackie.

Quelle surprise quand Mary Anne m'a ouvert la porte ! Je ne m'attendais pas à trouver quelqu'un du club, je ne sais pas pourquoi.

– Claudia ! s'est exclamée Mary Anne en me voyant sur le perron.

Elle a légèrement froncé les sourcils.

– Oh… Euh, bonjour.

– C'est toi qui devais garder les petits ?

– Non, ai-je répondu en lui montrant mon carnet de croquis. Je voulais simplement faire quelques esquisses de Jackie. Je voudrais le prendre comme modèle pour ma sculpture mais, avant, il faut que je le dessine. Et je dois demander la permission, bien entendu.

– D'accord, a fait Mary Anne, Mme Rodowsky n'est pas là, mais pourquoi ne pas poser la question à Jackie ? Lui, il est là.

Elle avait l'air un peu fatiguée.

– C'est un de ses mauvais jours ? ai-je demandé.

– Oui, je crois ! Sans le vouloir, il a fait tomber cinq

kilos de croquettes et a renversé du vernis à ongles sur une paire de chaussettes.

– Eh bien ! il en veut vraiment aux chaussettes en ce moment !

– Quoi ?

– Rien, ce serait trop long à expliquer. Comment a-t-il fait pour renverser ce vernis ?

– Oh, c'est une longue histoire aussi. Mais pourquoi n'entres-tu pas ?

Jackie m'a accueillie, surexcité.

– Salut, Claudia ! Aujourd'hui, je suis tout seul. Richie est à sa leçon de piano et Archie, à la gym.

– Et toi, tu ne prends pas de cours ?

– Si, mais je casse trop de choses. C'est Mme Schiavone qui l'a dit.

– C'est qui, Mme Schiavone ?

– Le professeur de piano. Elle veut bien de Richie chez elle, car il n'a pas cassé son métronome, ni son parapluie, ni sa pendule.

– Comment as-tu donc fait pour casser sa pendule ? a demandé Mary Anne.

– Je ne sais pas. Mais, en tout cas, elle est vraiment cassée. Avant, elle faisait une jolie mélodie et, maintenant, elle fait boing, boing, bonk.

Je me suis retenue de rire. Lui ne riait pas. En général, il est contrarié à cause de ses bêtises, car il ne le fait pas exprès.

– Jackie, a annoncé Mary Anne, Claudia est venue car elle a quelque chose à te demander.

– Quoi ?

Il s'est affalé sur le canapé et je me suis assise à côté de lui pour lui expliquer mon projet.

– Tu veux faire une statue de moi ?

Je n'osais même pas regarder Mary Anne.

– Oui, c'est ça, en quelque sorte. Mais seulement ta tête.

– Seulement ma tête ? Ça va faire mal ?

– Pas du tout. Je ne vais même pas te toucher.

– Et je serai dans une exposition ? Tout le monde va me voir ?

– Oui !

– Ouh là là...

– Tu veux bien qu'on commence maintenant ? Je dois faire quelques dessins de toi.

– Je peux ? a-t-il demandé à Mary Anne.

– Pas de problème.

J'ai fait poser Jackie à un bout du divan. Je me suis installée à l'autre extrémité et j'ai commencé mon dessin. Il se tenait immobile, sans sourire, sans même cligner des yeux.

– Oh, ne sois pas si crispé. Tu peux bouger un peu, tu sais, mais tout en restant assis.

– Et si je lui donnais un coloriage à faire ? a suggéré Mary Anne.

– Très bonne idée.

Elle s'est assise dans un fauteuil alors que je dessinais et que Jackie coloriait. Puis, au bout d'un long moment, elle a dit :

– Alors... comment va Cynthia ?

J'ai haussé les épaules.

– Bien, j'imagine.

Elle a rassemblé tout son courage pour me poser une question importante. Elle commence toujours par s'agiter, puis elle prend une grande inspiration, elle garde encore un peu le silence et, finalement, elle s'éclaircit la voix.

– Hum.

– Oui ?

– Claudia, j'étais en train de me demander, euh… est-ce que Cynthia est ta… meilleure amie ?

– Certainement pas.

– Ah non ?

– Absolument pas.

– Mais je pensais…

– Je pensais aussi que nous étions amies, l'ai-je coupée. Je pensais que personne ne me comprenait comme elle, mais je me suis trompée.

Puis j'ai ajouté :

– Tu sais ce que j'avais envie de faire, hier ? J'avais envie d'appeler Lucy. Mais elle doit sans doute m'en vouloir !

Je n'en ai pas dit plus. Je n'avais pas envie de raconter à Mary Anne ma dispute avec Cynthia, maintenant.

– Claudia Koshi ? Toi et la fille qui met de longues jupes, vous vous êtes disputées, pas vrai ? a soudain demandé Jackie.

– Eh oui, ai-je répondu, en prenant une feuille de mon bloc et en commençant un nouveau croquis.

– Maman dit que, lorsqu'on est en colère contre quelqu'un, il faut lui expliquer pourquoi.

– Mmm.

– Et tu sais ce qui se passe quand on le fait ?

– Quoi ?

– L'autre te dit pourquoi il est en colère, puis tu réponds quelque chose, et il te répond quelque chose d'autre et alors…

– Et alors ?

– Je ne sais pas. C'est drôle mais, quelquefois, ça te remet en colère.

Je lui ai souri. Il a haussé les épaules. Puis on a sonné à la porte. Pour la première fois, j'ai remarqué que le carillon faisait boing, boing, bonk.

– Hé ! Tu l'as cassé aussi, celui-là ? lui ai-je demandé, alors que Mary Anne allait ouvrir.

– Un peu, a-t-il avoué d'un air penaud.

Mary Anne est revenue au bout de quelques secondes, l'air assez contrarié. Cynthia était juste derrière elle.

Mary Anne n'a pas desserré les dents. Elle se tenait en retrait, les bras croisés et nous regardait, l'air de dire : « Alors vous deux, qu'est-ce qui se passe ? »

– Cynthia ! me suis-je exclamée. Qu'est-ce que tu fais là ?

Elle s'est penchée pour regarder mon croquis.

– J'ai vu ton vélo dehors. Et toi, que fais-tu ici ? J'avais du mal à croire que tu faisais encore du baby-sitting… Mais je vois que si.

– Eh non. Je commence mon travail pour l'exposition. Tu devrais être contente.

– Pas si c'est lui que tu comptes sculpter, a-t-elle dit en montrant Jackie du doigt.

Il a froncé les sourcils.

– Lui a un prénom. C'est Jackie, un de mes meilleurs amis.

Le petit garçon a souri.

– Alors, comme ça, tu renonces à notre projet, a poursuivi Cynthia, en feignant de ne pas m'avoir entendue. Tu vas sculpter une personne.

– Oui.

– Et pourquoi ?

– Parce que je choisis ce que j'ai envie de faire. Je vais sculpter ce que je réussis le mieux, c'est-à-dire les gens, même si j'ai encore beaucoup à apprendre.

– Eh bien, ne compte pas sur moi pour t'aider, a-t-elle décrété en se dirigeant vers la porte d'entrée.

Elle a ajouté, juste avant de sortir :

– Tu es en train de gâcher ta carrière, tu sais.

Et elle est partie.

– Waouh ! a soufflé Mary Anne, stupéfaite. Énorme !

Jackie me regardait d'un air inquiet.

– Ce n'est rien, l'ai-je rassuré, ne t'en fais pas.

– Tu vas quand même mettre ma statue à l'exposition ?

– Bien sûr que oui ! Enfin, si je réussis à la terminer à temps.

– Hé, Claudia, tu sais que tu lui as tenu tête ? a remarqué Mary Anne, impressionnée.

– Oui, mais ça ne sert à rien. Elle ne comprend toujours pas ce que je veux lui dire.

– Elle ne veut pas comprendre, a-t-elle rectifié. C'est complètement différent. Mais, au moins, elle sait que tu n'es pas d'accord avec elle.

J'ai hoché la tête, toute pensive.

– On te verra à la prochaine réunion ? m'a demandé prudemment Mary Anne.

– Je pense que oui. Mais pas aujourd'hui, car j'ai du retard dans mes devoirs et j'ai eu un cinq en orthographe. En plus, il y a cet exposé que je dois faire à la bibliothèque et que je n'ai pas encore commencé. Je vais me plonger dans les bouquins.

– Tu ne pourrais pas rentrer de la bibliothèque et être à la maison pour cinq heures et demie ?

– Normalement, si... Mais, cette fois-ci, ce n'est pas possible.

Le problème, c'est que je ne pensais pas être très bien accueillie à la réunion... Même si elle avait lieu dans ma propre chambre.

– Bien, a fait Mary Anne d'un ton brusque. Je le dirai aux autres.

– D'accord.

J'ai rassemblé mes crayons et refermé mon carnet de croquis.

– J'ai suffisamment de dessins de toi pour l'instant, Jackie. Je te remercie.

Il était temps que j'y aille. J'avais beaucoup de choses à faire. Vraiment beaucoup.

13

Le mieux à faire lorsqu'on est dépassé par les événements, c'est de dresser une liste. Puis, on coche au fur et à mesure ce qui est réglé et, comme ça, on n'oublie rien.

C'est donc ce que je me suis empressée de faire ce soir-là, après dîner. J'ai d'abord fait la liste des listes de choses que j'avais à faire :

Liste des listes des choses à faire

1. Amies

2. Devoirs

3. Exposition

Puis ensuite j'ai tout détaillé :

Les amies

1. Appeler Cynthia (essayer de lui expliquer).

2. Appeler Lucy (pour m'excuser).

3. Appeler Kristy (pour m'excuser). Lui dire que j'essaierai de venir à la prochaine réunion.

Devoirs à faire

1. Demander à Mme Hall si je peux recommencer mon contrôle d'orthographe.

2. Retourner à la bibliothèque!!! Travailler sur le dossier Première Guerre mondiale.

3. Finir Les Vingt et Un Ballons.

4. Commencer un nouveau livre.

Exposition de sculpture

1. Penser très sérieusement au temps qu'il me faudra pour ma sculpture.

2. Parler à Mme Baker.

3. Parler à papa et maman?

Je me suis assise sur mon lit pour relire toutes mes listes. Puis j'ai jeté la première puisque j'avais fait les trois autres. J'étais super bien organisée et pourtant complètement paniquée. Comment allais-je pouvoir tout faire ?

Je n'en savais rien, mais il valait mieux commencer immédiatement. La première chose inscrite sur la liste des amies était d'appeler Cynthia. J'ai donc fermé la porte de ma chambre, je me suis allongée sur mon lit et j'ai composé son numéro. Comme je l'avais appelée assez souvent dernièrement, je le connaissais par cœur.

– Salut, Cynthia. C'est moi.

– Qui ça ?

– C'est moi, Claudia.

– Ah !

– Bien, je suis également ravie de t'entendre, ai-je répliqué ironiquement.

– Tu sais, je suis vraiment très occupée…

– Tu me dis ça à moi ! Je t'appelle car j'ai quelque chose d'important à te dire. Je voudrais que tu essaies de comprendre ceci.

– Quoi ?

– Que j'ai une vie très… bien remplie. J'ai mes amis, ma famille, l'école, la peinture, la sculpture, la poterie et mes gardes d'enfants. Peut-être qu'un jour je choisirai parmi tout ça, mais pas maintenant. J'aime essayer de nouvelles choses. J'aime, comment dis-tu ? la diversité. Je suis très heureuse quand je suis très occupée, même si parfois je suis un peu débordée. Je t'aime vraiment beaucoup, Cynthia, mais je ne peux pas passer tout mon temps avec toi, même si tu es la personne la plus douée que je connaisse. Tu comprends ce que je veux dire ?

– Oui, a-t-elle répondu après un instant d'hésitation.

Et elle m'a raccroché au nez.

Durant un instant, je suis restée à fixer le combiné en retenant mes larmes. Cynthia ne m'aimait plus…

Sans doute n'appréciait-elle même plus mes qualités artistiques. Mais qu'avais-je perdu en réalité ? Certainement pas une amie. Une véritable amie m'aurait écoutée, aurait cherché à comprendre et ne m'aurait pas raccroché au nez. Cynthia n'était pas une véritable amie. Je ne veux pas dire qu'elle était mauvaise ni méchante, mais l'art était la seule chose qui comptait vraiment pour elle. Et, si je n'attachais pas autant d'importance qu'elle à l'art, j'étais sans intérêt à ses yeux. Cynthia avait l'art pour seul ami.

J'espérais que ma théorie sur les vrais amis qui ne vous raccrochent pas au nez était bonne, car j'étais sur le point d'appeler Lucy. Si elle raccrochait, ce serait terrible pour moi. Mais j'ai quand même composé son numéro. Je venais de barrer la première ligne de ma liste et il fallait que je règle la deuxième. Lucy a décroché dès la première sonnerie. Elle devait être sur son lit (elle a un téléphone dans sa chambre, mais pas une ligne avec un numéro personnel comme moi).

– Salut, Lucy, ai-je fait, un peu gênée.

– Claudia ?

– Oui, c'est moi. Lucy, je t'appelle pour m'excuser. Je sais que je ne me suis pas bien conduite. Je me suis laissé entraîner par Cynthia parce qu'elle venait de l'académie Keyes et qu'elle disait que j'avais du talent.

Durant cinq minutes, je lui ai tout expliqué et, quand j'ai eu fini, elle était toujours à l'autre bout du fil.

– Claudia, a-t-elle répondu comme si elle s'efforçait de ne pas rire, regarde sous ton oreiller.

– Sous mon oreiller ? D'accord.

En glissant la main en dessous, j'ai senti une boulette de papier.

– Tu as trouvé le petit mot ?

– Ouais.

– Alors, lis-le, oublie-le et jette-le.

Le mot disait :

Tu es la pire meilleure amie que j'aie jamais eue.

C'était assez drôle mais ça ne m'a pas fait rire. Je l'ai mis à la poubelle comme m'avait conseillé Lucy.

– C'est toi qui as écrit ça ?

– Oui. Mais j'étais un peu en colère. Claudia, nous sommes toujours amies, du moins, je souhaite que nous le restions. Mais je crois qu'il faudrait que nous parlions de certaines choses.

– Je suis d'accord.

Nous avons décidé de trouver un moment pour discuter tranquillement, soit à l'école, soit lors de la prochaine réunion.

J'ai barré la deuxième ligne de ma deuxième liste et j'ai téléphoné à Kristy.

C'est Karen, sa demi-sœur, qui a décroché.

– Claudia ! Nous passons une soirée terrible ! Le fantôme de Ben Lelland a hypnotisé Boo-Boo, et…

– Karen, excuse-moi, mais il faut que je parle à Kristy. Peux-tu aller la chercher, s'il te plaît ?

Karen a paru vexée, mais elle a appelé Kristy. J'ai recommencé mon petit discours. Puis je lui ai dit que j'allais vraisemblablement devoir passer toutes mes heures de déjeuner en étude pour travailler, mais que je serais là de toute façon à la prochaine réunion du club.

– D'accord, génial, a-t-elle répondu sèchement comme si elle n'en croyait pas un mot.

– Je t'assure que j'y serai.

– Très bien.

– Je vais même appeler Carla pour lui dire qu'elle pourra reprendre son rôle de suppléante.

– D'accord, salut.

– Salut.

Ce n'était pas vraiment formidable, mais c'était une chose réglée. Je devais juste faire preuve de patience et, surtout, aller à la réunion.

J'ai passé le reste de la soirée et une bonne partie du week-end à faire mes devoirs et à regarder les croquis de Jackie. Le dimanche soir, au moment de me mettre au lit, j'avais pris une grande décision.

– Madame Baher ?

– Oui, Claudia.

C'était la fin du cours. Cynthia s'était mise au premier rang et moi, au dernier. J'avais commencé ma sculpture, avec tous les croquis de Jackie étalés sur la table. Les autres élèves venaient de partir et je souhaitais que Mme Baher jette un coup d'œil sur mon travail.

– J'aime bien le sujet que tu as choisi, dit-elle en souriant.

– Moi aussi, mais je n'aurai pas le temps de finir pour l'exposition. Il ne me reste plus qu'une semaine. J'ai des devoirs à rattraper ainsi que de nombreuses autres choses à faire. Aussi, je ne présenterai rien à l'exposition. J'en parlerai ce soir à mes parents. Je travaillerai sur cette sculpture en cours, mais elle ne sera pas terminée à temps.

– Claudia, je pense que tu devrais bien réfléchir avant de prendre une telle décision. En travaillant dur, je suis persuadée que tu peux la finir à temps, m'a assuré Mme Baher.

– Seulement si j'abandonne tout le reste, mais je ne veux pas faire ça.

– D'accord, je respecte ton choix.

– Merci. Merci beaucoup.

J'en ai donc parlé à mes parents le soir même. Ils ont été un peu surpris mais, comme ils attachent une grande importance aux études (ils pensent que c'est primordial), quand ils ont compris que je faisais passer la sculpture après le collège, ils ont été ravis, même s'ils essayaient de ne pas le montrer.

Puis, je suis montée dans ma chambre pour consulter mes listes. La liste des amies était à jour, donc je l'ai mise à la poubelle, ainsi que celle de l'exposition. Ce n'était pas vraiment le cas pour la liste de mes devoirs. Pas étonnant, car j'ai toujours du mal à me sentir vraiment concernée par le travail scolaire.

J'avais cependant demandé à Mme Hall de refaire le contrôle d'orthographe, et elle avait accepté ! J'ai plongé la main dans ma trousse dans l'intention de barrer le numéro 1 de ma liste. Le crayon que j'en ai sorti était enveloppé dans un morceau de papier.

– Encore un message…, ai-je soupiré.

C'était l'écriture de Kristy.

Personnages abominables célèbres :
Barbe-Bleue, la fée Carabosse, Claudia Koshi.

Je l'ai jeté avant de barrer Mme Hall sur ma liste. Je ne pouvais cependant pas encore barrer le reste, que je n'avais pas fini de faire. J'avais presque terminé *Les Vingt et Un Ballons* et j'avais emprunté *Les Rides du temps* à la bibliothèque. Je l'ai ouvert à la première page, et j'ai lu la première phrase : Par une sombre nuit d'orage…

Après tout, ça n'avait pas l'air mal, ça ressemblait aux romans d'Agatha Christie que j'aimais tellement. De plus, les trois premiers chapitres s'intitulaient *Madame Commeci, Madame Commeça et Madame Toujuste.* C'était plutôt amusant. J'ai reposé le livre pour réviser mon contrôle d'orthographe. Peut-être allais-je finir avec ma liste de devoirs plus tôt que prévu. J'ai souri.

Le lendemain, je devais assister à la réunion du Club des Baby-Sitters !

14

Le lendemain, j'ai apporté des sandwiches à l'école (ce qui est très rare) et je me suis rendue en étude à l'heure du déjeuner, comme je l'avais d'ailleurs fait les deux jours précédents.

J'avais avec moi *Les Vingt et Un Ballons* que j'avais terminé, mais j'avais besoin que quelqu'un m'interroge sur l'orthographe des mots difficiles, pour préparer mon contrôle. Un des professeurs m'a fait travailler dur. J'étais fière de moi. Je n'aurais peut-être pas dix sur dix, mais je visais quand même un six ou un sept. Après les cours, une corvée m'attendait. En fait, ce n'est probablement pas le bon terme, mais je devais faire une chose qui ne m'enchantait pas. Cela ressemblait donc à une corvée.

À peine rentrée à la maison, j'ai sauté sur mon vélo et j'ai filé chez Jackie Rodowsky. Sa mère a été un peu surprise de me voir sur le perron.

– Claudia, il y a sûrement un malentendu. Je n'ai pas...

– Oh non, l'ai-je coupée, je suis juste venue parler à Jackie. Il est rentré de l'école ?

– Oui, il y a quelques minutes.

Mme Rodowsky m'a fait entrer alors que Jackie descendait l'escalier en bondissant. Il a sauté les trois dernières marches, a heurté une table et renversé un vase, dont la chute a heureusement été amortie par un tapis.

– Oups ! s'est exclamé Jackie.

Mme Rodowsky a secoué la tête.

– Jackie, Claudia voulait te voir. (Puis elle a disparu dans la cuisine.)

– Claudia ! Tu as fini de sculpter ma tête ?

– Eh non, c'est d'ailleurs pour ça que je suis venue. Viens, allons nous asseoir.

Je me suis installée dans le canapé en tapotant le coussin qui était près de moi. Jackie a traversé la pièce en trombe et s'est jeté sur le divan, heurtant accidentellement mon genou droit.

– Aïe !

– Oh, pardon.

– Jackie, ai-je commencé en me frottant le genou, je voulais te dire ceci : je suis réellement désolée, mais je ne vais pas pouvoir participer à l'exposition.

Jackie, qui gigotait dans tous les sens, s'est arrêté net, les larmes aux yeux.

– Tu ne peux pas ?

– Non.

Je lui ai expliqué le plus simplement possible que je manquais de temps.

Il n'a rien répondu, s'absorbant à glisser l'extrémité de son lacet à l'intérieur de sa chaussette.

– Mais j'aimerais bien finir cette sculpture quand même.

– Ah oui ?

– Oui. Mon professeur a vu les croquis et ce que j'ai déjà fait, et ça lui a vraiment plu. Elle souhaite aussi que je le termine.

– Mais pas pour l'exposition ?

– Non, mais tu veux toujours être mon modèle ?

Il a plissé le front pour finalement répondre oui.

– Super ! Je suis désolée pour l'exposition, mais je voulais que tu saches la vérité.

– Claudia, tu sais quoi ?

– Non.

– Je t'aime beaucoup.

Jackie a passé ses bras autour de ma taille et je l'ai serré très fort. J'étais contente de lui avoir dit la vérité. J'ai souri. Je n'avais pas fait de baby-sitting depuis longtemps et je me rendais compte que les enfants me manquaient. J'ai quitté les Rodowsky pour partir travailler à la bibliothèque sur mon exposé sur la guerre de 1914. Dès que l'horloge a indiqué cinq heures dix, j'ai rassemblé mes affaires, sauté sur mon vélo et foncé à la maison. À cinq heures trente et une, je suis arrivée dans ma chambre en courant. Kristy, Mary Anne, Carla et Lucy étaient déjà là.

– Salut, tout le monde ! ai-je lancé. Me voilà de retour !

Je me suis laissée tomber par terre et j'ai regardé autour de moi. Kristy était assise dans le grand fauteuil, visière sur la tête et un verre de limonade à la main. Carla et Mary Anne étaient allongées sur mon lit, et Lucy était perchée sur mon bureau.

– Salut, ont-elles répondu sans lever la tête.

– Il y a eu des appels ?

– Non.

– Bien. Alors, c'est l'heure de…

J'ai sorti un paquet de bonbons de sous le lit (en sachant très bien qu'il était vide).

– Tout le monde doit en prendre un, même toi, Lucy.

– Mais, je ne peux pas…

D'un geste, j'ai réclamé le silence et j'ai présenté le sachet à Kristy. Elle en a tiré un morceau de papier plié. Et les autres en ont fait autant.

– Bon, qui a le papier numéro 1 ? ai-je demandé.

– Moi, a dit Carla en le dépliant.

– D'accord, alors tu lis le tien en premier et, ensuite, chacun continue dans l'ordre, deux, trois, quatre, d'accord ? Vas-y, Carla.

Elle s'est éclairci la voix.

– Les amies, il y a bien longtemps déjà, j'avais quatre amies et elles me le rendaient bien…

Carla s'est arrêtée et a regardé les autres.

– Oh, dit Lucy, à moi. Puis j'ai rencontré une artiste qui m'a dit que j'étais aussi douée qu'elle.

– Aussi l'ai-je suivie de-ci, de-là, un peu partout, mais, a enchaîné Kristy en pouffant.

– Mais, a poursuivi Mary Anne, elle était perfide, seul l'art comptait pour elle, alors je suis revenue vers vous. Maintenant, je le sais : vous êtes mes véritables amies.

Quand Mary Anne s'est tue, il y a eu un grand silence.

– J'imagine, ai-je alors repris, que c'est ma façon de vous dire combien je regrette. J'ai compris à mes dépens qui étaient mes véritables amies. Hum, vous m'avez vraiment manqué, les filles. Le baby-sitting aussi. Et les réunions. J'en ai plus qu'assez des objets inanimés quels que soient les noms qu'on leur donne. Je sais que vous m'en voulez encore, mais j'espère qu'on redeviendra amies un de ces jours.

– Oh, c'est si triste et si beau ! s'est exclamée Mary Anne avant de fondre en larmes.

Kristy, au contraire, a éclaté de rire.

– Des fous, a commenté Lucy. On est vraiment dans un club de fous.

– Un club de folles, ai-je corrigé, et tout le monde s'est mis à rire, y compris Mary Anne.

– Je ne vous demande pas de me pardonner maintenant, les filles, ai-je continué. Je sais qu'il faudra du temps…

– Claudia, Claudia, Claudia, m'a coupée Lucy, arrête ton char, on oublie tout.

– C'est vrai ?

– Ah oui ? s'est étonnée Kristy.

– Oui, a répété Lucy fermement en fusillant Kristy du regard, on oublie tout.

J'ai senti les larmes me monter aux yeux.

– Je ne mérite pas d'avoir des amies comme vous, ai-je dit, la gorge serrée. J'ai trop de chance.

– Oh, Claudia ! a gémi Lucy en se laissant glisser du bureau.

Elle s'est jetée à mon cou et m'a serrée contre elle.

– Mais, tu as un nouveau parfum ? ai-je remarqué en reniflant.

– Oui ! Tu aimes ? Il s'appelle *Clair de lune*.

– Génial.

– Fais-nous sentir, ont supplié les autres en s'approchant.

– Hum, délicieux ! a soupiré Carla.

– Paradisiaque, a renchéri Mary Anne.

– Ça peut aller, si on se prend pour un parterre de roses, s'est moquée Kristy.

Nous parlions toutes les cinq à la fois.

– Et alors, qu'est-ce que tu as contre les parterres de roses ? a répliqué Mary Anne.

– Je peux en mettre un peu ? ai-je demandé.

– Bien sûr, la bouteille est…

Dring, dring !

Le téléphone !

– Oh, s'il vous plaît, je peux répondre ? Ça fait des siècles que je n'ai pas pris un appel !

– Vas-y, a acquiescé Kristy.

– Allô ? ici le Club des Baby-Sitters. Oui… oui… Pas de problème. Je vous rappelle tout de suite. Au revoir.

J'ai raccroché en me tournant vers les autres. Mary Anne avait l'agenda sur les genoux.

– C'était qui ? a voulu savoir Kristy.

– Mme Newton. Elle demande quelqu'un pour Simon et Lucy Jane jeudi soir. Ça ne durera pas trop tard, ils seront rentrés pour neuf heures.

– Voyons, a dit Mary Anne, jeudi, tu es libre, Claudia. Tu veux y aller ?

– Bien sûr !

Et j'ai rappelé Mme Newton.

Tandis que je lui parlais, je me sentais redevenue officiellement membre du club.

– Les filles, ai-je conclu en raccrochant, ça fait vraiment du bien d'être de retour parmi vous.

– Claudia ? a fait Mary Anne qui était installée sur mon lit, très sérieuse. Que s'est-il passé ?

– Que veux-tu dire ?

– Eh bien, avec Cynthia, le club et nous.

– Ah ! eh bien... je me suis laissé entraîner. Mais il faut que vous compreniez une chose. C'est très rare que quelqu'un me dise que je suis vraiment douée, que j'ai du talent. Ça ne m'arrive pas souvent.

– Mais nous t'avons toujours dit que tu étais douée pour tout ce qui est artistique, a rétorqué Mary Anne, un peu blessée.

– Je sais. C'est important pour moi. Mais le problème, excusez-moi de vous dire ça, les filles, c'est que vous ne connaissez rien à la peinture. Vos compliments me font plaisir mais... quand Cynthia est arrivée – c'est une excellente artiste et elle a étudié à l'académie Keyes – ses compliments représentaient beaucoup pour moi. Soudain, je me suis sentie très importante, du moins, quand j'étais avec elle. Et ça me plaisait beaucoup.

Mary Anne et Lucy ont hoché la tête.

– Je vois. Je comprends.

– Mais, en fait, Cynthia ne m'aimait que pour mon talent, ai-je poursuivi. Elle aimait l'artiste en moi, mais pas la personne que je suis dans mon entier. Et ce n'est pas ça, l'amitié, pas vrai ? Nous nous apprécions toutes, même en dehors du baby-sitting.

– C'est vrai, ont-elles acquiescé.

– Bien, a repris Kristy. Revenons à nos affaires. Où est la caisse ? Nous avons des comptes à faire et des cotisations à payer.

Nous nous sommes remises au travail.

« Me voilà vraiment revenue au club ! » ai-je pensé.

15

– Oh, j'ai tellement le trac.
– Du calme, Claudia, sinon tu vas nous faire une crise d'apoplexie, m'a coupé Kristy.

Mais j'étais trop stressée pour lui demander ce que cela signifiait.

Il était huit heures moins le quart et tout un groupe d'élèves du centre artistique accompagnés de leur famille et de leurs amis était rassemblé à l'entrée de la nouvelle galerie d'art de Stonebrook. Maman, papa, Mimi, ma sœur Jane et les membres du Club des Baby-Sitters m'accompagnaient.

Dans exactement quinze minutes, la porte allait s'ouvrir et tout le monde allait découvrir la nouvelle galerie, ainsi que l'exposition des sculptures des élèves du centre artistique. C'était excitant, mais quand même pas au point de me donner une crise d'appendicite, ou le genre de truc qu'avait prédit Kristy. J'étais anxieuse à cause d'un coup de téléphone de Mme Baher que j'avais reçu l'après-midi même.

– Claudia ?

– Oui, avais-je répondu en essayant de masquer ma surprise (on ne s'attend jamais à ce qu'un professeur nous appelle à la maison).

– Il faut que je te dise quelque chose. Je ne sais pas si j'ai eu raison de prendre cette initiative, mais c'est chose faite de toute façon. (Il y a eu un silence.) J'ai fait exposer ta sculpture de Jackie à la galerie.

– Vous avez quoi ? Mais elle n'est pas terminée ! Je n'en suis qu'à la moitié.

– Je sais. Je l'ai présentée comme un travail en cours. Elle est superbe, Claudia. Je veux que les gens la voient... Claudia ?

– Je suis toujours là... Je ne sais pas quoi dire.

– Ne dis rien. Viens avec ta famille à l'exposition ce soir. Les prix seront décernés avant l'ouverture.

Vous comprenez maintenant pourquoi j'étais surexcitée. Je ne pensais pas remporter de prix pour une sculpture à moitié terminée, mais elle allait être exposée et je ne voulais pas qu'on se moque de moi.

Tout à coup, je me suis dit que je n'aurais jamais dû parler de l'exposition à mes amies. Pourquoi avais-je fait ça ? (Sans doute parce que j'étais sous le choc.) Elles avaient toutes voulu m'accompagner, évidemment (Mary Anne était même venue avec son père) et, maintenant, elles allaient voir tout le monde s'esclaffer devant ma sculpture.

Puis soudain j'ai pensé à autre chose. Cynthia serait là, elle aussi. Peut-être même allait-elle rire de mon travail…

J'ai secoué la tête pour chasser toutes ces angoisses.

Un murmure a parcouru la foule. On ouvrait les portes et les gens commençaient à entrer.

Mon cœur battait tellement fort que j'avais l'impression qu'il allait sortir de ma poitrine.

– Oh, je sens que je vais m'évanouir, ai-je glissé à Lucy.

– Tu n'as pas intérêt, Claudia.

Elle m'a pris la main et j'ai serré fort la sienne. Comme deux petites filles qui vont à l'école pour la première fois.

Nous sommes entrées. La nouvelle galerie était très agréable. Tout était calme et feutré, décoré dans des tons de gris et de blanc, comme pour ne pas détourner l'attention des visiteurs concentrée sur les œuvres d'art. En temps normal, les tableaux auraient été placés sur les cloisons amovibles qui divisaient la galerie en plusieurs salles mais, là, nos sculptures trônaient sur des socles bruns. Il y en avait environ une vingtaine dans la première salle. Le reste devait être réparti dans les autres pièces. Mme Baher nous avait parlé d'une soixantaine de travaux exposés.

Sans nous lâcher la main, Lucy et moi, nous avons commencé la visite. Il était difficile d'accéder à certaines sculptures à cause de la foule, mais nous attendions patiemment notre tour ou nous nous mettions sur la pointe des pieds pour les apercevoir. Je ne voulais rien rater.

– Regarde ! C'est celle de Mary Drabek ! s'est exclamée Carla. Elle est avec moi en cours de maths.

– Hé ! Elle a eu le troisième prix ! a dit Kristy en se faufilant pour la voir de plus près.

– Je suis vraiment impressionnée, a fait ma mère. Cette galerie est magnifique. Tu dois être fière de participer à la première exposition.

J'ai hoché la tête. Je n'osais même pas ouvrir la bouche. Où était donc ma sculpture de Jackie ? Je n'entendais personne rire…

Lucy et moi avons fini par nous séparer et j'ai continué toute seule ma visite. J'avais fait le tour de la première salle et Jackie ne s'y trouvait pas.

Je suis donc entrée dans la suivante.

J'ai d'abord vu la vache boxeuse de John Steiner. Elle n'avait pas eu de prix. Puis, ce fut le cerf de Fiona McRae auquel on avait décerné le deuxième prix. Je suis passée devant un lapin, deux petites filles qui se tenaient par la main, un homme qui lisait le journal, et un joueur de football.

Un peu plus loin, il y avait un attroupement autour d'une sculpture. Ce ne devait pas être Jackie qu'ils regardaient, car personne ne riait. Je me suis faufilée entre un homme qui sentait le tabac et une femme avec un porte-bébé. Sur le piédestal marron trônait la bouche d'incendie de Cynthia. Le ruban bleu du premier prix y était accroché.

J'étais stupéfaite. Cynthia était réellement parvenue à donner vie à sa bouche d'incendie, et les juges avaient apprécié son projet.

– C'est un objet inanimé qui a une âme, expliquait-elle justement.

Nos regards se sont croisés.

Je lui ai souri.

– Félicitations, lui ai-je soufflé.

Elle m'a fait un signe de la tête et m'a rendu mon sourire.

Je suis sortie de la salle. Soudain, cela ne m'intéressait plus de voir ma sculpture. Je me moquais de l'endroit où elle pouvait être ou de savoir si quelqu'un était en train d'en rire. J'aurais peut-être mieux fait d'écouter Cynthia ; peut-être qu'elle aurait pu beaucoup m'apprendre.

À ce moment, j'ai entendu un cri perçant derrière moi.

– Claudia !

Kristy m'a agrippée en faisant des bonds.

– Viens voir, vite !

Elle m'a entraînée dans une troisième salle, en me tirant par le bras, manquant de renverser tout un groupe de personnes.

– Qu'est-ce qu'il se passe ? ai-je demandé, moitié gênée, moitié amusée.

– Là… Cette sculpture !

Je me suis retrouvée en face de Jackie. Kristy avait été la première à le voir. J'ai aussitôt remarqué deux choses : personne ne riait et il y avait un ruban vert accroché au socle.

– Tu as obtenu le prix spécial ! s'est écriée mon amie.

– Pour un travail en cours, me suis-je étonnée.

– Tu aurais eu le premier prix si tu l'avais terminé, a dit une voix derrière moi.

C'était Mme Baher.

– Vraiment, vous pensez ?

Elle a acquiescé.

– Les juges ont été très impressionnés.

– Il faudra que tu le dises à Jackie, a ajouté Kristy.

– Je le ferai.

La demi-heure qui a suivi a été la plus excitante que j'avais jamais connue. Mes parents, ma sœur et Mimi, ainsi que Mary Anne, son père, Carla et Lucy se sont regroupés autour de la sculpture inachevée de Jackie, pour l'admirer. Puis, une journaliste est venue photographier les lauréats, ainsi que trois d'entre nous qui avaient obtenu un prix spécial. Elle nous a expliqué que notre photo et un article sur la galerie paraîtraient dans le journal de Stonebrook dans quelques jours.

Au cours de la soirée, tout le monde est venu me féliciter. Même ma sœur qui veut devenir physicienne et qui a toujours le nez dans ses bouquins m'a dit :

– Ce doit être une belle récompense pour toi. Tu fais partie des personnes qui ont du talent.

Mimi m'a serrée contre elle en murmurant :

– Je t'aime, ma petite Claudia.

Le lendemain, j'étais assise à la cafétéria avec mes amies. Nous étions de nouveau ensemble pour le déjeuner. Kristy et Mary Anne avaient pris un plat chaud, Carla avait apporté son repas bio, et Lucy et moi, nous avions acheté des sandwiches.

Kristy nous a fait son petit numéro :

– Vous connaissez l'odeur des baskets après le cours de gym. Et vous connaissez aussi celle de la crème anti-échauffement pour les pieds. Eh bien ! si vous mélangez tout ça, vous avez l'odeur de mon rôti !

Mary Anne en avait des haut-le-cœur.

En relevant la tête, j'ai aperçu Cynthia qui passait près de notre table avec son plateau. Elle était seule, comme d'habitude, et cherchait une place libre.

Je ne sais pas ce qui m'a pris, mais je me suis levée et j'ai posé ma main sur son bras.

– Cynthia ?

– Oui ? Oh… Claudia.

– Euh, tu peux venir t'asseoir avec nous, si tu veux.

– Avec vous ? a répété Cynthia en jetant un regard furtif sur les membres de notre club qui, bien sûr, nous regardaient bizarrement. Eh bien…

– Allez, viens, ai-je insisté.

Je savais que Cynthia et moi, nous ne deviendrions jamais les meilleures amies du monde, et qu'elle ne comprendrait jamais que je puisse m'intéresser au baby-sitting. De mon côté, je ne comprendrais jamais qu'elle donne à l'art une place aussi exclusive dans sa vie. Mais nous avions quand même des points communs et pouvions finalement rester de bonnes copines. Ça valait la peine d'essayer en tout cas.

J'ai tiré Cynthia vers notre table.

– Vas-y. Assieds-toi.

Elle a accepté avec un peu de réticence.

Kristy m'a jeté un regard menaçant. Cynthia était habillée de façon vraiment bizarre : une longue veste en tricot par-dessus une chemise encore plus longue pendouillant sur une jupe, qui n'était assortie ni à la veste ni à la chemise. Et elle avait toujours ses fameuses espadrilles !

À peine assise, Cynthia a reniflé son assiette et s'est exclamée :

– Vous savez à quoi l'odeur de cette viande me fait penser ?

– À de vieilles baskets mélangées à de la crème pour les pieds ? a suggéré Kristy.

– J'aurais plutôt dit à un mélange d'essence de térébenthine, de dissolvant et de peinture, a répliqué Cynthia. Mais ce doit être à peu près la même chose.

Kristy a fait la grimace.

– Oui, sans doute.

Et nous avons éclaté de rire. Toutes ensemble. Ensuite, nous avons discuté sculpture, Cynthia et moi, tandis que mes amies écoutaient. Puis, mes amies et moi avons parlé des enfants qui n'aimaient pas les baby-sitters, et Cynthia nous a écoutées, elle aussi.

Après le déjeuner, nous avons quitté ensemble la cafétéria.

À partir de ce jour-là, Cynthia est venue s'asseoir de temps en temps avec nous, mais elle restait seule la plupart du temps. C'était bien comme ça. On se voyait toutes les deux parfois pour discuter art, et c'était bien aussi. J'aimais bien aller admirer les feux rouges, les poubelles et les bouches d'incendie, de temps à autre, mais ça ne m'empêchait pas d'aller faire les boutiques avec Lucy !

LE CLUB DES BABY-SITTERS

MALLORY entre en scène

1

Des lunettes. Des lorgnons. Des verres à double foyer, des verres à triple foyer. Peu importe comment on les appelle, des lunettes sont des lunettes, et je suis obligée d'en porter.

Bonjour, je m'appelle Mallory Pike. J'ai onze ans. En plus des lunettes, je dois vous signaler une chose importante : j'ai sept frères et sœurs plus jeunes. Eh, oui ! Et trois d'entre eux sont des triplés, trois petits garçons identiques. Si vous pensez que c'est facile d'être l'aînée d'une famille de huit enfants, quand vous portez des lunettes et qu'en plus vous êtes la seule à avoir les cheveux frisés, vous vous trompez.

Les triplés, Adam, Jordan et Byron, ont dix ans. Parfois, ils me rendent folle, mais la plupart du temps, ils sont très sympas. Ce qui est bien avec eux, c'est qu'ils peuvent toujours compter les uns sur les autres. Trois bons copains.

Puis vient Vanessa. Elle a neuf ans et espère devenir poète. Il lui arrive de s'exprimer en vers des journées entières, je trouve ça très énervant. Mais Vanessa est plutôt sympa, elle aussi, et d'une certaine façon, nous nous ressemblons beaucoup.

Nicky a huit ans. Je m'inquiète un peu pour lui, car il a du mal à faire sa place dans la famille. Il aimerait pouvoir jouer avec les triplés pour être entre garçons, mais ils le traitent de bébé. Cela l'oblige à rester avec nous, les filles. Du coup, en ce moment, il hait les filles.

Margot a sept ans. Elle traverse une phase d'autorité, bien qu'étant presque la plus jeune de la famille. Elle donne des ordres à tout le monde, même à nos parents, à ses poupées et à Fred, un chien du voisinage. La plupart du temps, nous l'ignorons, enfin, ses ordres, pas elle, bien sûr.

Enfin vient Claire. Elle a cinq ans. J'imagine qu'être la benjamine de la famille ne doit pas être facile tous les jours. Vous pensez peut-être qu'elle n'a pas besoin d'attirer l'attention et pourtant si, elle n'arrête pas de faire l'idiote. Elle donne des surnoms même à papa et à maman et traite tout le monde de « stupide bêbête gluante ». Tenez, si elle a soif, elle dira : « Je peux avoir du jus de fruits, Mallory, stupide bêbête gluante… ? » C'est agaçant, mais on dirait qu'elle le fait moins souvent, ces derniers temps. Enfin, comme elle est mignonne et affectueuse, on lui pardonne.

Il y a aussi mes parents, bien sûr. Maman ne travaille

pas. Enfin, pas à l'extérieur, comme d'autres sont médecins ou agents d'assurance, par exemple. Elle dit que nous, les enfants, sommes son travail, et que huit enfants représentent pas mal de boulot.

Papa est avocat, mais pas de ceux que l'on voit à la télévision, et qui font des discours passionnés dans un tribunal plein à craquer. Il travaille pour une grosse société de Stamford, pas très loin de Stonebrook, où nous vivons. La plupart du temps, il est assis à son bureau ou assiste à des réunions. Quelquefois, il va au tribunal, mais sûrement pas pour y faire des discours. J'imagine qu'il se lève assez souvent pour dire : « Objection ! » ou des trucs dans le genre.

Tous les Pike, y compris mes parents, ont les cheveux châtains et les yeux bleus. Nicky, Vanessa et moi portons des lunettes (en permanence, pas seulement pour la lecture, hélas), mais comme je l'ai déjà dit, je suis la seule à avoir les cheveux bouclés, avec des reflets roux. La seule aussi à avoir des taches de rousseur sur le nez. Je ne suis pas comme les autres. Si seulement maman acceptait que je porte des lentilles, mais elle refuse catégoriquement. Pas avant mes quinze ans. Et elle ne veut pas que je me fasse percer les oreilles avant treize ans.

Avoir onze ans est une véritable épreuve.

Mais je dois cependant admettre une chose : quel que soit votre âge, être l'aînée de huit enfants vous enseigne à coup sûr la responsabilité. Et j'en ai appris pas mal sur le baby-sitting. J'adore le baby-sitting, même si je n'en ai pas encore fait beaucoup toute seule jusqu'à présent. Mais vous savez quoi ? Ces filles que je connais m'ont demandé si cela m'intéresserait de faire partie de leur club de baby-sitting ! Et elles sont plus âgées que moi ! Sans rire. Elles sont quatre et vivent dans le quartier (enfin, presque toutes). Elles s'appellent Kristy Parker, Claudia Koshi, Mary Anne Cook et Carla Schafer. Il y en avait une cinquième, Lucy MacDouglas, mais elle a déménagé. C'est pour cela qu'elles ont besoin de moi, pour remplacer Lucy. Elles me connaissent bien car elles viennent tout le temps faire du baby-sitting chez nous. D'ailleurs, ces derniers temps, au lieu d'être gardée, je leur ai donné un coup de main. Comme je l'ai déjà dit, je me débrouille pas mal avec les enfants.

Je suis terriblement flattée qu'elles me demandent de rejoindre leur club. Mais très anxieuse aussi. Et si elles décidaient que je ne suis pas assez responsable, ou pas assez mûre ou que sais-je encore ? Oh, après tout je le saurai lundi. Date de ma première réunion du club.

Mais nous ne sommes que samedi. Encore deux jours d'attente. Mais j'ai plein de choses à faire. Je lis trois livres : *Le Petit Ane blanc*, *L'Incroyable Randonnée* et un autre, très drôle, *L'Assassinat du Père Noël*. J'adore lire, et je ne pense pas qu'il faut absolument avoir terminé un livre pour en commencer un autre. J'adore écrire aussi. Je tiens un journal, et j'invente des histoires, des tas d'histoires. Il m'arrive parfois de les illustrer.

En plus, cet après-midi, j'ai un baby-sitting. D'ailleurs, je ferais mieux de descendre. Papa emmène les triplés chez le coiffeur, et maman sort avec Margot et Vanessa pour leur acheter des chaussures. Du coup, je dois m'occuper de Nicky et de Claire. J'ai de la chance, car mes parents me donnent de l'argent pour surveiller mes propres frères et sœurs.

Il était temps de cacher mon journal (pas facile, depuis que je partage ma chambre avec Vanessa). Je l'ai mis à sa place habituelle, sous mon matelas. (Je parie que Vanessa connaît ma cachette.) Puis j'ai dévalé les escaliers.

– Oh, te voilà, ma chérie, a dit maman. C'est bien. Ton père et moi, nous sommes sur le point de partir. Nicky est dans le jardin avec Buddy Barrett. Tu sais où nous allons, n'est-ce pas ?

– Chez M. Gates, le coiffeur, et chez Bellair, ai-je répondu.

Bellair est un supermarché.

– Exactement, a confirmé maman.

– Mamête petite bêbête gluante, je veux des chaussures, moi aussi, a pleurniché une petite voix toute malheureuse.

C'était Claire. Elle descendait les escaliers en traînant, d'un air maussade. Ma mère s'est retournée pour la prendre par son petit menton.

– Tu n'as pas besoin de baskets, ma chérie. Tu en auras une nouvelle paire quand les rouges seront trop petites.

– C'est pas juste, a grogné Claire.

– Ne t'inquiète pas, maman, je vais m'occuper d'elle, ai-je assuré.

Papa est parti avec les triplés, maman avec mes sœurs et j'ai emmené Claire dans le jardin avec un flacon de bulles de savon. Elle en a oublié ses chaussures. Nicky jouait au volley-ball avec son ami Buddy (le propriétaire du chien Fred) tout en nous ignorant, nous les filles, ce qui semblait arranger tout le monde.

– Regarde, Mallory, petite bêbête gluante, me disait Claire, en soufflant des bulles dans l'anneau en plastique.

Les garçons jouaient encore lorsque mon père est revenu avec les triplés. La voiture s'est arrêtée dans l'allée. Les portières se sont ouvertes lentement. Claire et moi, nous nous sommes tournées, intriguées. Mes frères ont horreur de se faire couper les cheveux.

– Tu ressembles à un débile, a dit Adam en poussant Jordan.

– Moi ? Regarde-toi dans un miroir, a-t-il rétorqué. Tu me ressembles... en pire.

Les garçons ont essayé de filer vers la maison sans se faire remarquer, mais Buddy les a aperçus et il a éclaté de rire. La partie de volley-ball n'était pas terminée pour autant.

– Attention, Buddy ! a hurlé Nicky.

Il a lancé la balle au-dessus du filet.

Buddy, tordu de rire, n'était pas vraiment prêt, mais il a réussi à renvoyer le ballon.

– Ouf ! a-t-il grogné, toi alors !

– Aïe, aïe, aïe !

À présent, c'était Nicky qui n'était pas prêt. Il ne s'attendait pas à ce que Buddy lui renvoie le ballon, et il avait aperçu les triplés et leur coupe de cheveux. Le ballon a volé au-dessus du filet, telle une flèche. Il est venu frapper la main tendue de Nicky, et lui a retourné les doigts.

– Aïe ! Ma main !

Papa, mes frères, Claire et moi nous avons couru vers lui.

– Aïe ! Aïe !

Nicky se tordait de douleur, serrant sa main contre son ventre.

– Laisse-moi regarder, mon Nicky, a dit mon père, en lui prenant doucement la main.

Nous avons tous écarquillé les yeux. Son index formait un drôle d'angle avec sa main.

– Oh, non ! ai-je soupiré dans un souffle.

– Cassé, a diagnostiqué papa.

Buddy a fondu en larmes.

– Je suis désolé, Nicky. Je suis désolé, répétait-il.

C'est à ce moment que maman est arrivée. En voyant l'attroupement dans notre jardin, elle s'est précipitée vers nous avec Margot et Vanessa, a examiné le doigt de Nicky et a décrété :

– Aux urgences. Mallory, je compte sur toi.

Mes frères, mes sœurs et moi, nous sommes restés dans le jardin, bouche bée, tandis que nos parents mettaient Nicky dans le break et repartaient sur les chapeaux de roue. La seule personne qu'on entendait, c'était Buddy qui continuait à pleurer.

Je me suis rappelé les paroles de ma mère, « Mallory, je compte sur toi » et j'ai décidé d'agir en conséquence. Tout d'abord, j'ai calmé Buddy et je l'ai renvoyé chez lui. Puis j'ai fait rentrer les autres pour leur préparer un goûter.

Une fois tout rentré dans l'ordre, je me suis assise quelques minutes dans la salle de séjour.

Les filles du Club des Baby-Sitters n'auraient-elles pas été fières de moi ? Je surveillais toute seule six de mes frères et sœurs. Cela n'était encore arrivé à aucune des filles, puisque maman insiste toujours pour que deux baby-sitters soient présentes s'il y a plus de cinq enfants à garder.

Deux heures plus tard, Nicky est revenu.

– Regardez ! a-t-il lancé, en s'avançant fièrement dans la cuisine, maman et papa sur les talons.

– Qu'est-ce que c'est ? a demandé Claire, en regardant sa main d'un air inquiet.

– Un plâtre. Mon doigt est cassé en deux endroits. On m'a passé une radio.

– Il a été très courageux, a expliqué maman.

Le plâtre de Nicky couvrait son doigt et presque toute sa main, et maintenait le doigt dans une position qui semblait inconfortable. Mais Nicky n'y faisait pas attention. Il attendait lundi pour montrer sa blessure à l'école.

Et moi, j'attendais lundi pour me vanter auprès des filles du Club des baby-sitters de tout ce travail inattendu.

2

Lundi matin, enfin ! Dimanche m'avait semblé le jour le plus long de ma vie. J'avais terminé L'Assassinat du Père Noël, *trois chapitres de* L'Incroyable Randonnée, *et rédigé l'histoire d'une grenouille affrontant une tempête, intitulée* Jours de pluie et nuits de grenouille.

J'avais distrait Nicky et fait des gâteaux avec Margot. Et il n'était encore que quatre heures de l'après-midi.

Enfin lundi est arrivé. J'ai bondi hors de mon lit pour me ruer sur mon armoire. Je me demandais ce qu'on était supposé porter à une réunion de baby-sitters de treize ans. J'ai décidé d'être juste un peu habillée. Je pensais à Claudia et aux autres filles du club. Elles portaient des vêtements à la mode : des tuniques ou des blouses sur des pantalons moulants. Je ne possède pas ce genre de vêtements. Maman dit que je suis trop jeune. Peut-être lorsque j'aurai douze ou treize ans. Bon, cela ne m'empêcherait pas de me faire belle. Après un temps de réflexion si long que Vanessa commençait à s'impatienter, j'ai finalement opté pour ma robe chasuble rouge qui portait l'inscription « Mallory », un chemisier blanc à manches courtes, et des collants blancs à petits cœurs rouges.

– On dirait une petite fille modèle ! s'est moquée ma sœur, mais je l'ai ignorée.

– Mallory ! s'est exclamée maman lorsque je suis descendue petit-déjeuner un peu plus tard. Tu es adorable... Serait-ce le jour de la photo de classe ? a-t-elle ajouté, en jetant un regard inquisiteur à mes frères et sœurs, qui eux étaient loin d'avoir fait un effort d'habillement.

– Non, maman. Ne t'inquiète pas, je vais à la réunion du Club des Baby-Sitters, tu te souviens ?

– Oh, c'est vrai. Eh bien, amuse-toi bien.

« M'amuser, ai-je pensé. C'est bien le mot. » J'étais excitée comme une puce.

En arrivant au collège de Stonebrook, ce matin-là, j'ai cherché des yeux Kristy, Carla, Mary Anne et Claudia. Si je les voyais, je marcherais vers elles, comme si de rien n'était, et je leur dirais :

– Salut, les filles, ça va ? J'ai hâte d'être à la réunion.

Je ferais comme si j'étais une grande de quatrième et non une petite idiote de sixième.

Mais le bâtiment des sixièmes est à l'extrémité opposée

de celui des quatrièmes. Je n'avais aucune chance de les voir si je ne m'aventurais pas plus loin. J'ai fait comme s'il fallait que je passe à la bibliothèque, proche des salles des quatrièmes. J'ai erré de couloir en couloir, cherchant les filles sans relâche, mais en vain, elles n'étaient ni à la bibliothèque, ni devant la cafétéria, ni près du gymnase. J'étais encore à mi-chemin de ma classe lorsque la sonnerie a retenti.

La sonnerie ! J'avais traîné plus longtemps que je ne le pensais. J'ai filé vers ma classe et je suis entrée juste au moment où Mme Frederickson allait fermer la porte. J'étais la dernière et je me suis glissée à ma place, entre Benny Ott et Rachel Robinson. (Mme Frederickson nous place par ordre alphabétique.)

Mais non, je n'étais pas entre Benny et Rachel. J'étais entre Benny et une fille que je n'avais jamais vue. Rachel était un siège plus loin. Que se passait-il ? J'ai jeté un œil à mon bureau. C'était bien le mien, avec deux grosses lettres « E. L. » tracées dans un des coins supérieurs et un cœur gravé dans un angle inférieur.

J'ai risqué encore un regard vers la fille assise près de moi. Je n'en croyais pas mes yeux. D'abord, parce qu'elle était très jolie. Elle était mince avec de longues jambes et, même assise, elle était gracieuse.

Et puis, elle était noire.

Il n'y avait pas un seul élève noir dans notre classe. Cette nouvelle élève serait la première. En fait, il n'y a que six élèves noirs dans tout le collège, tous en cinquième ou en quatrième.

– S'il vous plaît, a commencé Mme Frederickson, en

tapotant son bureau avec un crayon. Bonjour. Comme vous avez dû le remarquer, nous avons une nouvelle élève. Elle s'appelle Jessica Ramsey. Vos places ont un petit peu changé car il a fallu l'installer. Jessica a pris la place de Rachel Robinson, et chaque élève a dû se déplacer.

J'ai vu Rachel loucher vers Jessica et lui tirer la langue. Jessica a fait comme si elle n'avait rien remarqué. Elle a continué à fixer le professeur.

« Pourquoi, me suis-je étonnée, Rachel tenait-elle autant à ce bureau ? » Nous y étions assises uniquement pendant les heures de cours avec Mme Frederickson. Nous n'y gardions aucun objet personnel, car d'autres classes l'utilisaient le reste de la journée.

– J'espère, a-t-elle poursuivi, que vous réserverez un bon accueil à Jessica.

Mme Frederickson semblait sincère, mais j'ai noté qu'elle ne demandait pas à Jessica de se lever, de se présenter et de nous raconter d'où elle venait. C'est ce qu'elle avait fait lorsque Benny Ott était arrivé. Dès le premier jour, nous avions tout su : qu'il venait de Detroit, que son père vendait des pièces de rechange pour automobiles, que sa mère était secrétaire et qu'il rêvait d'être un grand acteur.

Jessica Ramsey, assise à côté de moi, demeurait un mystère. J'ai regardé à nouveau ses longues jambes. Peut-être faisait-elle de la danse, ou de la gymnastique. Je l'ai dévisagée. Ses yeux étaient immenses et sombres. Ses cils étaient si longs qu'on aurait dit qu'ils étaient maquillés. Mais probablement que non, si sa mère était comme la mienne, et j'ai décidé que c'était tout à fait possible, car

Jessica portait des lunettes et n'avait pas non plus les oreilles percées.

Je me demandais quelle impression cela faisait d'être la seule élève noire de la classe. Ce n'était peut-être pas très différent de ce que je ressentais. J'étais en effet la seule de la classe à avoir sept frères et sœurs, y compris des triplés âgés de dix ans. Mais je savais que ce n'était quand même pas la même chose. Les enfants ne pouvaient pas deviner tout ça rien qu'en me regardant. Mais la couleur café de Jessica s'offrait au regard du monde entier.

Cependant, ce n'était pas tant la couleur de peau de Jessica qui occupait mes pensées que le fait qu'il y avait enfin une nouvelle dans la classe. J'attendais cela depuis si longtemps. Je rêvais d'avoir une meilleure amie.

Je m'entends bien avec à peu près tout le monde, mais je n'ai pas de meilleure amie. D'abord parce que toutes les autres filles ont déjà une meilleure amie. En plus, je passe tellement de temps à jouer avec mes frères et sœurs, à lire et à écrire, que je n'ai jamais eu besoin d'une meilleure amie. Et pourtant, récemment, je me suis dit que ce serait bien d'en avoir une. Mais ma seule chance était qu'il y ait une nouvelle élève, et le seul nouveau de la classe avait été Benny Ott, jusqu'à l'arrivée de Jessica.

Jessica a surpris mon regard et m'a souri timidement. Je lui ai rendu son sourire, tout aussi timidement. Était-ce ainsi que cela commençait entre meilleures amies ? Ce n'était pas un mauvais début, mais cela semblait un si petit pas…

La sonnerie a retenti et, dans un brouhaha, mes camarades se sont rués hors de la classe. Benny est parti si brusquement qu'il a renversé sa chaise et a dû faire demi-tour pour la relever. Pendant ce temps, Jessica avait disparu. J'étais tellement occupée à regarder Benny que j'avais raté son départ. Et j'étais déçue. J'avais espéré l'aider à trouver sa classe suivante. Quelqu'un d'autre avait dû le faire.

Mon deuxième cours de la journée était histoire mais, visiblement, nous n'étions pas ensemble. En troisième heure, nous avions anglais et, tandis que je gagnais ma place au fond de la classe, j'ai aperçu Jessica qui se glissait au troisième rang. J'ai aussi vu Benny Ott lui envoyer quatre élastiques dans le dos pendant le cours. Jessica faisait comme si elle ne sentait rien. Et le professeur, M. Williams, comme s'il ne voyait rien.

Quatrième heure, gymnastique : pas de Jessica. Cinquième heure, maths : non plus.

Puis ça a été l'heure du repas. Comme un repas chaud ne coûte ici qu'environ un dollar, mes parents ont décidé que mes frères, mes sœurs et moi, nous mangerions tous les jours à la cantine, à moins de préparer nous-mêmes notre casse-croûte. Maman dit qu'elle a mieux à faire que de préparer huit pique-niques cinq jours par semaine.

C'était le jour des spaghettis. J'ai emporté mon plateau vers une longue table où se trouvait un groupe de filles de ma classe. Presque toutes ont levé les yeux en disant :

– Salut, Mallory.

C'était sympa, mais comme j'aurais aimé qu'il y en ait une qui bondisse de sa chaise en criant : « Oh, Mal ! Tu ne devineras jamais ce qui est arrivé ! »

Autrement dit, une meilleure amie. Je me suis assise près de Rachel Robinson. Elle chuchotait avec trois autres filles, front contre front. J'étais curieuse, mais je mourais de faim. J'ai ouvert mon berlingot de lait.

– Mallory, a soufflé Rachel.

– Quoi ? ai-je demandé en enfournant une demi boulette de viande.

– Tu as vu la nouvelle ?

Rachel semblait époustouflée.

– Qui ? Jessica Ramsey ?

– Comment ça, qui ? Jessica Ramsey, bien sûr. Qui d'autre ?

J'ai haussé les épaules.

– Et alors ?

– Et alors ? s'est écriée Sally, une fille que je n'ai jamais beaucoup aimée. Tu es aveugle ? Elle est noire.

J'ai failli m'étrangler.

– Et alors ?

– Eh bien, elle n'est pas comme nous.

– Ah bon ? me suis-je emportée. Et comment est-elle ?

Sally était mal à l'aise.

– Oh, je ne sais pas…

– Pourquoi tu réagis comme ça ? m'a demandé Rachel.

Pour tenter de reprendre mon calme, j'ai pris une fourchetée de spaghettis.

– Rien, rien.

J'aurais voulu changer de sujet, mais Anita (la meilleure amie de Rachel) a gloussé bêtement, la bouche pleine de pain :

– Vous croyez qu'elle vient d'où ? D'Afrique ?

Je ne sais pas pourquoi mais, aussitôt, les autres ont été prises d'un rire hystérique.

– Je parie que son véritable nom est Mobobwi ou quelque chose comme ça, a ajouté Sally.

J'avais envie de quitter la table, mais je me suis retenue. Et les filles ont fini par oublier Jessica. Elles se sont mises à parler d'émissions télévisées et de chanteurs de rock. Je n'écoutais pas. Je regardais Jessica. Elle mangeait toute seule, en lisant un livre. Je me demandais ce qu'elle lisait.

La journée a poursuivi son cours.

Sixième heure, français : pas de Jessica.

Septième heure, étude : pas de Jessica.

Huitième heure, sciences. Jessica était dans la classe ! Il y avait un espoir qu'elle devienne ma meilleure amie. Mais, pour l'instant, j'étais trop excitée pour penser à elle. Les cours étaient presque finis. C'était bientôt l'heure de ma première réunion du Club des Baby-Sitters !

3

Aujourd'hui, c'était notre première réunion avec Mallory à la place de Lucy. C'était un peu bizarre. Désolée, Mallory, mais c'est vrai. Lucy était membre de notre club depuis le début. Elle était là à la première réunion et jamais elle n'en a raté une. Elle était même au rendez-vous la veille de son retour à New York, alors qu'elle ne pouvait plus accepter de gardes. Ça, c'est vraiment professionnel.

Mallory, je ne sais pas comment te le dire, mais il n'est pas nécessaire que tu t'habilles bien pour nos réunions, enfin si tu n'en as pas envie. Nous, nous ne le faisons pas. Nous portons nos vêtements d'école. Parfois même, nous les remplaçons par des trucs plus décontractés.

Et franchement, il n'y a pas de raison d'être nerveuse. Nous nous connaissons toutes.
Nous avons fait du baby-sitting ensemble, et Mary Anne est même partie en vacances avec ta famille.
Alors, cool !

Ça alors ! Je ne m'attendais pas à ce que Kristy devine à quel point j'étais nerveuse. Je n'avais pas non plus l'impression d'être trop bien habillée. Vous auriez vu comment étaient les autres filles ! Je décrirai le genre de vêtements qu'elles portaient quand je vous parlerai d'elles. Mais il faut d'abord que j'explique ce journal dans lequel a écrit Kristy. C'est le journal de bord du Club des Baby-Sitters, et c'est très important.

Les filles gèrent vraiment leur club de façon professionnelle. Je les imaginais en train de rigoler et de papoter, et ne pensant qu'à récolter assez d'argent pour une fête ou un truc dans ce genre. Mais ce club de baby-sitting est une véritable entreprise. Les gains sont destinés à couvrir les dépenses, par exemple à payer Samuel, le grand frère de Kristy, pour qu'il la conduise et la ramène des réunions, puisqu'elle a déménagé à l'autre bout de la ville depuis l'été dernier. Elles ont une clientèle nombreuse, et elles gagnent pas mal d'argent.

Mais revenons au journal. Kristy a décidé que chaque baby-sitter devait y raconter comment s'était passée sa garde. Elles y notent les problèmes qu'elles rencontrent, tout ce que les autres doivent savoir, par exemple que tel enfant est allergique ou encore a peur du noir ou des araignées ou du bruit. Ce cahier, qui est très gros, passe alors de l'une à l'autre pour que chacune soit au courant. Parfois, elles y relatent les réunions importantes du club.

Les filles tiennent aussi un agenda où elles notent des informations sur leurs clients, gardent trace des sommes gagnées et, bien entendu, inscrivent les horaires et les rendez-vous.

Kristy Parker est la présidente du club ; c'est elle qui en a eu l'idée et qu'il l'a créé. Pourtant, c'est elle qui semblait avoir la tenue la plus décontractée. Ce jour-là, elle portait un jean délavé, des baskets et un pull rose foncé. Je l'avais déjà vue souvent habillée de cette façon. Kristy est très chouette. Chaque fois qu'elle me gardait, j'étais sûre de m'amuser. Mais il lui arrive d'être un peu autoritaire.

Pas de façon puérile, comme ma petite sœur Margot, mais d'une manière adulte. À deux reprises, elle a interrompu la réunion pour résoudre certains problèmes. Elle n'écoutait pas ce que les autres avaient à dire. Elle se levait d'un bond et déclarait :

– Assez de discussions. Voici ce que nous allons faire.

Et je peux vous dire qu'on avait intérêt à écouter !

Kristy a les cheveux et les yeux bruns. Et je suppose que sa mère ne la laisse pas se maquiller car son visage est toujours naturel. En plus de sa mère, elle a un (riche) beau-père, un jeune frère nommé David Michael, deux grands frères, Samuel et Charlie, une demi-sœur, Karen, et un demi-frère, Andrew. Plus une chienne, Louisa, et un chat, Boo-Boo. Ils habitent dans la grande maison du beau-père, et Kristy prétend qu'il s'agit d'un hôtel particulier.

La vice-présidente du club est Claudia Koshi. Elle est vraiment étonnante, absolument magnifique. Je donnerais n'importe quoi pour être aussi jolie qu'elle. Ses parents sont originaires du Japon et elle a des yeux d'un noir profond, des cheveux de jais, brillants comme de la soie et un teint parfaitement lisse. Ses parents ne doivent pas être aussi stricts que la mère et le beau-père de Kristy, car Claudia a les oreilles percées, se maquille et porte des vêtements que ma mère ne me laisserait même pas regarder dans les magasins, et encore moins acheter : des pantalons courts et étroits, de petites ballerines, ou des T-shirts déchirés ornés de paillettes, ou encore des salopettes et des baskets montantes. Et ses bijoux ! Elle a un bracelet qui ressemble à un serpent enroulé et des boucles d'oreilles avec un chien pour une oreille et un os pour l'autre, et je ne sais quoi d'autre. Claudia est une super baby-sitter aussi, car elle apprécie l'art. Parfois, lorsqu'elle venait à la maison, elle nous aidait, mes frères, mes sœurs et moi, à réaliser des fresques ou des décorations de Noël ou encore des objets en papier mâché. Je n'en sais pas plus au sujet de Claudia, si ce n'est qu'elle aime lire des romans policiers et que quelqu'un a dit un jour qu'elle n'était pas très bonne élève. Ce n'est pas de chance, car sa sœur Jane est surdouée. Claudia et Jane vivent avec leurs parents et leur grand-mère, Mimi. Les réunions du club se tiennent toujours dans la chambre de Claudia, car elle a un téléphone à elle et une ligne personnelle.

La veinarde ! J'imagine que c'est pour cette raison qu'elle est vice-présidente.

Mary Anne Cook est la secrétaire du club. Mary Anne

est petite, soignée et méticuleuse. Elle a pour mission de tenir à jour l'agenda, et elle le fait bien. De toutes les baby-sitters, elle n'est certainement pas la plus drôle, mais sûrement la plus gentille. Elle est sensible. (Peut-être qu'elle est timide aussi, je n'en suis pas sûre.) Et elle est patiente. On peut toujours s'adresser à elle, si l'on a un problème ou besoin d'aide pour les devoirs. Ce qui est drôle, c'est qu'elle est radicalement le contraire de Kristy et, pourtant, ce sont les meilleures amies du monde. Kristy est très démonstrative et parfois autoritaire, Mary Anne est calme et ne donne absolument jamais d'ordres. Kristy aime être le centre d'intérêt, Mary Anne s'est un jour enfuie d'une fête organisée pour son anniversaire.

D'un autre côté, Mary Anne ressemble un peu à Kristy, avec ses cheveux ondoyants et ses yeux bruns, mais elle s'habille avec plus de soin. Elle n'est pas vraiment à la mode, mais elle ne porte pas toujours le même jean. Le jour de ma première réunion, elle portait un gros pull-over jaune avec une broche en argent épinglée près du col, une courte jupe en molleton, des collants jaunes et des ballerines. Pas du tout excentrique, et je sais pourquoi. Mary Anne vit avec son père et son chat, Tigrou. Sa mère est morte il y a très longtemps, et je pense que M. Cook est parfois très sévère avec Mary Anne. Il l'a même obligée longtemps à porter des tresses, mais il est un peu moins exigeant, maintenant.

Enfin, il y a Carla Schafer. C'est la recrue la plus récente. Elle est arrivée ici, dans le Connecticut, avec sa mère et son jeune frère David, il y a moins d'un an. Ils ont déménagé parce que ses parents ont divorcé. Et ils sont venus de Californie ! Pauvre Carla. Je détesterais avoir à déménager, mais Carla semble plutôt heureuse ici. Pour son frère David, c'est une autre histoire. Je le sais car c'est l'ami des triplés. Il a eu beaucoup de problèmes scolaires, et il n'a qu'une idée en tête, retourner habiter avec son père. Cela doit être dur pour Carla de penser que son frère préférerait être avec son père plutôt qu'avec sa mère et elle.

Toujours est-il que Carla est la trésorière du club. Auparavant, c'était Lucy, mais elle est retournée vivre à New York et Carla l'a remplacée. (Je ne sais pas trop ce qu'elle faisait avant. Rien de très important, j'imagine. Peut-être seulement du baby-sitting.) Carla a de longs cheveux d'un blond très très clair. Jamais je n'ai vu d'aussi longs cheveux. Ils lui tombent au milieu du dos. Elle porte des vêtements décontractés, des jeans larges avec le bas retroussé, des chemises ouvertes sur un T-shirt, et de grosses ceintures. En plus, elle habite une maison qui pourrait bien être hantée et qui possède un passage secret !

Les voilà toutes. Quatre filles de treize ans, en quatrième. Lorsque je suis arrivée – moi, la petite sixième de onze ans –, elles étaient affalées dans la chambre de Claudia.

– Bonjour, ai-je lancé nerveusement, avec un petit geste de la main.

– Salut, Mallory, a répondu chaleureusement Carla (je connais bien Carla puisque nous sommes voisines).

– Salut, ont dit Kristy, Claudia et Mary Anne.

Elles semblaient sympas, mais j'étais mal à l'aise.

– Assieds-toi, m'a proposé Kristy.

J'ai jeté un coup d'œil autour de moi pour voir où se trouvaient les autres. Kristy, qui portait sa visière et avait coincé un crayon derrière son oreille, était installée sur sa chaise de présidente. Carla et Mary Anne étaient allongées sur le lit, et Claudia était agenouillée par terre, en train de farfouiller dans une taie d'oreiller en fronçant les sourcils.

Soudain, elle en a sorti une poignée de sucettes avant de repousser le bout de tissu sous son lit.

– Les voici !

Elle m'en a tendu une tandis que je m'asseyais avec précaution sur le sol. Ce n'était pas facile avec ma robe.

– Merci.

Claudia a distribué les sucettes. Chacune en a pris une à l'exception de Carla, qui essaie de ne manger que des produits naturels.

– C'est la première chose que tu dois savoir à propos de notre club, m'a expliqué Kristy avec un large sourire. Notre vice-présidente est accro de trucs sucrés. Elle en cache un peu partout dans sa chambre. Heureusement pour nous, elle n'hésite jamais à partager.

Je n'ai rien trouvé à dire aussi me suis-je contentée de sourire.

Le sourire de Kristy s'est évanoui. Elle s'est frotté les mains, à la manière d'une femme d'affaires.

– Bien, a-t-elle repris, et j'ai remarqué que les autres se redressaient avec attention. Nous voulions que tu assistes à la réunion d'aujourd'hui, Mallory, pour deux raisons. Tout d'abord, pour que tu voies à quoi ressemble notre club et, ensuite, pour que nous décidions si, euh, si…

Je savais ce qu'elle voulait dire : « si tu es assez bien pour faire partie du club ». Mais ce n'était pas à moi de le dire et j'imagine qu'elle ne pouvait pas le dire, elle non plus. Elle aurait manqué de tact.

– Ce qu'elle veut dire, est intervenue Carla, c'est que nous devons nous faire une idée de… euh…

– De l'expérience que tu as, a complété Mary Anne.

Elle semblait contente d'elle.

– C'est ça, a confirmé Kristy, radieuse. Et nous devons savoir comment tu te comportes dans certaines situations.

J'ai hoché la tête.

– Eh bien, je m'occupe de mes frères et sœurs depuis des années. Je sais changer les bébés. J'ai toujours…

Dring, dring.

– Je prends ! se sont écriées Kristy, Carla, Mary Anne et Claudia en se précipitant vers le téléphone.

Claudia l'a atteint la première. J'observais avec intérêt. C'était probablement comme ça que se passait une réunion du club.

– Allô ? le Club des Baby-Sitters, a fait Claudia, sur un ton de grande personne. Mm-mmm. Mm-mmm… mardi ? Je vous rappelle dans un instant… D'accord ? À tout à l'heure.

Elle a raccroché et s'est tournée vers nous.

– Mme Perkins a besoin d'une baby-sitter pour garder Myriam et Gabbie mardi prochain de trois heures et demie à cinq heures et demie.

Mary Anne a feuilleté l'agenda pour consulter notre calendrier de rendez-vous.

– Claudia, il n'y a que toi qui sois libre. Tu le prends ?

– D'accord !

– Oh, est intervenue Kristy, Mallory, pourquoi ne l'accompagnerais-tu pas ? Tu ferais un essai, et cela nous permettrait de te juger.

– D'accord ! ai-je répondu avec enthousiasme.

Claudia a rappelé Mme Perkins pour lui dire qui se chargerait du baby-sitting.

– Et voilà à peu près ce que nous faisons à nos réunions, m'a expliqué Kristy. Répondre à des appels comme celui-ci et désigner des baby-sitters. Ou collecter nos cotisations et aussi discuter des problèmes.

J'ai hoché à nouveau la tête. Soudain, quelque chose m'est revenu en mémoire.

– Oh ! J'ai oublié de vous dire… Samedi, j'ai gardé toute seule six de mes frères et sœurs.

– C'est vrai ? s'est étonnée Carla, impressionnée.

– Et pourquoi ça ? a voulu savoir Kristy.

J'ai raconté l'accident de Nicky.

Kristy a plissé les yeux. Et les lèvres également, elles ne formaient plus qu'une ligne fine.

– Mallory, a-t-elle déclaré froidement, cet accident n'aurait jamais dû arriver. Tu étais responsable de Nicky. Tu aurais dû le surveiller.

– Mais, je…

– Aucun accident ne doit se produire durant notre travail, a-t-elle poursuivi.

Les autres filles ont hoché la tête en signe d'approbation.

– Mallory, a fait Carla gentiment, nous devons être très prudentes avant d'accepter quelqu'un dans le club. Nous avons eu des ennuis dans le passé avec des baby-sitters qui n'étaient pas assez sérieuses.

– Mais je suis sérieuse, ai-je répliqué. Et je surveillais Nicky. Et je sais parfaitement m'occuper des enfants.

Je n'aurais probablement pas dû prononcer cette dernière phrase, mais j'étais désespérée. J'avais la gorge nouée.

– Eh bien, il n'y a qu'un moyen de s'en assurer, a repris Kristy, en fronçant les sourcils pensivement. Nous allons te faire passer un test. Peux-tu revenir demain ?

– O-oui, ai-je balbutié.

Un test ? Je devais passer un test ?

– Quelle sorte de test ? ai-je demandé.

– Ce sera... une surprise, a fait Kristy.

Et je savais qu'elle n'en avait pas la moindre idée. Elle allait l'inventer de toutes pièces.

Je devais avoir l'air terrifié, car Mary Anne a changé alors de sujet.

– Devinez quoi ? a-t-elle lancé d'un ton enjoué. Une famille s'est installée dans l'ancienne maison de Lucy.

– Tu es sûre ? a fait Claudia, intriguée.

Mary Anne a acquiescé.

– Je passais par là au moment où ils déchargeaient les meubles.

– Je ne peux imaginer personne d'autre que Lucy habitant cette maison, a soupiré Claudia.

– Moi non plus, a renchéri Mary Anne. Je n'ai vu que les déménageurs.

Des nouveaux ! Peut-être était-ce la famille de Jessica Ramsey. Voilà qui était intéressant. Mais, à cet instant précis, j'étais trop nerveuse pour m'en préoccuper. Je ne pensais plus qu'au test. Un test de baby-sitting ! Allais-je réussir ? Ou gâcher à jamais mes chances d'être admise dans le club ?

4

Le seul élément positif de cette épreuve de baby-sitting était que je n'avais pas à me préoccuper de ma tenue. J'ai enfilé un jean, un sweat-shirt et une paire de baskets.

Ainsi je n'aurais l'air ni mieux ni moins bien que Kristy, et elle était présidente.

J'ai été une vraie boule de nerfs toute la journée. Quelle sorte de test allaient-elles me faire passer ? Une épreuve de la vie réelle, comme lorsqu'on doit plonger dans la piscine pour y repêcher quelqu'un qui se noie ? Un test écrit ? Ou seraient-elles simplement assises à me poser des questions ? Je ne craignais pas une épreuve écrite, mais les autres éventualités m'angoissaient. J'allais affreusement paniquer. Et qui allait me faire passer ce test ? Kristy m'avait dit de me rendre au quartier général du club, c'est-à-dire, la chambre de Claudia. Kristy et Claudia seraient-elles les seules présentes ? Toutes les filles seraient-elles là ? Oh, comme j'étais anxieuse !

J'ai quitté la maison trois quarts d'heure en avance, alors que dix minutes suffisent pour se rendre chez les Koshi. À mi-chemin, je me suis demandée ce que j'allais faire pendant tout ce temps. Pourquoi ne pas passer devant l'ancienne maison de Lucy MacDouglas et tenter d'apercevoir ses nouveaux occupants ?

C'est ce que j'ai fait.

Et devinez quoi ? Jessica Ramsey était assise sur les marches du perron, en compagnie d'une petite fille et d'un petit garçon !

Elle m'a aperçue au même moment. Nous avons échangé un sourire. Je lui ai fait un signe de la main. Après un instant d'hésitation, j'ai traversé la pelouse.

– Bonjour, je suis Mallory Pike... Mais tu le sais sans doute. Enfin, je ne sais pas. Tu as dû rencontrer pas mal d'élèves hier et aujourd'hui.

– C'est vrai. Mais je me souviens de ton nom.

– Je me souviens du tien aussi : Jessica. Jessica Ramsey.

– C'est ça, tu peux m'appeler Jessi.

– D'accord. Salut, Jessi.

– Je suis Becca, a annoncé la petite fille.

Elle devait avoir huit ou neuf ans. C'était le portrait tout craché de Jessica en plus jeune, avec les mêmes longues jambes et des cils interminables.

– Mais mon vrai nom est Rebecca, m'a-t-elle expliqué. Tu vois, maman a enlevé le « Re » du début de mon prénom et voilà d'où vient mon surnom.

– Oh, ai-je dit, c'est amusant. Moi, parfois, on m'appelle Mal.

J'ai regardé le petit garçon assis sur les genoux de Jessi. Il mâchouillait un anneau de plastique rouge.

– Et lui ?

Jessi a tourné le bébé afin que je le voie de face.

– Lui, c'est P'tit Bout. Notre petit frère.

– P'tit Bout ! me suis-je exclamée, surprise.

– Eh bien, son vrai nom est John Philip Ramsey Junior, mais c'est bien trop long pour un bébé. En plus, il pesait à peine 2,5 kg à la naissance.

– Je comprends, c'était un tout petit bout !

– Tu as compris, a répliqué Becca.

– Quel âge a-t-il ? ai-je voulu savoir.

P'tit Bout a levé vers moi d'immenses yeux bruns en bavant sur sa chemise.

– Quatorze mois, a répondu Becca, alors que j'avais posé la question à sa sœur.

Jessi a essuyé le menton de P'tit Bout.

– Et moi, j'ai huit ans et demi, a ajouté Becca. Tu as quel âge ?

– Onze ans. Comme ta sœur.

J'ai jeté un regard à ma montre. J'avais encore amplement le temps avant ce stupide test de baby-sitting.

Je me suis assise à côté de Jessi sur les marches.

– Quand as-tu emménagé ici ?

– Samedi. Ça fait trois jours. La maison est dans un fouillis indescriptible.

Elle s'est tue puis, au bout d'un moment, elle m'a demandé :

– Tu aimes les blagues ?

– Bien sûr, ai-je répondu.

– Écoute ça. Un fermier roule sur une route et il voit un camion sur le bas-côté. Il a un pneu crevé et le chauffeur, qui tient un pingouin, a l'air très ennuyé. Le fermier s'arrête donc et demande : « Puis-je vous aider ? » Le chauffeur répond : « Oh ! oui, s'il vous plaît. Je conduis ce pingouin au zoo. C'est juste au bout de la route. Pourriez-vous vous en occuper pendant que j'attends la dépanneuse ? » Le fermier accepte et emmène le pingouin. Le lendemain, le chauffeur croise le fermier en compagnie du pingouin. « Que faites-vous ? s'écrie-t-il. Vous n'étiez pas censé emmener ce pingouin au zoo ? » Le fermier sourit. « C'est ce que j'ai fait, répond-il, et il s'y est tellement amusé qu'aujourd'hui je l'emmène au cirque ! »

J'ai éclaté de rire, et P'tit Bout aussi.

– Il n'a quand même pas compris ? me suis-je étonnée.

– Non, a répondu Jessi, quand il voit des gens rire, il rit aussi. Tu sais, je crois qu'il t'aime bien.

P'tit Bout a tendu vers moi ses mains potelées.

– Je peux le prendre ?

– Bien sûr.

Jessi a placé P'tit Bout sur mes genoux. Il a souri et, fièrement, a soufflé de petites bulles de salive. Lorsqu'il est devenu trop remuant, je l'ai posé dans l'allée et Becca l'a tenu par la main tandis qu'il marchait maladroitement dans le jardin.

– Il va y arriver, a affirmé Jessi. Il va bientôt se débrouiller tout seul.

Son sourire s'est évanoui et elle s'est assise, pensive.

– Alors, d'où viens-tu ? lui ai-je demandé.

– Du New Jersey, d'Oakley dans le New Jersey. Mais on a proposé à mon père un travail très intéressant ici. C'est pour ça qu'on a déménagé. J'aurais préféré qu'on reste à Oakley.

J'ai hoché la tête.

– Ça doit être difficile de se faire de nouveaux amis.

– Oui, en plus, toute notre famille vit là-bas.

– Oh !

– Oui. Ma grand-mère et mon grand-père, trois tantes, deux oncles et mes sept cousins Kara, Keisha, Sandy, Molly, Raun, Bill et Isaac habitaient tous dans notre rue. Keisha était non seulement ma cousine, mais aussi ma meilleure amie. Nous sommes nées le même jour ! Le 13 septembre. Eh, tu sais combien d'imbéciles il faut pour changer une ampoule ?

– Non. Combien ?

– Trois. Un pour tenir l'ampoule et deux pour le faire tourner.

J'ai éclaté à nouveau de rire, et P'tit Bout et Becca en ont fait autant.

– C'est ma blague préférée, a déclaré Becca. Jessi connaît plus de blagues que n'importe qui au monde.

– Tu exagères, a répondu Jessi, modeste.

– Tu veux devenir comédienne ou quelque chose comme ça quand tu seras grande ? lui ai-je demandé.

– Sûrement pas ! s'est écriée Jessi. Je serai danseuse classique.

Je le savais. À cause de ses longues jambes.

– Je commence les pointes, a-t-elle précisé fièrement. Je

danse depuis l'âge de quatre ans. Tu veux voir mes chaussons ?

Elle s'est levée.

– Viens, je vais te les montrer. Tu vas aussi voir ma mère. Elle sera très contente de faire ta connaissance.

– Vraiment ?

– Évidemment. On ne peut pas dire que les voisins se soient précipités. Nous n'avons encore rencontré personne, ici.

– Oh… (Je ne savais que dire.)

– Je te préviens, a fait Jessi en ouvrant la porte d'entrée. La maison est un véritable capharnaüm. Je ne suis pas sûre de retrouver mon chemin.

J'ai ri. J'aime bien les gens qui me font rire.

– Maman ? a crié Jessi.

Je l'ai suivie. Je n'étais pas souvent entrée dans la maison de Lucy. Pourtant, c'était étrange d'y voir des meubles appartenant à d'autres personnes. Et Jessi ne plaisantait pas. C'était vraiment le bazar.

– Je suis dans la salle à manger, a répondu une voix.

Jessi m'a fait slalomer à travers un salon en désordre puis une salle à manger tout aussi désordonnée.

– Maman, voici Mallory Pike. Elle est avec moi dans certains cours au collège.

J'ai tendu la main comme maman et papa m'ont appris à le faire lorsque nous rencontrons de nouvelles personnes.

Durant une seconde, Mme Ramsey a paru surprise. Puis son visage s'est détendu et elle m'a souri.

– Je suis très contente de te rencontrer, Mallory.

– Appelle-la Mal, maman. C'est son diminutif.

– Tu habites dans le quartier, Mal ? m'a demandé Mme Ramsey.

Ce n'était pas vraiment le cas. J'ai essayé d'expliquer où se trouvait notre rue.

– On monte, maman, l'a prévenue Jessi quelques instants plus tard. J'aimerais montrer mes chaussons de danse et ma chambre à Mallory.

– Vous aurez de la chance si vous les trouvez, a soupiré Mme Ramsey.

La chambre de Jessi était tout à fait présentable. Les meubles étaient à leur place et les murs étaient décorés de posters. Elle n'avait pas encore défait ses valises, mais sa bibliothèque était remplie de livres classés avec soin.

– Oh ! ai-je fait en jetant un regard circulaire. En plus de la danse, tu aimes les chevaux et les histoires de chevaux.

– J'aime toutes les histoires, tu sais.

– Moi aussi ! J'adore lire. On a pas mal de choses en commun. La lecture, les chevaux. Mais je ne prends pas de cours de danse.

– Nous portons toutes les deux des lunettes, a souligné Jessi.

– Ouais, mais tu ne les as pas en ce moment.

– Je les mets seulement pour lire.

– Ma mère refuse que je me fasse percer les oreilles, ai-je dit. Et la tienne ?

– La mienne aussi. Mais, écoute ça, je vais être obligée de porter un appareil dentaire.

Je n'en croyais pas mes oreilles.

– Moi aussi ! me suis-je exclamée. L'année prochaine.

Et nous sommes chacune l'aînée de la famille. Eh, tu aimes les enfants ?

– Bien sûr, a répondu Jessi. Je commençais à garder mes petits cousins lorsque nous avons déménagé.

– C'est vraiment dommage.

J'allais parler à Jessi du Club des Baby-Sitters et de mon test lorsqu'elle m'a demandé :

Quel est ton livre préféré ?

– *Black Beauty*, ai-je répondu sans avoir besoin de réfléchir.

– Oh, je n'en ai jamais entendu parler. Le mien c'est : *Flamme, cheval sauvage.*

– Je ne connais pas. Et si on se les échangeait ? ai-je suggéré.

– Génial !

J'ai regardé l'heure.

– Mince ! Je dois y aller !

Je lui ai parlé du test en vitesse, tandis que nous dévalions les escaliers.

– Je regrette d'être obligée de partir, mais apporte-moi ton livre demain au collège, et j'apporterai le mien.

– Marché conclu ! s'est exclamée Jessi joyeusement. Je te montrerai mes chaussons de danse la prochaine fois que tu viendras.

En courant vers la maison des Koshi, je me sentais aussi légère qu'un oiseau. Et pleine de confiance. Une épreuve de baby-sitting ? Pas de problème. J'étais prête à affronter n'importe quoi.

5

Je l'ai déjà dit, j'ignorais qui allait me faire passer l'épreuve de baby-sitting. Peut-être Kristy et Claudia, ou seulement Claudia.

Mais, en entrant dans sa chambre, j'ai trouvé toutes les filles assises pratiquement au même endroit que la veille, vêtues à peu près de la même façon, mais elles semblaient très sérieuses.

– Bonjour, Mallory, a lancé Kristy du fond de son fauteuil de présidente. Assieds-toi.

Elle a désigné le bureau de Claudia. J'ai remarqué qu'il avait été dégagé, à l'exception d'un bloc de papier vierge et de quelques crayons bien taillés.

Je commençais à avoir le trac, comme à l'école avant un examen. Qu'allaient-elles me demander ?

Le bureau de Claudia faisait face au mur, mais la chaise

avait été placée face à la pièce. Je me suis assise au bord de la chaise, les genoux serrés. Mary Anne, Carla et Claudia me regardaient gravement. Kristy a pris la parole :

– Bien, nous allons commencer. Le test comporte deux parties, une orale et une dessinée.

– Orale et dessinée ?

– Oui, a confirmé Claudia. Oral signifie « en parlant ».

J'aurais parié n'importe quoi qu'elle ne connaissait pas la signification de ce mot auparavant.

– Je sais ce que cela signifie, ai-je répondu calmement. Je ne dessine pas trop mal, mais...

– Ne te tracasse pas pour ça pour l'instant. (Kristy a balayé la question d'un revers de main.) C'est la seconde partie du test. Voyons d'abord la partie orale.

– D'accord.

Je me suis mordu les lèvres. J'étais sûre d'avoir rougi.

– Tu sais, a commencé Kristy, que pour faire du baby-sitting, il est important de bien comprendre les enfants...

– Pas uniquement les enfants que tu vas garder, l'a coupée Carla, mais les enfants en général.

– C'est juste, a repris Kristy d'un ton brusque. Il est donc important de connaître la psychologie et, euh, le développement de l'enfant. (Elle a fait une pause.) Et il est aussi capital de pouvoir faire face à n'importe quelle situation.

– Surtout en cas d'urgence, est intervenue Mary Anne. De plus, il faut être capable de prévenir problèmes et accidents.

Je savais que les filles pensaient à Nicky et à son doigt cassé.

– D'accord, ai-je murmuré.

– Commençons par les bases, a décrété Kristy. Mary Anne, tu prendras des notes et inscriras les points.

Mary Anne, assise sur le lit, a ouvert l'agenda à une page vierge et a pointé son crayon sur la première ligne.

– Prête ? a-t-elle demandé.

Mon cœur battait la chamade. J'espérais que personne ne pouvait l'entendre. Si les filles l'entendaient, elles comprendraient que j'étais nerveuse. Et si elles savaient que j'étais nerveuse, elles pourraient penser que c'est parce que je ne connaissais rien au baby-sitting et aux enfants. Ce qui n'était pas vrai, bien entendu.

Kristy s'est éclairci la gorge.

– À quel âge, a-t-elle repris, un bébé fait-il sa première dent ?

J'étais soulagée. C'était facile.

– À huit mois, ai-je répondu.

– Faux ! s'est exclamée Kristy. (Elle a regardé Mary Anne.) Note, lui a-t-elle ordonné.

Puis, elle s'est tournée vers moi.

– C'est à sept mois.

– Mais Claire a fait sa première dent à huit mois, ai-je insisté. Je m'en souviens parce que…

– Deuxième question, a poursuivi Kristy d'une voix forte. Quelles dents poussent en général les premières ?

– Celles du milieu, de la mâchoire inférieure ?

Cela avait été le cas pour Claire, mais peut-être était-elle une exception.

– C'est une réponse ou une question ? m'a demandé Claudia.

– Euh… une réponse.

– Eh bien, tu as raison, a annoncé Kristy. Un point. Troisième question, a-t-elle poursuivi : quelle est la différence entre ramper et marcher à quatre pattes ?

J'ai failli répondre : « Quoi ? », parce que pour moi ramper fait référence à des insectes, des « bestioles rampantes », comme dit ma mère, mais j'étais certaine que Kristy ne parlait pas d'insectes. En revanche, je savais ce que c'était que marcher à quatre pattes.

– Euh, un bébé marche à quatre pattes avant de pouvoir marcher. Il utilise ses mains et ses pieds.

– Faux ! a crié à nouveau Kristy. Carla, veux-tu expliquer la différence ?

– Un bébé commence par ramper : il se traîne par terre sur son ventre. Ensuite seulement, il marche à quatre pattes en se propulsant à l'aide de ses bras et de ses jambes.

Elle semblait réciter une leçon par cœur.

Je commençais à me demander où j'étais tombée.

– Passons à autre chose, a repris Kristy.

J'ai poussé un soupir de soulagement. Kristy s'apprêtait à me poser la quatrième question, lorsque le téléphone a sonné.

– Je le prends, s'est écriée Claudia.

Personne d'autre ne s'est jeté sur le combiné. Sans doute parce que ce n'était pas une réunion habituelle, et que c'était probablement un appel privé pour Claudia, et non pour un baby-sitting.

Nous attendions toutes la fin de la conversation. Cela semblait follement passionnant. Après le « Bonjour » et le « Comment allez-vous ? » de rigueur, le visage de Claudia a changé.

– C'est vrai ? Ce n'est pas une plaisanterie ? C'est génial ! C'est génial !

Puis au bout d'un moment :

– Bien sûr, nous sommes disponibles. Nous ferons tout pour l'être.

Elle a dit au revoir sur un ton plein de dignité, mais à peine avait-elle raccroché qu'elle s'est mise à pousser des cris aigus en sautant de joie.

– Devinez qui c'était !

– Qui ? ont crié Kristy, Mary Anne, Carla et moi. (Je n'ai pas pu m'en empêcher.)

– M. Perkins. Il appelait de la maternité. Mme Perkins a accouché ce matin. C'est une petite fille et elle s'appelle Laura Elizabeth.

À cette nouvelle, nous avons toutes poussé des hurlements et fait des bonds. Le test était oublié. C'était comme si nous étions amies, je n'étais plus la petite face à quatre baby-sitters expérimentées. Nous étions à égalité et follement heureuses de cet événement que nous attendions avec impatience.

Les Perkins habitent en face de chez Claudia, dans la maison où vivait Kristy avant de s'installer chez son beau-père. Nous ne connaissons donc les Perkins que depuis quelques mois : c'est une famille formidable. Ils ont deux petites filles, Myriam, six ans, et Gabbie, presque trois ans, et un chien, Shewy. Oh, ils ont aussi un chat nommé C. R. Je ne me suis jamais occupée de Myriam et de Gabbie, mais je les vois souvent, et il arrive que Claire et

Margot jouent avec Myriam. Tout le monde aime les Perkins, et nous avons toujours connu Mme Perkins enceinte. Et maintenant, elle avait une troisième petite fille !

– Tu te rends compte. Trois filles, a dit Claudia.

– J'ai aidé Mme Perkins à décorer la chambre, a ajouté Mary Anne.

– Je me demande combien pèse le bébé, a repris Claudia.

– J'adore ce prénom, Laura Elizabeth, a remarqué Kristy.

– Alors, a poursuivi Claudia, M. Perkins aura probablement besoin de baby-sitters pour garder Myriam et Gabbie pendant les semaines qui viennent. Pour l'instant, Mme Perkins est à la maternité et, lorsqu'elle rentrera chez elle, elle sera encore fatiguée. Mallory et moi, nous sommes déjà réservées pour jeudi après-midi, mais M. Perkins nous appellera demain pendant notre réunion pour fixer d'autres rendez-vous.

– Formidable, a commenté Kristy, puis elle a soupiré. Encore un bébé. J'adore les nouveau-nés. Vous vous rappelez la naissance de Lucy Jane Newton ?

– Oh ! oui, ont répondu Claudia et Mary Anne, tout attendries. (Carla n'a rien dit. Elle ne connaissait pas les Newton à l'époque. Mais à présent les filles du club s'occupaient très souvent de Lucy Jane et de son grand frère Simon.)

– Allons, s'est exclamée Kristy, en frappant des mains. Revenons à nos moutons.

Catastrophe !

– Passons à la partie médicale de l'épreuve. Mallory, explique-nous quand et comment on utilise un garrot.

– Un garrot ?

– Oui.

J'ai regardé mes mains.

– Eh bien, nous n'avons jamais eu à en faire à la maison…

– Pas d'excuse, a grommelé Kristy. Tu en auras peut-être besoin un jour.

– Mais j'allais dire, ai-je poursuivi la voix tremblante, que nous en avions parlé en classe l'an dernier. C'est un bandage spécial.

– C'est tout ce que tu as à répondre ? s'est étonnée Carla.

J'ai hoché la tête.

– Je vais lui donner une partie des points, a déclaré Mary Anne.

J'allais demander quelle était la réponse complète, lorsque Kristy a repris :

– Et quand peut-on enlever un garrot ?

– Lorsque, euh, l'hémorragie a cessé ?

– Faux ! On ne doit jamais ôter un garrot seule. Il faut toujours faire appel à un médecin.

– Ce n'est pas juste ! ai-je protesté, surprenant tout le monde, y compris moi-même. C'était un piège.

– Eh bien, a remarqué Kristy avec humeur, j'espère que tu ne me poseras jamais un garrot.

– Moi aussi, ai-je murmuré.

– Si nous passions à la partie dessinée, a proposé Claudia, mal à l'aise.

– D'accord. Tourne-toi et assieds-toi au bureau, Mallory, m'a ordonné Kristy. Et dessine-nous le système digestif.

– Mais… pourquoi ?

– Parce qu'il est important de le connaître. Il se pourrait que tu gardes un jour un enfant souffrant de coliques.

– Si c'est le cas, je lui donnerai du lait de soja, ai-je expliqué.

J'étais au bord des larmes.

– Contente-toi de dessiner.

Carla a examiné mon dessin.

– La moitié des points, a-t-elle dit lorsque j'ai reposé mon crayon. Tu as oublié le foie, la vésicule biliaire, le pancréas…

– Et une centaine d'autres choses. Pas de points du tout, a estimé Kristy. L'épreuve est terminée.

– Mais, les filles, vous ne m'avez pas donné l'occasion de vous dire ce que je connais, me suis-je défendue.

– Viens à notre réunion vendredi et nous discuterons de tes résultats, m'a proposé Kristy avec fermeté. De tout, en fait, puisque toi et Claudia allez garder les petites Perkins, jeudi. Nous verrons comment tu te débrouilles sur le terrain.

Elle a baissé sa visière sur ses yeux.

J'ai compris qu'il était temps que je parte. J'étais terriblement déçue. Les filles n'avaient pas du tout été loyales avec moi.

Je savais que je les avais également déçues.

6

Aujourd'hui, Mallory et moi, nous sommes allées chez les Perkins. Quelle expérience ! Tout d'abord, Myriam et Gabbie étaient tout excitées à cause du nouveau bébé. Moi aussi. Quelle chance, une famille avec trois petites filles ! Et j'adore le prénom Laura Elizabeth. C'est tellement joli ! Myriam, Gabbie et Laura Elizabeth... comme j'aimerais avoir une petite sœur !

Mallory a trois jeunes sœurs. Je suppose que c'est pour cela qu'elle ne semblait pas très enthousiaste. De toute façon, cette garde avec Mallory ne s'est pas bien passée du tout. On aurait dit qu'elle n'avait jamais vu un enfant de sa vie...

Je n'ai lu le texte que Claudia avait écrit dans le journal de bord que très longtemps après. J'étais folle de rage.

Mais c'est à moi que j'en voulais car Claudia avait raison. J'avais été une baby-sitter atroce, cet après-midi-là. Mais je ne pense pas que c'était uniquement de ma faute. Elle avait tout fait pour me rendre nerveuse.

Je l'ai retrouvée devant chez elle à trois heures vingt-cinq précises et nous avons traversé la rue pour aller chez les Perkins. M. Perkins, Myriam, Gabbie et Shewy nous ont accueillies. Tout le monde semblait surexcité, même Shewy (mais ce chien est toujours très remuant, alors je ne sais donc pas si ça compte). Avec un large sourire, M. Perkins nous a donné à chacune un ballon rose.

– En l'honneur de Laura Elizabeth.

– Nous avons un bébé ! Nous avons une petite sœur ! a crié Myriam, en dansant dans l'entrée.

– Elle s'appelle Laura Elizabeth, a précisé Gabbie.

– Je sais. Je trouve cela ravissant.

– Et je suis si contente que ce soit une fille, a-t-elle poursuivi. Elle pourra porter mes vêtements trop petits.

Je lui ai souri et elle m'a rendu mon sourire.

– Nous sommes allés voir le bébé hier soir, avec papa, m'a annoncé Myriam en continuant à sauter de joie. Nous avons vu maman et Laura Beth à la maternité. C'était très amusant.

– Je dois vous laisser, a dit M. Perkins en se dépêchant. Je suis juste rentré pour prendre Myriam à l'école et ramener Gabbie. Elle a passé la journée chez des amis. À présent, je retourne à la maternité. Les numéros d'urgence se trouvent dans la cuisine près du téléphone. Mais je pense que tu connais la maison, Claudia. Je vais mettre Shewy dans le jardin en partant. Il y restera.

M. Perkins a embrassé Myriam et Gabbie.

– Je vous retrouverai pour le repas, les filles. Nous mangerons tôt, ensuite vous pourrez aller voir votre maman et votre petite sœur. Peut-être irons-nous acheter des beignets avant de rentrer.

– Des beignets ! Ouais ! s'est exclamée Gabbie, tandis que son père filait vers la porte. J'adore les beignets ! Et surtout les petits, ronds avec des trous. Je veux un beignet au chocolat. Et toi ?

– Je ne sais pas encore, a répondu Myriam. J'ai envie de voir encore Laura Beth. Et maman. Eh, Claudia, tu trouves que c'est bien comme surnom, Laura Beth, pour le bébé ?

– C'est génial, a-t-elle confirmé.

Il était temps que je montre à Claudia ce dont j'étais capable.

– Vous avez faim, les filles ? ai-je demandé.

– Je meurs de faim, a répondu Myriam.

– Nous allons préparer un petit goûter. Qu'est-ce que vous voulez ?

– Des biscuits, a suggéré Gabbie.

– Une glace à l'eau, a réclamé Myriam.

– Mallory, en général, il vaut mieux ne pas demander aux enfants ce qu'ils préfèrent, a affirmé Claudia d'un ton supérieur. Contente-toi de leur donner quelque chose, quelque chose de sain. De cette façon, il n'y aura pas de discussion, et les parents seront contents. Les filles vont manger des beignets, ce soir. Cela fera assez de sucreries pour la journée.

– Oui, c'est vrai, ai-je admis en rougissant.

Mais j'étais quand même un peu étonnée. C'était mademoiselle « Folle de trucs sucrés » qui parlait d'alimentation saine. Et elle me réprimandait pratiquement devant Myriam et Gabbie.

Cependant, j'ai décidé de continuer sans rien dire.

– Des pommes pour tout le monde ! ai-je annoncé, en essayant de sourire, et j'ai emmené les enfants dans la cuisine.

– Mais, il n'y en a pas, m'a avertie Myriam.

J'ai jeté un regard vers la corbeille de fruits et dans le réfrigérateur. Elle avait raison. Il n'y avait pas de pommes.

Claudia a hoché la tête.

– Eh ! les enfants, devinez ce qu'il y a ? Des bananes et des raisins secs. Vous savez ce qu'on peut faire avec des bananes et des raisins ?

– Quoi ? ont demandé Myriam et Gabbie.

– On peut faire un bonhomme-banane.

Claudia a ôté la peau d'une banane et lui a fait des yeux, un nez, une bouche avec des raisins secs.

– Ouais ! a crié Myriam. Génial, je peux le manger ?

– Je le veux ! s'est exclamée Gabbie.

– Vous en aurez chacune un, les a rassurées Claudia. Je vais en faire un autre.

Je me sentais complètement en dehors du coup. J'aurais pu aussi bien ne pas être là.

La suite de l'après-midi ne s'est guère mieux passée. Quand j'ai voulu verser un verre de lait à Gabbie, je l'ai renversé sur le plan de travail. Puis le verre m'a glissé des mains et s'est cassé. Claudia a emmené les filles hors de la cuisine pendant que je ramassais les éclats. J'avais à peine terminé que j'ai entendu Shewy gratter à la porte de derrière, alors je l'ai fait entrer. Après tout, il était à l'intérieur lorsque nous étions arrivées.

Shewy s'est rué dans la maison, la queue battante, et a fini sa course dans la salle de séjour où, d'un coup de queue, il a balayé trois cadres qui se trouvaient sur une table. Par chance, il n'y a pas eu de dégâts.

– Mallory ! s'est exclamée Claudia. Au nom du ciel…

– Mince ! Shewy est un sauvage ! a crié Myriam.

– Il grattait à la porte, je l'ai fait entrer, ai-je avoué timidement.

J'ai essayé d'empoigner le chien mais j'ai raté son collier de quelques centimètres.

– M. Perkins nous avait recommandé de le laisser à l'extérieur, m'a rappelé Claudia.

– Ah bon.

Shewy s'est assis, a étendu ses pattes de devant, et m'a gratifiée d'un jappement joyeux.

– Viens ici, mon garçon.

Le chien a bondi hors de portée.

– Je vais l'attraper, m'a proposé Myriam.

– Et je vais t'aider, a ajouté Claudia.

Elles se sont lancées à la poursuite de Shewy qui s'est précipité vers la salle à manger.

Gabbie et moi, nous nous sommes regardées, indécises.

– Tu es contente de voir ta maman, ce soir ? Et ta nouvelle petite sœur ? lui ai-je demandé.

Les yeux de Gabbie se sont emplis de larmes et son petit menton s'est mis à trembler.

– Je veux maman !

Je me suis assise sur le canapé en la prenant sur mes genoux.

– Qu'est-ce qu'il y a ? s'est inquiétée Claudia.

Elle arrivait dans la salle de séjour, tenant par son collier un Shewy qui se débattait et se tortillait.

– Je lui ai demandé : « Tu es contente de voir ta maman et ta petite sœur ? » ai-je expliqué. Et elle s'est mise à pleurer. Sa maman lui manque.

Claudia a fermé les yeux un instant, comme si elle était à ce point désespérée qu'il lui fallait attendre un moment avant de pouvoir se reprendre.

– Très bien. Je vais mettre Shewy dans le jardin et je reviens pour arranger les choses.

Elle allait arranger les choses ? Pas question. Je pouvais très bien le faire moi-même. Tout d'abord, j'ai chatouillé Gabbie et je lui ai fait des grimaces jusqu'à ce qu'elle se mette à rire. Puis j'ai appelé Myriam et lui ai expliqué que nous allions jouer à aller nous coucher pour rire. Claire et Margot font parfois cela.

J'ai aidé les petites à enfiler leur pyjama, puis nous avons essayé de nouvelles coiffures, ensuite nous avons chanté quelques chansons.

Claudia semblait un peu plus contente.

Mais, avant la fin de l'après-midi, j'ai trébuché en promenant Myriam sur mon dos et nous nous sommes écroulées par terre, puis j'ai crevé un ballon, ce qui a effrayé Shewy et le chat.

Il était temps que je rentre chez moi.

7

– Du calme, s’il vous plaît, a ordonné Kristy d’un air sévère en ajustant sa visière.
Mary Anne, Carla et Claudia étaient assises côte à côte sur le lit de Claudia. J’étais devant le bureau, à l’écart.

Nous étions vendredi. Il était cinq heures et demie et une nouvelle réunion du club commençait.

– Avez-vous toutes lu le journal de bord ? a demandé Kristy.

– Oui, se sont écriées en chœur Mary Anne, Carla et Claudia.

– Comment va la trésorerie ?

Carla a feuilleté le registre.

– Très bien. La semaine a été bonne. Si nous ne faisons pas trop de dépenses pendant un moment, ça ira.

– D'accord, a repris Kristy. Dans ce cas, le point suivant – et le plus important à l'ordre du jour – est l'épreuve de Mallory. Et Mallory elle-même.

Elle m'a jeté un regard. J'ai tenté de sourire, mais je n'avais pas l'air rassurée.

– Mallory, a-t-elle annoncé, tu as raté le test.

Elle a dit cela sèchement, mais elle n'avait pas l'air en colère. Elle avait l'air déçue et un peu ennuyée pour moi.

– C'était dur, ai-je murmuré.

– Nous le savons. Et c'est normal, le baby-sitting est une affaire sérieuse.

– Mais le test n'était pas loyal.

– Loyal ? a crié Kristy. Attends une minute ! Il ne s'agit pas de loyauté. Il s'agit d'enfants. Que se passerait-il si, au cours d'un de tes baby-sittings, un enfant faisait une chute de vélo et se mettait à saigner vraiment, vraiment beaucoup ?

– Je ferais le numéro d'urgence. J'appellerais une ambulance ou la police.

– Et ensuite ? Que ferais-tu en attendant de l'aide ?

– Je... je ne suis pas sûre. Cela dépendrait de la façon dont les choses se passent.

– Et en plus, a ajouté Claudia, ton dessin du système divestif était atroce.

– Système digestif, ai-je corrigé.

Elle a rougi. J'étais contente de lui avoir fait la remarque.

– Et, a poursuivi Kristy, que se passerait-il si tu gardais un enfant de sept mois qui n'arrête pas de pleurer ? Tu essaierais toutes les solutions possibles, y compris lui donner du lait de soja, alors qu'en réalité l'enfant fait tout simplement ses dents ? Mais tu ne l'admettrais pas parce que tu es persuadée que les enfants ne font pas leur première dent avant huit mois ?

– Mais je ne donnerais du lait de soja que si la maman m'avait dit de le faire !

Heureusement, le téléphone a sonné. Les filles nous ont oubliés, moi et mon test.

Mary Anne a répondu et a pris un rendez-vous pour Carla.

L'interlocuteur devait être un nouveau client car Mary Anne lui a expliqué certaines choses comme :

– Oui, c'est exact, nous nous réunissons trois fois par semaine, les lundi, mercredi et vendredi de dix-sept heures trente à dix-huit heures… Non, nos tarifs sont un peu plus élevés que ça… Nous sommes disponibles les week-ends, les soirées et les après-midi.

Mais à peine Mary Anne avait-elle raccroché que Kristy s'est tournée vers Claudia et a demandé :

– Sur un total de dix points, comment évaluerais-tu le comportement de Mallory hier chez les Perkins ?

– Sur un total de dix points ? a répété Claudia.

– Oui. Un voulant dire très mauvais, cinq étant la moyenne et dix étant si extraordinairement bon que l'on ne pourrait presque pas y croire.

– Mmm… trois sur dix, a-t-elle répondu.

– Trois ! me suis-je exclamée.

– Eh bien ! regarde les choses en face, Mallory, tu as renversé du lait, tu as cassé un verre et tu as provoqué une catastrophe en faisant rentrer le chien.

– Mais, c'étaient des accidents, ai-je protesté. Pour la plupart.

– Puis, il y a eu l'histoire du goûter.

– Que s'est-il passé ? a demandé Carla.

Claudia a raconté l'histoire des pommes et de son stupide bonhomme-banane.

– Tu m'as rendue nerveuse ! ai-je répliqué. Tu me regardais comme une bête curieuse et tu critiquais tout ce que je faisais !

Le téléphone a sonné à nouveau. Carla a répondu. C'était M. Perkins. La communication a duré plusieurs minutes pour fixer des rendez-vous.

– Comment va le bébé ? a demandé Kristy de son fauteuil de présidente.

– Comment va le bébé ? a répété Carla à M. Perkins. Oh ! tant mieux… Merci ! Je vais le dire à Claudia. Elle sera heureuse de le savoir. Oui, elle s'est bien amusée aussi, hier.

« Et moi ? » ai-je pensé. Carla parlait comme si Claudia avait gardé les petites filles toute seule. J'étais avec elle. Je ne comptais pas alors ? J'imagine que non, puisque j'étais responsable de tous ces accidents.

Aussitôt que Carla a eu raccroché, les filles, tout excitées, se sont mises à parler des bébés.

– Vous vous souvenez quand Lucy Jane Newton est née ? a fait Claudia. Vous vous souvenez des coliques qu'elle avait ?

– Oui, c'était terrible, a acquiescé Mary Anne.

– Elle pleurait tout le temps, a ajouté Kristy.

– Claire aussi a eu des coliques, suis-je intervenue.

– Ouais. Tu l'as déjà dit, a remarqué Claudia. Je ne pense pas que les Newton aient donné de la sauce de soja à Lucy Jane, comme tu l'aurais fait.

– J'espère que non ! me suis-je exclamée. De la sauce de soja !

– Et alors ? a dit Claudia.

« Enfin, il y a une chose que je connais bien, et que les filles semblent ignorer. »

– La sauce de soja, ai-je expliqué, est un mélange très salé. Moi, je vous parle du lait de soja, qui est fait avec des graines de soja et qu'on donne aux bébés qui ne supportent pas le lait normal. Tu devrais le savoir.

Les filles me regardaient. J'avais envie de dire : « Nana-nère. Je sais quelque chose que vous ne savez pas. »

– Oh, a fait Claudia d'une petite voix.

Il y a eu un grand silence.

Puis Kristy a demandé :

– Quand Mme Perkins rentre-t-elle à la maison avec le bébé ?

Carla s'est éclairci la gorge.

– Demain, a-t-elle répondu.

– Super ! s'est écriée Mary Anne.

– Et si on fêtait ça, a décidé Claudia. Voyons. Où sont mes…

– Est-ce que tu en as encore des crocodiles dans ton livre creux ? a suggéré Kristy, pleine d'espoir.

– Bien sûr.

Claudia a pris un gros livre sur son étagère. Elle l'a ouvert. À ma surprise, il n'avait pas de pages, mais un espace creux, plein de crocodiles de toutes les couleurs.

Claudia en a donné un à chacune. Les filles ont levé leur bonbon en l'air. Je les ai imitées.

– À Laura Elizabeth Perkins ! s'est exclamée Kristy.

Et elle a mordu dans son crocodile.

Nous avons toutes mangé notre bestiole, à l'exception de Carla, qui se contentait de jouer avec la sienne.

– Non seulement, ces trucs sont pleins de sucre, mais ils sont répugnants. Je ne comprends pas comment vous pouvez avaler ça.

Nous avons ri.

– Un jour, quand Nicky était très petit, il a mangé de la boue, ai-je raconté.

– Quelle idée ! s'est horrifiée Mary Anne.

– Un jour, mon frère a avalé de la nourriture pour chiens. Il pensait qu'il s'agissait d'un reste de hamburger, a expliqué Kristy.

– Beurk ! a fait Mary Anne d'un air dégoûté.

Le téléphone a sonné et les filles ont fixé encore deux gardes. Il était bientôt six heures. La réunion était presque finie.

Mais Carla a recommencé avec les histoires drôles :

– Un jour, le chien des Barrett a avalé une chaussette.

Nous avons éclaté de rire.

– Tu te souviens quand nous étions à Sea City ? m'a demandé Mary Anne. J'avais un coup de soleil et Claire m'a apporté de la margarine pour l'étaler sur ma peau…

Nous avons ri de plus belle. Voilà comment j'imaginais les filles du Club des Baby-Sitters, gentilles, drôles, aimant partager de bons moments (mais retrouvant leur sérieux pendant le travail, évidemment).

Elles étaient si détendues que je me suis risquée à dire :

– Il est temps de rentrer à la maison. Euh… Avez-vous décidé si je peux faire partie du club ?

Kristy a soupiré. Elle a quitté son fauteuil de présidente et s'est dirigée vers le lit, où elle a tenu un conciliabule avec les autres.

Puis, elle s'est tournée vers moi.

– Tu seras membre de notre club si tu réussis un autre test.

– Un autre test ?

Je n'en croyais pas mes oreilles. Comment osaient-elles ? Ce test injuste ne suffisait pas ?

– Tu as raté le premier, m'a rappelé Kristy doucement.

– Ce… n'était… pas… juste !

– Mais si.

– Mais non !

Kristy était folle ou quoi ?

– Alors, tu ne peux pas faire partie du club.

– Ça m'est égal, ai-je crié, me levant avec colère. Je ne viendrai pas dans votre stupide club. Je démissionne !

– Mais, tu n'en fais pas encore partie ! a hurlé Kristy tandis que je me ruais hors de la pièce.

– Eh bien, tant mieux ! C'est la meilleure chose qui me soit arrivée de toute l'année ! ai-je hurlé à mon tour.

Puis j'ai couru à la maison.

8

Il y a beaucoup de choses que je réussis très bien. Par exemple, avoir le cafard. J'ai broyé du noir tout le week-end et, le lundi matin, je suis partie au collège avec mon cafard.

À midi, j'ai avalé mon déjeuner en vitesse, puis je me suis éclipsée en cour de récréation. Tout au fond, dans un coin, se dresse un érable au tronc large et lisse. C'est vers lui que je me suis dirigée. Je marchais lentement, en traînant les pieds. En arrivant près de l'arbre, je me suis laissée tomber par terre et je me suis adossée au tronc. L'érable est si imposant qu'on ne peut pas en faire le tour avec ses bras. Je me demandais quel âge il avait. Je me demandais depuis combien de temps il protégeait la cour de récréation. Je me demandais combien d'enfants s'étaient assis près de lui, avaient pleuré contre lui ou même lui avaient confié leur peine. Tandis que je pensais à tout ça, j'ai cherché sur le sol une pierre ronde et douce pour jouer avec, tout en ruminant mes sombres pensées. Je fouillais parmi les cailloux lorsque ma main a rencontré… une autre main ! Une main brune se trouvait près de la mienne. Elle a sursauté lorsque je l'ai frôlée.

– Ah ! ai-je hurlé.

– Ah ! a hurlé la personne à qui appartenait la main.

Je me suis relevée d'un bond et j'ai entendu quelqu'un faire de même de l'autre côté de l'arbre. Au bout d'un moment, j'ai risqué un œil derrière le tronc. Et je me suis retrouvée face à face avec Jessica Ramsey.

– Oh, ce n'est que toi ! nous sommes-nous exclamées en chœur.

Nous avons joint nos deux petits doigts en disant que cela portait chance. Puis, avec un soupir, nous nous sommes laissées glisser à terre. Mais, cette fois, nous étions assises l'une près de l'autre.

– J'ai lu *Flamme*. C'était génial. Vraiment passionnant.

– Et moi, *Black Beauty*, a-t-elle répondu. C'était très bien aussi.

– Et si nous échangions d'autres livres ? J'ai aussi *Mon amie Flicka* et tous les *Étalon noir*, sauf le dernier.

– Je l'ai, je te le prêterai.

J'ai baissé les yeux, toujours en quête de mon caillou. Jessi avait, elle aussi, le regard rivé au sol.

– Tout va bien ?

Elle a haussé les épaules.

– Et toi ?

Haussement d'épaules.

– Tu viens souvent te réfugier sous cet arbre ? a voulu savoir Jessi.

– Seulement quand j'ai le cafard.

Elle a hoché la tête.

– Ça me semble être un bon endroit.

– Oui.

– Je suis tellement déprimée que je ne peux même pas penser à la moindre blague. Et toi ?

J'ai hésité à raconter mes problèmes à Jessi. Elle semblait en avoir assez comme cela. Finalement, j'ai décidé de lui parler, car cela n'avait rien à voir avec ses propres soucis ; je lui demandais seulement de m'écouter. Et j'étais prête à l'écouter aussi si elle le souhaitait.

– Tu te souviens de ce test de baby-sitting dont je t'ai parlé ?

Jessi a hoché la tête.

– Je l'ai raté.

– Quel dommage ! Je suis vraiment désolée.

– Moi aussi. Mais ce n'était pas juste. Voilà le genre de questions qu'elles m'ont posées : « Quand un bébé fait-il sa première dent ? Quelle est la différence entre ramper et marcher à quatre pattes ? »

– Hein ? a fait Jessi.

– Mais oui. Puis elles m'ont demandé d'expliquer quand et comment utiliser un garrot. Puis elles m'ont obligée à dessiner l'appareil digestif de l'homme.

– Tu plaisantes !

– Mais non ! Tout ce dont je me suis souvenue c'est de l'œsophage, de l'estomac et des intestins.

– Oh ! Et qu'est-ce qu'il y a d'autre ?

– Oh, le foie, le pancréas et un tas d'autres organes. Mais ce n'est pas le problème. Tu sais ce qui a été le pire ?

– Non ?

– Ça n'a pas marché avec ces filles. Je croyais que nous pourrions être amies. Après tout, je les connais plutôt bien. Mais je ne m'étais pas habillée comme il fallait pour la première réunion, et j'étais vraiment nerveuse quand j'ai fait cet essai de baby-sitting avec l'une d'elles... Oh, quel gâchis. Bref, je ne fais pas partie de leur club.

– Mouais, a fait Jessi avec amertume. Mais le seul endroit où tu n'as pas ta place est ce club. Moi, je ne me sens chez moi ni à l'école ni même dans cette ville. Et pareil pour toute ma famille.

– Parce que tu es, euh...

– Tu peux le dire, parce que nous sommes noirs.

– Les gens t'ont fait quelque chose ? me suis-je inquiétée.

– Non, a-t-elle dit. Enfin, pas grand-chose. Benny Ott m'a envoyé des élastiques en classe. Et j'ai surpris Rachel Robinson qui parlait de moi avec ses amies. Mais ce qui me fait le plus de peine, c'est ce qu'ils n'ont pas fait. Les voisins ne sont même pas venus nous saluer, ils n'ont même pas fait attention à nous. Heureusement pour mon père, ses nouveaux collègues se sont montrés sympas. Bon, mais tu sais que tu es la seule fille qui m'a parlé à l'école ? Je veux dire, à moi, et pas de moi derrière mon dos ?

– C'est vrai ?

Jessi a hoché la tête.

– Personne ne parle à Becca non plus.

– Oh !

– Je crois même que je ne vais pas prendre de cours de danse. Je ne crois pas que cela en vaille la peine. Tu imagines, si l'on organise une audition et que je tente ma chance, on ne me donnera jamais le premier rôle, même si je danse aussi bien que la Pavlova.

– Qui c'est, la Pavlova ?

– Une danseuse célèbre. Et tu sais ce qui arriverait si j'obtenais le premier rôle ?

– Quoi ?

– Tout le monde serait choqué qu'une Noire gagne à la place d'une Blanche.

– Comment c'était là où tu vivais avant ? ai-je voulu savoir.

– Dans le New Jersey ? Totalement différent. Il y avait pas mal de familles noires à Oakley. Tous nos voisins étaient noirs. Tous les gens de notre rue, en tout cas.

– Là où vivaient ta famille et tes amis ?

– Oui. Ma grand-mère et mon grand-père habitaient à côté de chez nous. Keisha, Kara et Billy juste en face. Mes cousines Sandy et Molly au bas de la rue, et Raun et Isaac à l'autre bout. Plus des tas d'autres.

– Et ton école de danse ?

– La moitié des enfants étaient noirs, les autres blancs. L'année dernière, tu sais ce qui s'est passé ?

– Quoi ?

– Nous avons monté *Casse-Noisette* et les rôles importants étaient tenus par des élèves noirs. Moi, je jouais Clara.

– Super !

– Ouais, mon costume était magnifique. Nous avons pris des photos.

– Tu me les montreras ? ai-je demandé.

– Bien sûr.

– Jessi, tu devais être vraiment bien dans le rôle de Clara.

– Tu sais, ce n'est pas le plus dur mais c'est le plus important, parce que l'histoire raconte le rêve de Clara. Mais je me débrouille bien. Maman et papa disent que je suis folle de ne pas vouloir m'inscrire au cours de danse ici. Ils disent que je n'ai pas de raison valable. Si je voulais arrêter la danse parce que j'ai trop de devoirs ou pour essayer autre chose, ce serait différent. Mais mes parents disent que les Noirs et les Blancs vivent tous sur cette terre et qu'ils feraient mieux de s'entendre. Et que si je ne suis pas le cours de danse parce que je ne veux pas rivaliser avec des Blancs, c'est que je suis une poule mouillée.

J'ai réfléchi un instant.

– Pourtant, ce n'est pas juste. C'est terrible de ne pas avoir sa place. Le plus curieux, c'est que je n'avais jamais eu cette impression avant de vouloir entrer au Club des Baby-Sitters.

– Et je n'avais jamais eu cette sensation avant de venir vivre à Stonebrook, a renchéri Jessi.

– Peut-être que le problème ne vient pas de nous, ai-je remarqué. Peut-être qu'il vient des autres.

– Ouais !

J'ai soupiré.

– Mais ça ne change rien. Je ne fais pas encore partie

du club. Et j'aimerais faire du baby-sitting. J'adore les enfants. J'ai sept petits frères et sœurs.

– Sept ! Pas mal !

– Et je m'occupe très bien d'eux. Je le sais.

– Moi aussi, j'adore les enfants, a repris Jessi. Maman dit que je suis comme une seconde mère pour P'tit Bout. Et à Oakley, ma tante Yvonne me confiait parfois Kara. Elle a deux ans. Et j'ai déjà été payée pour garder Chelsea, une petite fille de trois ans.

– L'été dernier, les filles du club ont organisé une halte-garderie et elles m'ont demandé de les aider. Elles n'ont pas trouvé que j'étais trop bébé, et je n'ai pas fait la moindre erreur.

J'avais renoncé à trouver mon caillou. Je n'en avais plus besoin maintenant que je bavardais avec Jessi.

– Je parie que nous sommes toutes deux de très bonnes baby-sitters, a conclu Jessi.

– Ouais, ai-je approuvé, d'un ton presque hargneux.

Puis j'ai croisé le regard de Jessi. Je crois que nous avons eu la même idée au même instant.

– Eh ! Allons-y ! Créons notre propre club de baby-sitting.

– Rien que nous deux, s'est exclamée Jessi en souriant. Les meilleures baby-sitters de onze ans du monde !

– Non, les meilleures baby-sitters de n'importe quel âge.

– Tu as raison.

– Je sais que nous en sommes capables, ai-je insisté.

– J'en suis sûre.

– Nous n'avons pas besoin du Club des Baby-Sitters.

– Surtout si elles n'ont pas besoin de nous.

– Oui.

Lorsque la sonnerie a retenti, Jessi et moi, nous nous sommes levées d'un bond et nous avons couru vers le bâtiment du collège. J'étais impatiente de commencer. Cela m'excitait beaucoup. Jessi aussi. Peut-être n'avions-nous pas notre place auprès de certaines personnes, mais l'une avec l'autre, nous nous sentions très bien.

9

Cet après-midi-là, Jessi est rentrée avec moi du collège. Claire nous a accueillies. Elle attendait dans le jardin et s'est jetée sur nous dès qu'elle nous a vues.

Claire va au jardin d'enfants le matin seulement, et elle rentre donc à la maison bien avant mes frères, mes sœurs et moi. Elle est toujours contente de nous voir revenir.

– Ouh, ouh, Mallory ! s'est-elle écriée.

Puis elle s'est arrêtée net et a toisé Jessi de la tête aux pieds.

– Qui tu es ? a-t-elle demandé.

« S'il te plaît, Claire, s'il te plaît, ai-je supplié silencieusement. Ne dis rien d'embarrassant. »

Avant que Jessi ait eu le temps de répondre, Claire a poursuivi :

– Eh, tu viens nett....

J'avais compris ce qu'elle allait dire : « Tu viens nettoyer la maison ? » Claire n'avait pas vu souvent de personnes noires dans sa vie. Récemment, ma mère avait fait appel à un service de nettoyage à domicile de Stamford en vue d'une réception, et c'était deux femmes noires qui étaient venues.

Avant que Claire ait fini sa phrase, j'ai annoncé :

– Voici Jessica Ramsey. C'est ma nouvelle copine de classe. Jessica, voici Claire, ma plus jeune sœur.

– Salut, a enchaîné Jessi. (Elle s'est agenouillée à la hauteur de Claire.) On dirait que tu as perdu une dent.

C'était exactement ce qu'il fallait dire.

Claire lui a fait un sourire.

– Oui ! Il y a deux jours. Et je l'ai mise sous mon oreiller ; la petite souris est venue la chercher et m'a laissé une pièce de vingt-cinq cents !

– Waouh ! s'est exclamée Jessi. Tu en as de la chance !

– J'ai mis la dent dans une boîte en forme de dent. C'est le dentiste qui me l'a donnée.

Claire et Jessi discutaient encore lorsque Nicky, Margot et Vanessa sont rentrés de l'école. Je savais que les triplés ne devaient pas être loin, sauf s'ils avaient décidé de faire une dernière partie de foot à l'école.

Je m'apprêtais à faire face à d'autres questions embarrassantes, mais les petits ne semblaient pas autrement surpris par Jessi. Et elle était formidable avec eux. Elle savait poser les bonnes questions à chacun.

– Qu'est-ce qui est arrivé à ta main ? a-t-elle demandé à Nicky.

Il lui a raconté la longue histoire de son doigt cassé. Il l'avait déjà pas mal racontée, et elle devenait de plus en plus longue.

– Le médecin a dit que c'était la plus mauvaise fracture qu'il ait jamais vue.

– Oh ! Nicky, ce n'est pas vrai, a fait Vanessa.

– Mais si. Il a dit que mon doigt était cassé en dix-sept endroits.

– Deux, ai-je rectifié à l'intention de Jessi.

– Et le plâtre pèse six kg.

– Un, ai-je murmuré. Même pas.

Jessi a souri.

– Rentrons, les enfants, ai-je proposé. J'ai faim.

Nous nous sommes rués dans la cuisine. Aussitôt, mes frères et sœurs ont ouvert tous les tiroirs et farfouillé dans le réfrigérateur. Ils ont sorti du pain, du saucisson et de la moutarde, des pommes, des bananes et des oranges.

– Maman, voici Jessi. Elle habite dans l'ancienne maison de Lucy MacDouglas.

Ma mère lui a tendu la main.

– Bienvenue dans le quartier.

– Merci.

– Servez-vous de ce que vous voulez, a poursuivi maman.

J'ai jeté un œil dans la cuisine. Nicky étalait de la moutarde sur ses tranches de saucisson, les enroulait et y mordait à belles dents, faisant déborder la moutarde à l'autre extrémité. Margot déballait des biscuits chocolatés, en raclait le chocolat dont elle faisait un tas pour le manger ensuite, après avoir croqué le biscuit. Claire était couverte de banane écrasée, et Vanessa adressait à chacun de larges sourires, avec une pelure d'orange collée sur la bouche.

– Nous allons goûter en haut, maman, ai-je annoncé.

Elle a hoché la tête, compréhensive.

Jessi et moi, nous avons pris une pomme et un biscuit et nous sommes allées nous réfugier dans ma chambre.

– Oh ! s'est exclamée Jessi, à peine assise, je ferais bien de téléphoner à ma mère pour la prévenir où je suis.

Elle l'a appelée avec le téléphone du couloir puis est revenue dans ma chambre.

– Qu'est-ce que tu as comme livres ! s'est-elle écriée en regardant autour d'elle.

– Ils sont à Vanessa et à moi. Nous partageons la chambre. Cette étagère est la mienne, et l'autre est la sienne.

Jessi se tenait face à ma bibliothèque.

– Des histoires de chevaux. Des romans policiers. Il y a plein de bouquins que j'aimerais emprunter. Nous pourrions faire des échanges à n'en plus finir. Ce serait comme si nous avions notre propre bibliothèque.

– Super ! Cette idée me plaît.

Jessi s'est assise près de moi sur mon lit.

– Bon, comment on va faire pour ce club de babysitting ?

– Attends, laisse-moi t'expliquer le fonctionnement de l'autre club. On pourrait s'en inspirer. Les filles se réunissent trois fois par semaine de cinq heures et demie à six heures. Les gens le savent et ils téléphonent pendant les réunions. Ce qui est bien, c'est que lorsque ces personnes appellent – les filles les nomment clients –, ils sont pratiquement sûrs d'avoir une baby-sitter, puisqu'elles sont là toutes les quatre et qu'il y en a forcément une de libre.

– Je vois, a acquiescé Jessi.

– Les filles notent plein de renseignements : par exemple, le nombre d'enfants qu'elles devront garder, leur âge, combien de temps leurs parents comptent s'absenter, des trucs comme ça. Puis Mary Anne Cook, la secrétaire, prend l'agenda, vérifie qui est libre, et lorsqu'elles ont décidé qui ferait le baby-sitting, elles rappellent le client pour l'en informer. Elles ont des millions de baby-sittings de cette manière. Elles sont toujours occupées. Les parents des environs les apprécient beaucoup, ai-je ajouté à regret.

Qu'importe si cela me faisait souffrir, j'avais toujours envie de faire partie du Club des Baby-Sitters !

– Mmm, je ne vois pas pourquoi nous ne pourrions pas en faire autant, a estimé Jessi. Il y a beaucoup d'enfants dans les environs. Le Club des Baby-Sitters ne peut pas s'occuper de tous.

– Tu as raison. C'est pour ça qu'elles voulaient que je vienne. Elles ont vraiment besoin de quelqu'un pour remplacer Lucy.

– Eh bien... Au travail ! a décrété Jessi. D'abord, on va choisir un nom pour notre club. Je trouve que Club des Baby-Sitters est un nom idiot. C'est trop quelconque. C'est comme si on appelait un restaurant : Le Restaurant.

J'ai ri.

– Ouais. Ces filles n'ont aucune imagination. On pourrait appeler notre club... euh...

– Oui. On pourrait l'appeler... euh...

Ce n'était pas facile de trouver un meilleur nom.

– Pourquoi pas l'Union des baby-sitters ? a suggéré Jessi.

– Non… Pourquoi pas, euh, les Baby-Sitters associées ?

Jessi a secoué la tête.

– Non. pas terrible… Mmm… Hé, pourquoi pas la Société des enfants ?

– Oui ! C'est génial ! Vraiment chouette. C'est accrocheur.

– Bien plus accrocheur que le Club des Baby-Sitters.

– Absolument.

– Et ensuite ?

– Bon, les filles font de la publicité. L'année dernière, elles ont passé une annonce dans un journal et, de temps en temps, elles impriment des prospectus et les glissent dans les boîtes aux lettres, pour rappeler aux gens l'existence du club.

– D'accord. Faisons des tracts… Comment allons-nous nous y prendre ?

J'ai réfléchi un moment.

– Mon frère a une petite imprimerie qui fonctionne très bien. Je parie qu'il nous la prêterait.

– Super.

J'ai ouvert la porte et crié :

– Byron !

– Les triplés ne sont pas encore rentrés de l'école, Mallory, m'a répondu ma mère.

– Pas de chance, ai-je dit. Nous voudrions utiliser l'ordinateur et l'imprimante pour une chose importante. On peut ?

– Eh bien...

Elle n'aime pas trop que je m'en serve quand papa n'est pas là. Mais elle a fini par ajouter :

– Bon, d'accord, mais pas de bêtises. Et ne gâche pas de papier.

– Oh, merci maman !

Nous nous sommes installées au bureau de mon père.

– Voilà, il ne nous reste plus qu'à décider ce qu'on va écrire.

– Eh oui. Bon, j'imagine que nous allons mettre que nous sommes disponibles pour du baby-sitting.

– Après l'école, a précisé Jessi. Et le week-end.

– Et le soir ?

Jessi a secoué la tête.

– Je ne crois pas avoir la permission.

– Moi non plus. Sauf si je travaille ici, à la maison.

– Je me demande si l'on voudra de nous. Nous n'avons que onze ans.

– J'en suis sûre, à condition que nous travaillions ensemble. Deux baby-sitters pour le prix d'une !

– Ouais ! s'est écriée Jessi. Et c'est ce que nous allons imprimer !

Au début, nous avons eu quelques soucis d'orthographe et de mise en page. Sur la première feuille, on lisait : « Deux baby-zitters pour el brix d'uen. » Mais nous avons persévéré. Lorsque nous avons obtenu une bonne version, nous en avons imprimé trente. Nous avons donné vingt-cinq cents à Nicky et à Vanessa pour qu'ils distribuent les prospectus dans les boîtes aux lettres de notre rue et de celle de Jessi.

Pendant qu'ils s'acquittaient de cette tâche, j'ai dit :

– Passons quelques coups de fil. Ce ne serait pas mal d'expliquer aux gens ce que nous faisons. Je pourrais contacter Mme Barrett. Elle habite dans la rue et a trois enfants. Je les connais très bien. Et je pourrais appeler la mère de Jenny Prezzioso, et peut-être celle de Simon Newton.

Nous avions juste terminé lorsqu'on a frappé à la porte. C'était maman.

– Est-ce bien le quartier général de la Société des enfants ?

– Oui, ai-je répondu, me demandant où elle voulait en venir.

– Eh bien ! j'aimerais vous retenir pour samedi après-midi.

– D'accord, pas de problème.

Jessi et moi avons attendu que maman ait quitté la pièce pour sauter de joie.

– Notre premier travail ! ai-je hurlé. Notre premier travail !

La Société des enfants semblait prendre un bon départ.

10

Ouh là, les filles ! On dirait qu'il y a un problème ! Nous sommes toutes au courant mais, pour mémoire, il faut que je note tout ce qui s'est passé dans notre journal de bord. Tout a commencé lorsque je suis allée chez les Barrett pour garder Maud et Liz (Buddy était chez son papa). Les petites étaient adorables, comme d'habitude. Elles ne laissent pas une minute de répit, mais elles ne sont jamais vraiment pénibles. Pourtant, quand j'ai découvert Liz occupée à enrouler des couches autour des pieds de la table, j'ai décidé qu'il était temps de l'emmener faire un tour dehors. Nous avons pris la laisse *de Fred et nous étions arrivées au niveau de la maison des Pike lorsque j'ai vu...*

Le baby-sitting de Carla chez les Barrett avait eu lieu un samedi après-midi, le jour même où maman nous avait demandé, à Jessi et à moi, de garder mes frères et sœurs. Je n'ai su ce qui s'était passé pendant le baby-sitting de Carla que quelques semaines plus tard, lorsque j'ai lu son texte dans le journal de bord.

Carla était arrivée chez les Barrett à deux heures. La maison était plus rangée que d'habitude car Mme Barrett avait fini par trouver quelqu'un pour l'aider à faire le ménage. Longtemps, elle avait essayé d'être à la fois une mère et un père pour Buddy, Liz et Maud (les Barrett ont divorcé). Mais elle n'avait le temps de rien faire à fond et, lorsque Carla l'avait rencontrée pour la première fois, la maison était dans un état indescriptible et les enfants, pire encore. Mais tout va mieux à présent. Mme Barrett s'est organisée. Avant de partir ce jour-là, elle avait même pensé à dire à Carla où se trouvaient les numéros d'urgence, à lui signaler que Maud terminerait sa sieste vers deux ou trois heures, et que Liz avait un peu mal aux oreilles et devait prendre un médicament à trois heures.

L'après-midi avait commencé calmement. Carla et Liz avaient construit une maison en carton pour les animaux en peluche de Liz. Elles étaient en train de terminer lorsque Carla a entendu Maud qui appelait en haut. Parfois, lorsqu'elle se réveille après la sieste, elle pleure. D'autres fois, elle babille ou elle chante. Cet après-midi, elle criait :

– Ouh, ouh… Du jus de raisin. Du jus de raisin, s'il vous plaît ?… Ouh, ouh…

– Maud est réveillée, a dit Carla à Liz. Je vais la changer, puis je la descends. Je reviens dans quelques minutes.

Carla est montée voir Maud. Elle a poussé doucement la porte de la chambre et a chuchoté d'une voix douce :

– Ouh, ouh, Maud (ce n'est jamais une bonne idée de bousculer un petit qui se réveille de sa sieste, surtout lorsqu'il s'attend à voir sa maman et non une baby-sitter).

Maud était d'excellente humeur ce jour-là. Elle fronçait le nez en faisant de petites grimaces. Puis elle s'est mise à sauter dans son lit à barreaux, ses cheveux blonds dansant sur ses épaules.

– Ouh, ouh, ouh, ouh !

– Ouh, ouh ! a répondu Carla. Dis donc, tu m'as l'air bien gaie aujourd'hui.

– Ouh, ouh, a repris Maud (elle n'a pas encore deux ans).

– Il est temps de te changer, a poursuivi Carla, en la sortant du lit pour la déposer sur la table à langer.

Elle a pris la dernière couche dans la boîte qui se trouvait près de la table, puis s'est rappelée que Mme Barrett en gardait une réserve dans la buanderie.

– Non, non, a fait Maud.

– Mais si, mais si, mon bébé, tu es trempée.

Carla lui a chanté *Dans la ferme à MacDonald* pendant qu'elle la changeait, et Maud a froncé le nez à nouveau. Puis Carla lui a mis une salopette propre, l'a prise dans ses bras, et est descendue.

– Liz ? Tu veux aussi du jus de raisin ?

Pas de réponse.

Carla a jeté un coup d'œil dans la salle de jeux. Liz n'y était pas.

– Liz !

– Quoi ?

– Où es-tu ?

– Dans la salle à manger.

Carla a emmené Maud dans la salle à manger. Elle ne s'attendait certainement pas à trouver Liz en train d'envelopper les pieds de la table avec des couches qu'elle fixait avec du sparadrap.

– Que fais-tu ?

– Je soigne mon cheval, a expliqué Liz.

Elle a déroulé un autre bout de sparadrap pour le coller sur les bords de la couche.

– Pardon ? s'est étonnée Carla.

Liz a caressé la table.

– Mon cheval s'est cassé toutes les jambes. Je dois le soigner.

Carla a porté la main à son front, puis elle a posé Maud par terre.

– Liz, ta maman a besoin de ces couches pour ta petite sœur. Euh, je suis très contente que ton cheval aille mieux, mais maintenant nous allons récupérer les changes, en faisant attention de ne pas les abîmer.

Il a fallu au moins un quart d'heure, mais les couches étaient sauvées, repliées proprement et replacées dans le paquet qui se trouvait dans la buanderie. Carla n'aurait pas été si inquiète si elle avait ignoré combien cela coûte cher.

Elle a décidé qu'il était temps de faire une promenade ;

après un petit goûter, et après avoir donné son médicament à Liz, elle a mis sa laisse à Fred, est allée avec les petites filles dans le garage et a installé Maud dans sa poussette.

– Où allons-nous ? a demandé Liz en descendant l'allée. Au square près de l'école ?

– Eh bien, cela me semble un peu loin, mais je pense qu'on peut essayer.

– Attends ! On pourrait aller jusqu'au ruisseau ? a proposé Liz. Maud adore.

– Bien sûr, a répondu Carla. C'est une très bonne idée. Et c'est plus près.

Mais elles s'étaient à peine mises en route que Carla a vu quelque chose qui l'a fait s'arrêter net. Si brusquement que Fred, dont la laisse était attachée à la poussette et qui trottait allègrement en avant, a failli tomber.

Ce que Carla avait vu, c'était moi. Pas seulement moi, mais Jessi et moi de l'autre côté de la rue, avec tous mes frères et sœurs.

Carla m'a raconté plus tard que sa première pensée avait été : « Tiens, elles font du baby-sitting ? » Sa seconde pensée avait été : « Non, peut-être qu'elles jouent simplement avec les enfants. » Puis elle a remarqué que les voitures de mes parents n'étaient pas dans l'allée et elle a compris que nous faisions vraiment du baby-sitting.

– Ça alors ! a soufflé Carla.

Bien sûr, elle mourait de curiosité. « Si Mme Pike a besoin d'une baby-sitter, pourquoi n'appelle-t-elle pas le club comme elle l'a toujours fait jusqu'à présent ? Qui est donc cette fille qui aide Mallory ? »

Carla se posait une foule de questions, mais elle n'allait quand même pas m'interroger. C'était déjà bien assez embarrassant que nous nous soyons croisées. Je n'avais pas adressé la parole aux filles du club depuis le jour où j'avais quitté la chambre de Claudia en annonçant que je démissionnais.

Malheureusement, Liz ne savait rien de tout cela.

– Carla ? Je peux aller jouer avec Claire ? a-t-elle demandé.

Carla s'est mordu les lèvres. Elle ne voulait pas refuser uniquement parce qu'elle et moi avions des problèmes. Pourquoi Liz et Claire auraient-elles dû en subir les conséquences ? Elle a plutôt essayé de la faire changer d'avis.

– Tu ne voulais pas aller jusqu'au ruisseau ? Nous pourrions jeter des galets dans l'eau et faire flotter des feuilles sous le pont. Peut-être verrons-nous des écureuils ou un lièvre.

– Peut-être on verra un serpent ! s'est écriée Liz.

Carla était soulagée, d'autant plus que Liz n'avait pas appelé Claire pour qu'elle la rejoigne.

Elle a donc emmené les filles au ruisseau, elles ont jeté des pierres dans l'eau et fait flotter des feuilles. Et ils ont aperçu un écureuil, avant que Fred ne se lance à sa poursuite. Mais elles n'ont pas croisé de serpent. En rentrant chez les Barrett, Carla se posait toujours beaucoup de questions sur ce qu'elle avait vu chez moi.

Elle a trouvé la réponse à ses questions en allant chercher du jus de fruits pour Maud. Sur la porte du réfrigérateur, elle a découvert un papier fixé à l'aide d'un aimant en forme de grenouille. C'était l'une de nos affichettes vantant la Société des enfants. Il indiquait nos noms, nos âges, nos numéros de téléphone et nos heures de réunion. Jessi et moi avions décidé de gérer notre club de la même façon que le Club des Baby-Sitters. Nous avions même acheté un agenda et un cahier pour y tenir notre journal.

Carla a terminé sa garde de très méchante humeur. Dès qu'elle a été chez elle, elle a appelé Kristy pour lui raconter les dernières nouvelles. Elle pensait que la présidente devait être mise au courant la première.

– Devine quoi ?

– Quoi ? s'est étonnée Kristy. Dis donc, tu n'as pas l'air de très bonne humeur.

– Je suis d'une humeur exécrable et c'est à cause de ce que j'ai à te raconter. Mallory Pike a lancé son propre club de baby-sitting.

– Quoi ? Comment a-t-elle pu ? Il y a qui d'autre dans son club ?

– Une fille appelée Jessica Ramsey. Elle vient d'arriver à Stonebrook. Je pense que c'est celle dont la famille a emménagé dans la maison de Lucy.

– Mmm, a marmonné Kristy, qui pour une fois était à court de mots.

Au bout d'un moment, elle a repris :

– Et alors, qui fera appel à elles ? Elles sont bien trop jeunes. Elles n'auront pas le moindre travail... Et Mallory ne sait rien au sujet des garrots.

– Mme Pike a déjà fait appel à elles, l'a informée Carla. Elles ont fait du baby-sitting pour elle cet après-midi pendant que j'étais chez les Barrett. C'est comme cela que je le sais.

– Les Pike ! Ce sont pratiquement nos meilleurs clients, a grogné Kristy. Mallory ne peut pas nous faire ça.

– Eh bien ! si.

– Mmm, a répété Kristy. Bon, je vais téléphoner à Mary Anne et à Claudia. Cela ne peut en aucun cas se reproduire.

– Comment feras-tu pour les en empêcher ? a voulu savoir Carla.

– Je ne sais pas, a avoué Kristy.

11

– Nous allons commencer la deuxième réunion de la Société des enfants, ai-je annoncé.

C'était un lundi après-midi, à cinq heures et demie précises.

Pas très loin d'ici, les quatre filles du Club des Baby-Sitters tenaient, elles aussi, leur réunion. Je me demandais si le téléphone de Claudia avait déjà sonné. « Sans doute, ai-je pensé, elles ont toujours plein d'appels. »

Les filles du club tenaient leurs réunions dans une pièce fermée. Jessi et moi devions laisser la porte ouverte pour entendre le téléphone qui se trouvait dans le couloir. Nous l'avions posé par terre, le plus près possible de la porte, mais ce n'était pas comme si j'avais eu mon propre appareil. De plus, mes frères et sœurs faisaient une apparition toutes les deux secondes.

– Bon, ça ne ressemble pas exactement au Club des Baby-Sitters, ai-je soupiré.

– Ah, non ? s'est étonnée Jessi.

Je lui ai expliqué l'histoire du téléphone et de la ligne privée.

– Et puis chacune des filles a une fonction officielle : présidente, vice-présidente, secrétaire, trésorière. Mais nous, nous ne sommes que deux.

– Tu pourrais être la présidente, a proposé Jessi, puisque tu sais comment fonctionne un club de baby-sitting.

– Mais c'est toi qui as trouvé un nom génial !

Jessi a froncé les sourcils.

– Pas de fonctions officielles, a-t-elle conclu. Soyons égales.

– D'accord. Nous ferons les choses à tour de rôle, répondre au téléphone, noter les rendez-vous.

– Parfait.

Nous attendions que le téléphone sonne. En vain.

– J'imagine qu'il faut un certain temps pour que les affaires démarrent, a remarqué Jessi.

– Sans doute.

– Que font les autres lorsqu'elles ne sont pas au téléphone ?

– Elles papotent. Elles parlent de garçons.

– Waouh ! De garçons ?

– Je sais. Nous pourrions parler, nous aussi.

– De qui ?

– De Benny Ott.

– C'est un garçon ?

– Non. Ce n'est même pas un être humain.

Jessi a ri.

– J'ai un truc à te raconter. Je ne voulais rien dire avant d'en être certaine mais, la semaine dernière, j'ai décidé de m'inscrire au cours de danse.

– C'est fantastique ! l'ai-je félicitée.

– Merci, a fait Jessi.

Elle a baissé la tête, l'air embarrassé, avant de poursuivre :

– Nous avons téléphoné à l'école de danse de Stamford, et ils m'ont demandé de passer une audition.

– Et tu y es allée ?

– Oui.

– Et alors ? C'est passionnant !

– Eh bien...

– Dis-moi ! Je t'en prie !

– Je suis inscrite ! Dans la classe supérieure ! Et tout le monde a été super gentil.

– Oh ! C'est merveilleux ! Vraiment. Tu te rends compte ? Je connais une vraie danseuse en chair et en os. Ton école va bientôt monter un ballet ?

– *Casse-Noisette*, naturellement, à Noël, mais avant, je crois que nous allons préparer une sorte de récital. Des extraits du *Lac des cygnes* et d'autres œuvres, mais pas un véritable ballet.

– Je pourrai venir te voir à Noël ?

– Bien sûr, si je fais partie du ballet.

– Tu en feras partie. Je le sais. Je le sens.

Jessi m'a souri.

– Merci, Mal. Tu sais, tu es une véritable amie, une amie en qui on peut avoir confiance. Je ne pensais pas retrouver une amie comme Keisha, mais c'est arrivé. Je t'ai rencontrée.

Peut-être que Jessi allait devenir ma meilleure amie. Ma première meilleure amie. Nous étions bien, assises là dans ma chambre, à nous confier des choses importantes et à rire.

Mais l'instant a été gâché par une cavalcade dans les escaliers. Ce bruit a été bientôt couvert par des cris :

– Donne-moi ça ! C'est à moi !

– Non !

– Si !

– Non !

– Si ! C'est à moi. Donne-le-moi !

J'ai couru dans le couloir où Nicky et Margot se disputaient un jouet en plastique vert.

– Ça suffit, les enfants.

Mon frère et ma sœur se sont séparés, en se lançant des regards assassins.

– Vous savez, ai-je remarqué en prenant l'objet des mains de Margot, ce jouet fait partie du zoo des triplés. Il n'est à aucun de vous deux.

– Mais… ont-ils protesté, en chœur.

Je leur ai imposé le silence en levant une main.

– Je vais le remettre dans la chambre des triplés. Quant à vous deux, descendez me chercher un dinosaure.

Nicky et Margot se sont regardés et ont éclaté de rire. Puis, ils ont dévalé les marches ensemble. Jessi avait le sourire lorsque je suis revenue dans la chambre.

– Tu t'es vraiment bien débrouillée.

– Merci, j'aurais aimé que les filles du club assistent à cette scène.

– Mais tu n'as plus besoin d'elles, maintenant, grâce à la Société des enfants.

– C'est vrai.

Juste à ce moment le téléphone a sonné. Un client !

– Waouh ! Je le prends !

J'ai bondi de mon lit et couru dans le couloir. Puis, j'ai décroché en disant très posément :

– Allô ? ici la Société des enfants... Oh, d'accord. Attends une seconde. (J'ai reposé le combiné.) C'est pour Vanessa, ai-je glissé à Jessi.

Puis, j'ai crié dans les escaliers :

– Vanessa ! Téléphone ! Et ne reste pas trop longtemps.

Je suis retournée dans ma chambre. Pendant que nous attendions que Vanessa ait terminé sa conversation téléphonique, Jessi m'a raconté deux blagues.

Voici la première :

Pourquoi un éléphant se promène-t-il dans la rue avec une chemise bleue ? Parce que la rouge est à la lessive. (Je la connaissais déjà.)

Voici la seconde :

C'est noir et blanc et noir et blanc et noir et blanc et noir et blanc. Qu'est-ce que c'est ?

Un zèbre qui dévale une colline. (Je ne l'avais jamais entendue, et elle m'a fait rire.)

– Je la raconterai aux petits, ai-je décidé.

Le téléphone s'est remis à sonner.

– Oh ! Dieu merci, Vanessa a raccroché.

– Je peux ? a demandé Jessi.

– Bien sûr.

– La Société des enfants, bonjour ! Puis-je vous être utile ? a demandé Jessi d'un ton professionnel. Oh, salut maman !

Jessi m'a fait la grimace comme pour dire : « Ce n'est que maman », mais elle a poursuivi :

– Vraiment ? Bien sûr… D'accord. Merci, maman. À tout à l'heure.

Elle a raccroché.

– Tu ne devineras jamais ! s'est-elle exclamée en pénétrant en trombe dans la chambre. Maman a besoin de nous pour garder Becca et P'tit Bout mercredi prochain. Elle a un rendez-vous chez le coiffeur.

– Fantastique !

J'ai noté le jour et l'heure dans notre agenda.

J'avais à peine terminé que le téléphone a sonné à nouveau.

– Cette fois, je prends. Quelle journée !

Je me suis assise dans le couloir avant de décrocher.

– Bonjour, ici la Société des enfants. Puis-je vous aider ?

Silence à l'autre bout du fil. J'entendais juste une faible respiration. J'ai couvert le récepteur de la main pour murmurer à Jessi :

– Je crois que c'est une farce.

– Dis de nouveau bonjour, m'a-t-elle suggéré.

– Allô ? Allô ?

– Mallory ? a fait une voix qui me sembla familière.

– Oui, c'est bien moi. Qui est à l'appareil ?

– Kristy Parker.

Mon cœur s'est arrêté de battre.

– C'est Kristy Parker, ai-je annoncé à Jessi. Tu sais, la présidente du Club des Baby-Sitters.

Puis, je ne sais pas comment j'ai fait, mais je me suis entendue demander :

– As-tu besoin d'une baby-sitter ?

Jessi a pouffé.

– Non, je n'ai pas besoin d'une baby-sitter, a répliqué Kristy d'un ton mauvais.

– Bon, alors, en quoi puis-je t'aider ?

– Dis-moi simplement si vous tenez une réunion d'une chose appelée la Société des enfants en ce moment précis.

– Oui.

– Et vous vous réunissez chaque lundi, mercredi et vendredi après-midi de cinq heures et demie à six heures ?

– Nous en avons l'intention.

– Bande de copieuses !

J'ai gardé le silence. Jessi et moi étions effectivement des copieuses. Puis je me suis souvenue de l'horrible réunion du Club des Baby-Sitters à laquelle j'avais assisté.

– Mais vous ne m'avez pas laissée entrer dans votre club.

– Nous t'avons donné ta chance. Mais nous devons être très prudentes avant d'accepter quelqu'un. Nous avons besoin de filles expérimentées, à qui on peut faire confiance. On ne peut rien laisser au hasard lorsqu'il s'agit de jeunes enfants.

– Je suis expérimentée, ai-je affirmé.

– Tu as raté le test.

– Ce test était injuste. Même un médecin aurait échoué.

Kristy a soupiré avant d'ajouter :

– Je ne pense pas que ton club ait du succès. Vous n'êtes pas assez nombreuses. Vous n'avez pas d'expérience. Vous n'aurez jamais de travail.

– Je te signale que nous en avons déjà eu deux.

– C'est vrai ?

– Oui. Et si tu n'as plus rien à me dire, je préfère raccrocher pour ne pas bloquer la ligne.

– Très bien, a fait Kristy. Au revoir.

– Au revoir.

J'avais très envie de lui raccrocher au nez, mais je me suis retenue. Je ne voulais pas être grossière. Même avec Kristy Parker.

– Qu'est-ce qu'elle t'a dit ? s'est inquiétée Jessi.

Je lui ai rapporté notre conversation.

– Tu sais quoi ? J'ai la curieuse impression que le Club des Baby-Sitters n'a pas dit son dernier mot, a commenté Jessi.

12

– Eh, P'tit Bout ! Eh, P'tit Bout ! Viens ici ! Oh, le gentil garçon !

P'tit Bout tentait de faire ses premiers pas tout seul, et Jessi, Becca et moi assistions à ses exploits.

Notre baby-sitting chez les Ramsey avait lieu un mercredi par un bel après-midi ensoleillé, et nous étions tous les quatre dans le jardin de devant. P'tit Bout était le centre de l'attention et il adorait ça.

– Allons, P'tit Bout. Debout. Essaie encore ! l'a encouragé Becca.

– Viens ! Tu en es capable ! lui a crié Jessi, les bras tendus.

– Va voir Jessi, P'tit Bout, a ajouté Becca.

Un pas, puis encore un pas, et un troisième… Avec ses

chaussures de bébé, P'tit Bout a avancé dans le gazon jusqu'au moment où – boum – il a atterri sur son derrière.

– Six pas ! Six pas, Jessi ! s'est enthousiasmée Becca. C'est le nouveau record de P'tit Bout !

J'ai remis P'tit Bout sur pieds.

– Allez, fonce.

Le bébé s'est dirigé vers Becca. Mais, au bout de quelques pas, il s'est affalé et a continué à quatre pattes. Nous nous attendions à ce qu'il se mette à pleurer, mais il riait.

Becca a gloussé.

– Tu es trop drôle, P'tit Bout.

– Becca, il est peut-être fatigué de marcher, a suggéré Jessi.

– Je peux le promener dans sa poussette ? a proposé sa sœur. Je resterai dans l'allée du jardin ou sur le trottoir. Je n'irai pas sur le gazon.

– D'accord, bonne idée. Je vais te chercher la poussette.

Jessi a disparu dans le garage pour revenir quelques instants plus tard avec la poussette.

– Tu peux y aller, Becca.

– Merci !

Rebecca a soulevé maladroitement P'tit Bout, l'a assis dans la poussette et s'est mise à déambuler fièrement dans l'allée.

– Elle est très gentille avec lui, ai-je remarqué.

– C'est tout récent, a répondu Jessi. Seulement depuis que nous avons déménagé. Je crois que c'est parce qu'elle est souvent à la maison. À Oakley, elle était toujours avec

Sandy, Kara ou Raun. Mais ici, à Stonebrook, elle n'a pas d'amis.

J'ai hoché la tête pensivement.

– Comment ça va pour toi ? Je veux dire au cours de danse et à l'école ?

– C'est drôle. Au cours de danse, je suis la seule élève noire, mais presque tout le monde est très gentil avec moi. Il y a bien une ou deux filles qui ne m'adressent pas la parole mais, en général, les professeurs et les élèves sont tellement passionnés par la danse qu'ils ne remarquent pas la couleur de ma peau. Je veux dire par là que c'est une école sérieuse.

J'ai souri.

– En revanche, au collège…, a poursuivi Jessi.

– Oui ?

– Ça va un peu mieux, mais ce n'est pas génial.

– Mais au moins ça s'arrange. Il faut être optimiste.

– C'est vrai. Il y a plusieurs jours que Benny Ott ne m'a pas lancé d'élastiques.

– C'est toujours ça. Je suis sûre que, par moments, tu aimerais l'étrangler. Il ne t'arrive pas d'avoir envie d'être encore en primaire pour pouvoir te battre avec lui dans la cour et régler le problème une bonne fois ?

– C'est vrai, a avoué Jessi en riant. Hé, Becca ! Pas trop près de la route, s'il te plaît ! Reviens par ici.

– D'accord !

– Elle aurait vraiment besoin de copains, a repris Jessi calmement.

– Oui. Je ne comprends pas que personne ne veuille jouer avec elle.

– Maman aussi devrait se faire des amis. Ce serait sympa de connaître les voisins.

J'ai approuvé. Et, soudain, je me suis souvenue d'une autre journée ensoleillée, un an auparavant. C'était un samedi et une nouvelle baby-sitter nous gardait, Claire, Nicky, Byron et moi. Elle s'appelait Lucy MacDouglas.

Elle était arrivée à Stonebrook un ou deux mois plus tôt. Nous étions tous les cinq assis autour de la table de la cuisine à dévorer un bon goûter et, comme je n'avais jamais déménagé, j'avais demandé à Lucy quelle impression cela faisait de quitter New York pour Stonebrook.

– Eh bien ! ça n'a pas été facile, mais tout le monde ici a été gentil avec nous.

Les gens étaient venus les bras chargés de biscuits, de fleurs et de confitures, ils leur avaient expliqué où se trouvaient la gare, le salon de coiffure, les commerces, les cinémas, et leur avaient même indiqué la meilleure épicerie.

– Une dame de la mairie est venue, avait-elle ajouté. Elle nous a donné des bons de réduction pour certains restaurants, une liste des médecins et des dentistes de Stonebrook, quelques échantillons de chez le traiteur et une foule de renseignements sur la ville.

J'ai contemplé le jardin des Ramsey, vide, et le porche de la maison, vide (mis à part Jessi et moi). Je savais qu'aucun voisin n'était venu avec des cadeaux ou des informations utiles. Quelle mesquinerie !

– Je sais que c'est une question idiote, mais est-ce qu'une dame de la mairie est venue vous voir ?

– Tu plaisantes ? a répondu Jessi.

– J'étais sûre qu'elle n'était pas venue.

– Pourquoi tu me demandes ça ?

– Oh, je me suis rappelé quelque chose.

– Quoi ?

– C'est sans importance.

Becca en avait assez de promener P'tit Bout et nous l'avait ramené.

– Je peux jouer à faire des bulles ?

– Bonne idée, a estimé Jessi. Va chercher ce qu'il faut dans la maison. Tu sais encore faire le mélange ?

– Youpi ! a-t-elle crié en se ruant vers la maison.

Jessi s'est tournée vers moi.

– Tu vas voir ce truc. Incroyable. Il fait des bulles presque aussi grandes que Becca.

– C'est vrai ?

– Je te jure.

Becca est revenue avec une baguette terminée par une boucle de ficelle, et un bol plein d'eau savonneuse. Elle l'a posé dans l'allée, empoignant fermement la baguette, a trempé la corde dans le mélange, puis l'a fait tournoyer jusqu'à ce qu'elle fasse un cercle. Une énorme bulle s'est formée dans la corde. Becca l'a refermée avec adresse et elle s'est envolée dans les airs.

– Regardez ! Regardez ! criait-elle. C'est la plus grosse que j'aie jamais faite !

– Elle dit la même chose à chaque nouvelle bulle, m'a confié Jessi.

Mais la bulle était réellement énorme. Elle n'atteignait sûrement pas la taille de Becca, mais dépassait sans aucun doute celle de P'tit Bout. Il aurait pu tenir sans peine dedans.

Becca a fait une autre bulle, puis une autre encore.

La porte de la maison d'en face s'est ouverte et une petite tête est passée dans l'entrebâillement pour nous regarder avec curiosité.

Becca a fait une quatrième bulle. Une petite fille est sortie sur le perron.

Encore une bulle.

La petite fille s'est avancée jusqu'au milieu de son jardin, intriguée.

– Regarde, ai-je glissé à Jessi en la poussant du coude.

– J'ai vu.

La petite a traversé prudemment la rue et s'est approchée de Becca.

– Comment tu fais ça ? a-t-elle demandé. C'est les plus grosses…

– Amy ! a crié une voix aiguë.

Une femme, l'air furieux, se tenait sur le seuil de la maison d'en face.

Amy s'est retournée.

– Quoi, maman ?

– Reviens tout de suite, lui a ordonné sèchement sa mère.

Puis elle est rentrée chez elle en claquant la porte.

Amy a quitté à regret Becca et ses bulles pour retraverser la rue dans l'autre sens.

– Tu vois ce que je veux dire ? a soupiré Jessi avec amertume.

Mais je n'ai rien dit car je venais d'apercevoir quelque chose. Un autre petit visage nous observait à la dérobée, cette fois à travers la haie qui bordait le jardin des Ramsey.

– Charlotte ? ai-je appelé.

La petite Johanssen s'est frayé un chemin entre deux buissons et est restée timidement à l'autre bout du jardin, les mains dans le dos. Je connais un peu Charlotte. Elle a neuf ans et habite tout près. Les filles du Club des Baby-Sitters s'en occupent, mais Lucy MacDouglas avait été sa baby-sitter préférée.

– Salut, Charlotte ! Viens. Tu veux te faire de nouveaux amis ?

Charlotte n'a pas répondu.

– Elle est timide, ai-je chuchoté à Jessi. Tu voulais voir ce qui se passe dans l'ancienne maison de Lucy, Charlotte ?

– Oui, alors maman m'a dit de venir.

Elle a fini par s'approcher. Quand elle fut près de nous, elle a poursuivi calmement :

– Maman m'a dit qu'il y avait une fille de mon âge qui pourrait devenir une copine.

– C'est vrai ? s'est étonnée Jessi d'un ton incrédule.

Charlotte a hoché la tête. Puis elle a regardé Becca, qui se concentrait sur ses bulles.

– C'est elle ? Elle a huit ans ?

– Tout à fait, a confirmé Jessi. C'est ma petite sœur, Becca. Je crois qu'elle pourrait t'apprendre à faire de grosses bulles.

– C'est vrai ?

– Bien sûr. Hé, Becca ! a crié Jessi. Viens voir. Il y a quelqu'un qui aimerait jouer avec toi.

Sa sœur nous a aussitôt rejointes.

– Salut !

– Salut, a répondu Charlotte en esquissant un petit sourire. C'est chouette, ce truc à bulles. Tu peux vraiment me montrer comment ça marche ?

– Évidemment ! Viens par ici. Mets-toi au milieu du jardin.

– D'accord. Oh ! j'allais oublier…

Elle a tiré un paquet emballé dans du papier d'aluminium de derrière son dos.

– Tiens, a-t-elle dit à Jessi. C'est pour toute la famille. C'est une brioche de la part de maman et papa. Et maman voudrait que vous veniez dîner samedi prochain, mais elle appellera ta mère ce soir pour en discuter.

– Oh merci ! C'est vraiment gentil.

Tandis que Charlotte courait vers Becca pour faire des bulles, j'ai pris P'tit Bout sur mes genoux.

– Peut-être qu'après tout ça va s'arranger, a murmuré Jessi en fixant le paquet.

– Oui, certaines choses demandent du temps…

13

Alors, les filles, comment allons-nous résoudre notre problème ? (Au moins, nous sommes toutes d'accord sur un point : il y a un problème.)
En un sens, c'est bon signe d'avoir ce genre de souci : avoir trop de travail. Autrefois, lorsque nous parlions de nos ennuis dans notre journal, c'était des choses bien plus pénibles : ou bien nous étions toutes fâchées ou bien l'une de nous était prête à démissionner.
Au moins, ce problème prouve que l'on a réussi.
Mais il faut quand même trouver une solution.

Quelques semaines plus tard, lorsque j'ai lu ce que Mary Anne avait écrit dans le journal de bord, j'ai eu envie de rire. La réponse était tellement évidente. Elles n'avaient qu'à me demander d'entrer au club ! Mais elles avaient tout gâché avec leurs questions stupides sur le système digestif. Et elles s'étaient mises elles-mêmes dans une situation délicate. Mais il ne leur a pas fallu beaucoup de temps pour trouver une solution. En fait, à la fin de la réunion qu'elles tenaient ce jour-là, elles étaient sur le point de trouver des solutions à leur problème.

La réunion avait mal commencé, car Kristy et Carla étaient de mauvaise humeur, et Claudia ne parvenait pas à mettre la main sur le paquet de biscuits qu'elle avait caché dans sa chambre.

– C'est l'une de vous qui l'a pris ? a-t-elle demandé d'un ton accusateur.

– Tu plaisantes ? Ces saletés ? s'est exclamée Carla. Je n'y toucherais pour rien au monde. Tu sais, Claudia, tu vas t'abîmer les dents. Ta mâchoire va se déglinguer et les gens t'appelleront…

– Ils m'appelleront la bienheureuse, l'a coupée Claudia, parce que je suis heureuse lorsque je grignote mes gâteaux. Arrête de me faire la leçon sur la nourriture. Si je mangeais des trucs diététiques, je deviendrais sans doute un lapin comme toi. Un lapin pâle et maigrichon. Je…

– Silence, les a coupées Kristy. Vous nous faites perdre notre temps. La réunion est commencée depuis cinq minutes et tout ce que vous avez trouvé à faire, c'est de vous chamailler et de partir à la chasse aux biscuits. Mais, croyez-moi, nous avons un problème. Mary Anne, ouvre l'agenda.

– Bien, chef ! a-t-elle répondu ironiquement.

Kristy a levé bien haut l'agenda, ouvert aux pages des rendez-vous.

– Vous voyez la situation ?

– Ouais, a grommelé Carla, furieuse d'avoir été traitée de lapin pâle et maigrichon. Et alors ?

– Il est complet, a affirmé Kristy. Pour deux semaines.

– Corrige-moi si je me trompe, mais je croyais que c'était le but recherché par notre club, a remarqué Claudia. Avoir plein de boulot. Et donc un agenda bien rempli.

– Épargne-nous tes sarcasmes. Bien sûr que c'était le but. Mais que va-t-il se passer si quelqu'un a besoin d'une baby-sitter dans les deux prochaines semaines ?

– Nous appellerons Logan ou Louisa, a proposé Mary Anne. Comme d'habitude. Ce sont nos réserves.

(Logan Rinaldi et Louisa Kilbourne sont deux membres associés du club ; ils ne participent pas aux réunions, mais sont appelés quand personne d'autre n'est libre.)

– D'accord, a admis Kristy. Mais il me semble que ce n'est pas une bonne chose de les appeler si souvent… Si seulement Lucy pouvait revenir.

– Oui…, ont soupiré les autres en chœur.

Le silence s'est installé. Lucy leur manquait, surtout à Claudia, qui avait été sa meilleure amie. Le téléphone a sonné. Kristy, perchée sur son fauteuil de présidente, a ajusté sa visière et décroché.

– Croisons les doigts, il faut que ce soit une garde pour dans un an au moins.

Cette réflexion a rendu le sourire à Claudia. Les filles écoutaient la fin de la conversation.

– Oui, madame Prezzioso… Oh ! très bien, merci. Comment va Jenny ?… Bien… Jeudi après-midi ?… Je vous rappelle sans faute… Bien sûr. Au revoir.

Kristy a raccroché.

– Eh bien ! il y en a une qui n'a pas dû croiser les doigts... Mme Prezzioso a besoin de quelqu'un jeudi après-midi.

Mary Anne a refermé le journal de bord dans lequel elle prenait des notes et s'est emparée de l'agenda.

– Laisse-moi m'en occuper. C'est mon boulot. (Elle a jeté un coup d'œil à la liste des rendez-vous.) Où est le problème, Kristy ? Toi et Claudia, vous êtes toutes les deux libres cet après-midi-là.

– Mais nous avons un baby-sitting le soir. Tu sais que nos parents ne veulent pas que nous enchaînions deux gardes d'enfant le même jour, en tout cas, pas en semaine. Sinon, on ne peut pas faire nos devoirs.

– Bon, j'appelle Logan, a décrété Mary Anne, ravie.

Cela n'avait pas du tout l'air de la déranger. En fait, Logan Rinaldi est son petit ami et elle saisit la moindre occasion de lui téléphoner.

Mary Anne connaissait son numéro par cœur. Elle a tourné le dos aux filles pour l'appeler.

– Allô, Logan ? C'est moi. Ouais... Mmphh, mmblmmbl.

Elle avait tellement baissé la voix que, même en tendant l'oreille, Kristy, Carla et Claudia ne pouvaient rien entendre de ce qu'elle racontait. Et elle n'a repris une voix normale que pour lui dire au revoir.

– Alors ? l'a questionnée Kristy.

– Il est libre, a annoncé Mary Anne. Tu peux rappeler Mme Prezzioso.

Kristy avait à peine raccroché qu'une autre personne a réclamé quelqu'un pour jeudi.

– Louisa Kilbourne est notre dernier espoir, a constaté Kristy, qui l'a appelée immédiatement.

Par bonheur, Louisa était libre, elle aussi.

– Sauvées de justesse, a commenté Claudia.

– Oui, il faut faire quelque chose, a décidé Kristy. Au point où nous en sommes, même une baby-sitter qui ne serait disponible que l'après-midi nous dépannerait.

– On n'a qu'à trouver quelqu'un d'autre, a proposé Carla, c'est tout.

Mary Anne s'est alors risquée à donner son avis.

– Vous savez, lorsque Lucy et moi sommes allées à Sea City avec les Pike, Mallory était terriblement efficace. Personne ne lui avait demandé de faire du baby-sitting, mais elle veillait spontanément sur ses frères et sœurs à tout moment, surtout lorsqu'ils se baignaient. Elle n'oubliait pas de vérifier s'ils étaient protégés par de la crème solaire, et nous savions que, si nous devions nous séparer, par exemple pour jouer au golf miniature, nous pouvions sans aucune inquiétude lui confier la responsabilité d'un groupe.

– Vous vous souvenez quand elle nous a aidées pour la halte-garderie l'été dernier ? a rappelé Kristy.

– Et alors ? s'est étonnée Claudia.

– Mallory ne nous a pas simplement aidées. Quand elle emmenait les enfants de son quartier chez Lucy, elle leur apprenait comment traverser la rue. Pas besoin de lui demander, elle le faisait d'elle-même.

Claudia a hoché la tête.

– En fait, quand on a gardé les petites Perkins toutes les deux, elle n'a pas été si mauvaise baby-sitter que ça. Elle a surtout été maladroite quand, par exemple, elle a renversé le lait et cassé le verre. Elle a commis une erreur par rapport au goûter et avec Shewy, mais ce n'était pas si grave…

– Je viens de me rappeler quelque chose, est intervenue Carla. Mme Pike a appelé ma mère hier soir et elles ont parlé de la main de Nicky. Il s'agissait vraiment d'un accident. Cela s'est passé si vite que personne n'aurait pu l'empêcher. (Carla a expliqué ce qui était arrivé.) Ce n'était donc pas du tout la faute de Mallory, et nous l'avons accusée…

– Oups, a fait Kristy.

Claudia s'est éclairci la gorge nerveusement.

– Hum, je n'ai pas voulu l'admettre devant elle, mais j'ignorais tout de l'appareil divestif avant ce test.

– On dit di-ges-tif, a corrigé Carla, mais je n'en savais rien non plus.

– Moi non plus, a avoué Mary Anne.

Elles se sont tournées vers Kristy.

– Bon, d'accord, a-t-elle soupiré. Moi non plus.

– Que savais-tu au sujet des garrots ? l'a interrogée Claudia.

– Seulement que c'est un médecin qui doit les enlever.

– Vous savez, on a mis des heures pour préparer ce test, a rappelé Mary Anne doucement, et pas seulement pour trouver les questions, mais plutôt parce qu'il a fallu tout vérifier.

Kristy a baissé la tête.

– Je crois que nous avons été assez injustes avec Mallory.

– C'est vrai, ont acquiescé les autres.

– Mais nous devons être prudentes, a repris Kristy. Nous avons une responsabilité envers les enfants que nous gardons, et envers leurs parents. Nous ne pouvons accepter de baby-sitters qui causeraient des accidents ou qui ne sauraient pas quoi faire si un enfant est malade.

– C'est vrai, a fait Carla, mais je ne pense pas que nous puissions attendre des autres plus que de nous-mêmes. Et je crois que Mallory en sait autant que nous sur les enfants.

– Tu as raison, a reconnu Kristy.

Elle s'est tue un instant, avant de proposer :

– Bon, j'appelle Mallory pour lui demander de revenir ?

– Oui ! se sont écriées Claudia, Carla et Mary Anne.

Lorsque le téléphone a sonné dans le couloir qui menait à ma chambre, Jessi et moi, nous espérions encore que ce serait un client. Nous n'avions plus fait de baby-sitting depuis ce fameux mercredi après-midi chez les Ramsey. Inutile de dire que j'étais très déçue d'entendre la voix de Kristy, enfin, jusqu'à ce que je sache pourquoi elle m'appelait.

– Mallory, nous avons été injustes, a-t-elle commencé, le test était injuste. Nous venons de nous en rendre compte. Je t'appelle pour savoir si tu accepterais de faire partie du club en tant que baby-sitter junior, mais seulement pour les après-midi.

– Vous voulez que je fasse partie du Club des Baby-Sitters ?

J'ai regardé Jessi. Elle avait l'air accablé.

– Et Jessica Ramsey ? ai-je demandé.

Sans attendre la réponse de Kristy, j'ai enchaîné :

– Soit nous venons toutes les deux, soit personne ne vient. Vous devez prendre tous les membres de la Société des enfants.

J'ai entendu des bruits étouffés à l'autre bout du fil ; Kristy avait posé sa main sur le récepteur et discutait avec ses amies. Puis elle a repris l'appareil :

– Mallory ? Jessi et toi, pourriez-vous venir à notre prochaine réunion ?

– Nous y serons, ai-je simplement répondu avant de raccrocher.

Puis j'ai regardé Jessi, qui avait retrouvé le sourire.

– Je crois que c'est gagné !

14

Jessi et moi, nous étions tout excitées à l'idée de participer à cette fameuse réunion. Nous avons passé l'après-midi ensemble à la maison avant d'y aller.

– Tu crois que ce n'est pas une bêtise d'abandonner la Société des enfants ?

Nous étions assises sur les escaliers du jardin, car Vanessa et deux de ses amies avaient envahi la chambre.

– Je ne sais pas, a soupiré Jessi. Je n'ai jamais rencontré les filles du club, je ne sais donc pas à quoi m'attendre. Mais nous n'avons pas eu beaucoup de succès avec la société, pas vrai.

– Non. Deux gardes seulement… et toutes ces réunions ! Mais j'espère…

– Qu'est-ce que tu espères ?

– Que nous nous débrouillerons bien.

– Tu sais, a repris Jessi, il y a une chose que j'ai apprise depuis que je suis arrivée ici, c'est que l'on peut s'en sortir même avec des gens avec qui on n'est pas amis. Par exemple, à l'école, ça va, mais tu es ma seule amie.

– Ça n'est pas très optimiste, ai-je répondu.

– Non, non, ce que je voulais dire, c'est que…

– Je sais ce que tu veux dire. Les filles du club sont plus âgées que nous, nous ne deviendrons peut-être pas vraiment amies, mais nous pouvons travailler ensemble. Et puis, nous serons ensemble.

– Toujours, a promis Jessi d'une voix ferme.

– Toujours, ai-je répété.

J'ai alors su que nous étions les meilleures amies du monde.

À cinq heures vingt-cinq cet après-midi-là, Jessica et moi, nous étions devant chez Claudia Koshi.

J'ai sonné.

Ma main tremblait.

– Sois cool, m'a conseillé Jessi.

– Je n'y arrive pas.

C'est Claudia qui a ouvert.

– Salut, les filles. Montez.

Jessi et moi, nous avons suivi Claudia à travers la salle de séjour, l'escalier, et le couloir qui mène à sa chambre. Les autres filles nous attendaient.

– Bonjour, a lancé Kristy.

Elle semblait aussi nerveuse que moi.

– Bonjour, avons-nous répondu.

Claudia a refermé la porte.

Kristy, sa visière vissée sur la tête, s'est levée de son fauteuil de présidente pour faire les présentations :

– Tu es sans doute Jessica Ramsey. Je suis Kristy Parker. Et voici Carla Schafer et Mary Anne Cook. Celle qui fouille dans ses affaires, c'est Claudia Koshi.

Claudia a souri. Elle avait déniché une énorme boîte de biscuits et a fait une distribution générale tandis que Jessi et moi nous asseyions par terre.

– Et tu habites la maison de Lucy MacDouglas ? a demandé Mary Anne à Jessi.

Jessi a hoché la tête.

– Elle est même dans son ancienne chambre, ai-je précisé.

– Où vivais-tu avant ? a voulu savoir Kristy.

– Tu te plais à Stonebrook ? a renchéri Carla. Moi, je suis contente d'être ici.

– C'est… Je…

Jessi s'est tue brusquement.

– Les gens n'ont pas été très accueillants, ai-je essayé d'expliquer.

– Oh ! a fait Kristy, soudain un peu embarrassée.

Heureusement, le téléphone a sonné. Jessi et moi, nous avons pu admirer les filles à l'œuvre.

Quand elle a eu raccroché, Kristy a expliqué :

– Ces derniers temps, il est arrivé très souvent qu'aucune d'entre nous ne soit disponible. C'est pourquoi nous avons besoin de vous. Si vous pouviez travailler l'après-midi, cela nous libérerait pour les soirées, et cela nous aiderait bien.

J'ai froncé les sourcils.

– Tu nous proposes d'être membres du club, oui ou non ?

– J'aimerais te dire oui, mais je ne peux pas. Pas encore.

– Mais tu as dit…

– J'ai dit qu'il n'y aurait plus de test injuste. Cependant, nous voulons vous voir à l'œuvre. Surtout Jessica. Nous ne la connaissons pas du tout.

– Elle est fantastique avec les enfants ! Vous devriez la voir avec son petit frère.

– Nous devons nous en assurer, a répliqué Kristy. Vous ferez chacune un baby-sitting avec l'une de nous. Je vous promets que nous n'interviendrons pas. Nous nous contenterons d'observer… et de vous laisser faire le travail. Si tout se passe bien, vous ferez partie du club. Cela vous va ?

J'ai consulté mon amie du regard. Nous avons hoché la tête.

– Cela semble honnête, ai-je répondu.

– Mais, est intervenue Jessi, j'ai une question à vous poser.

– L'argent ? a fait Kristy. Les responsabilités à l'intérieur du club ?

– Non, c'est beaucoup plus compliqué que cela. Mais je préfère en parler avant d'entrer dans le club. Voilà, a-t-elle commencé, très sérieuse. Jusqu'à présent, je n'ai fait du baby-sitting que dans la famille de Mallory et dans la mienne. Mais beaucoup de gens dans le quartier semblent euh… n'ont pas l'air de m'aimer. Parce que je suis noire. Alors je me demande ce qui se passera si vos clients ne veulent pas que j'aille chez eux. Cela ne vous aidera pas du tout. Cela pourrait même faire du tort au club.

J'ai vu Kristy et ses amies échanger des regards.

– Nous n'y avions pas pensé, a reconnu Mary Anne. Nous ignorons si ça peut être un souci.

– Pour nous, ça n'a aucune importance que tu sois noire, a affirmé Claudia. Après tout, je suis japonaise. Enfin, américano-japonaise. Personne n'y fait attention.

– Mais ça peut vraiment poser problème, ai-je insisté.

J'ai raconté aux filles ce qui s'était passé quand Amy avait voulu jouer avec Becca.

Carla était outrée.

– C'est pas vrai !

– Et ce genre de chose est arrivé plus d'une fois, a poursuivi Jessi. Et ce n'est pas tout. Aucun des voisins n'est venu nous voir. Pratiquement personne. Pas même la dame de la mairie.

– Mais les choses sont en train de changer, tout doucement, ai-je remarqué. Les Johanssen ont invité les Ramsey à dîner, et Charlotte et Becca sont devenues amies.

– Benny Ott ne me bombarde plus d'élastiques, a ajouté Jessi.

– Qui est Benny Ott ? a demandé Kristy en souriant.

– Il est toujours en train de faire des grimaces derrière le dos des professeurs ou de lancer des trucs. Un jour, il a fait semblant de vomir à l'école. Mais une fille, Danni, a vraiment eu la nausée rien qu'en le regardant.

Les filles ont pouffé.

– Ce garçon me fait penser à Alan Gray, dit Kristy en riant.

– Qui est Alan Gray ? avons-nous demandé, Jessi et moi.

– Alan Gray, a expliqué Kristy, c'est le Benny Ott de quatrième.

– Tu veux dire que les garçons sont toujours aussi bêtes en quatrième ?

– Absolument, a affirmé Kristy.

– En quelque sorte, a fait Carla.

– Ça dépend, a nuancé Claudia.

– Pas vraiment, a objecté Mary Anne.

Nous avons ri. Puis Claudia a repris son sérieux.

– Nous nous éloignons du sujet. Et le problème de Jessi ?

Il y a eu un moment de silence. Finalement, Kristy a pris la parole :

– Vous savez ce que je pense ? Je pense que nous réglerons ce problème quand il se présentera. Ce que j'imagine mal, d'ailleurs. Je ne vois aucun de nos clients réguliers – les Newton, maman et Jim, les Barrett, les Perkins, les Rodowsky – je ne vois aucun d'eux dire qu'ils ne voudraient pas de Jessi. Et si cela arrive, je peux vous assurer une chose : je refuserai moi de garder leurs enfants.

– Moi aussi, ont affirmé les autres.

– Vraiment ? s'est étonnée Jessi, impressionnée.

– Vraiment, a dit Kristy. Nous serons comme les Trois Mousquetaires. Un pour tous et tous pour un. La seule différence, c'est que nous serons six mousquetaires.

Dring, dring.

Claudia a empoigné le téléphone au moment où Kristy allait le prendre.

– Bonjour, le Club des Baby-Sitters.

– Lucy ? Lucy ! Je n'arrive pas y croire ! Salut ! Cela fait deux jours que nous ne nous sommes pas parlé ! Devine !

Nous sommes en réunion. Tout le monde est là... Quoi ?... Oh.

Claudia a posé sa main sur l'appareil et nous a chuchoté :

– C'est pour cela qu'elle appelle. Parce qu'elle savait que nous serions toutes là.

Elle a repris le combiné.

– Écoute, nous t'avons finalement remplacée, ou plutôt, nous sommes sur le point.

Jessi et moi avons échangé un sourire.

– Par Mallory Pike et son amie Jessica Ramsey, a continué Claudia. Oui, la famille qui habite ta maison.

Claudia a ri puis nous a expliqué :

– Lucy dit qu'elle était tellement efficace que deux personnes sont nécessaires pour la remplacer.

Kristy a ri.

– Laisse-moi lui parler.

Pendant les minutes qui suivirent, le téléphone est passé de main en main. Même Jessi et moi, nous avons dit bonjour à Lucy. À la fin, Kristy s'est impatientée.

– Ça suffit, les filles. Vous connaissez le règlement à propos des appels privés pendant les réunions. C'est formidable de parler à Lucy, mais nous devons raccrocher. Des clients essaient peut-être de nous joindre.

Claudia a reposé le combiné à regret. À présent que j'avais une meilleure amie, je comprenais sans mal à quel point Lucy lui manquait.

Mais à peine avait-elle posé le récepteur que la sonnerie a retenti à nouveau. Et, à la fin de la réunion, Jessi et moi, nous avions deux rendez-vous. Je devais aller avec

Claudia chez Simon et Lucy Jane Newton et, deux jours plus tard, Jessi gardait avec Carla un petit garçon, Jackie Rodowsky.

– N'oublie pas ton casque, lui a conseillé Carla. Jackie n'arrête pas d'avoir des accidents.

– Oh non ! a gémi mon amie. J'espère pouvoir m'en tirer.

Mais je savais qu'elle n'avait pas à s'en faire. Jessi et moi, nous étions capables de faire face à n'importe quelle situation.

15

– Salut ! a crié Simon Newton. Salut, Claudia ! Salut, Mallory !... Pourquoi il y a deux baby-sitters aujourd'hui ?

– Parce que tu as beaucoup de chance, a répliqué sa mère. Entrez, les filles.

C'était le jour de mon essai de baby-sitting.

Claudia et moi, nous venions d'arriver chez Simon Newton, quatre ans, et sa petite sœur Lucy Jane. J'étais nerveuse, mais pas autant que chez les Perkins. Je savais que tout allait bien se passer. « Vois les choses de façon positive », m'aurait dit ma mère. Mme Newton m'a fait faire le tour de la maison (Claudia connaissait déjà les lieux), et m'a conseillé d'emmener les enfants dehors car il faisait très beau.

– La poussette de Lucy Jane est près de la porte du

jardin. Elle adore se promener. Et Simon voudra certainement faire de la balançoire. Oh ! j'oubliais, un réparateur doit venir pour la machine à laver. Du moins, je l'espère. Il devait passer entre neuf heures et dix-sept heures, et il n'est toujours pas arrivé. Il suffit de lui montrer où se trouve la machine. Il sait quel est le problème.

– D'accord, a acquiescé Claudia d'un air entendu.

Mme Newton a dit au revoir à Simon, qui, une serviette épinglée sur le dos, courait en tous sens en se prenant pour Superman. Puis elle a embrassé Lucy Jane sur le nez.

– Je serai de retour à cinq heures et demie. Bonne chance, Mallory.

– Merci.

Après le départ de Mme Newton, Claudia m'a mise à l'aise.

– Mallory, fais les choses à ta manière, comme si je n'étais pas là.

Elle s'est assise à la table de la cuisine en se faisant la plus discrète possible.

J'ai inspiré profondément et expiré lentement.

– Entendu.

Lucy Jane était assise dans son trotteur et tournait dans la cuisine. Je l'ai attrapée pour lui enfiler le pull-over et la petite salopette que Mme Newton avait préparés. Comme elle pleurnichait, je lui ai murmuré doucement :

– Je sais que tu ne me connais pas, petite Lucy, mais tu vas voir, tout va très bien se passer.

J'avais appris à parler d'une voix apaisante à la naissance de Claire. Elle était agitée car elle avait mal au ventre et il fallait toujours s'occuper d'elle. Lucy Jane s'est calmée.

– Simon ?

– Oui ?

Il a fait irruption dans la cuisine, cape au vent.

– Je suis Superman ! Je vais écraser ce vieux King Corn.

– King Corn ? me suis-je étonnée.

– Il veut dire King Kong, a corrigé Claudia.

– Oh... Hé ! me suis-je écriée en regardant par la fenêtre. Simon ! Je crois que King Kong est dans le jardin.

Le petit garçon a joué le jeu, tout en sachant que je plaisantais

– C'est vrai ?

– Oui. Enfile ton pull, et allons-y !

Tout le monde a été prêt en quelques minutes. J'ai mis Lucy Jane dans sa poussette. Puis, j'ai aidé Simon à épingler la serviette sur son pull. L'air était vif, le soleil brillait. Claudia nous a suivis jusqu'à la porte du jardin d'où elle a continué à nous observer.

Simon a couru droit vers les balançoires.

– Ohé ! criait-il en passant à toute vitesse. Ohé, Mallory !

– Salut, Superman !

Je promenais Lucy Jane dans le jardin. Elle babillait, essayait d'attraper les insectes qui voletaient, ou restait tranquillement à regarder le ciel d'un bleu profond.

Cela n'allait pas trop mal. En fait, il n'y avait aucun problème.

À peine cette pensée m'avait-elle effleurée que j'ai entendu la sonnerie du téléphone.

– Je vais répondre ! a crié Claudia. Laisse, Mallory. (J'avais presque oublié sa présence.)

J'ai entendu ses pas résonner dans la cuisine. Puis elle a hurlé par la fenêtre :

– Mallory ! Hé, Mal ! Je suis vraiment désolée, mais je dois rentrer chez moi quelques minutes. Mimi a un problème. Je reviens dès que possible !

Mimi, la grand-mère de Claudia, a eu une attaque l'été dernier et a perdu l'usage de sa main droite. Elle a du mal à parler. J'espérais qu'il n'y avait rien de grave.

– D'accord ! Ne t'en fais pas. Nous ne bougerons pas d'ici. Tout ira bien !

C'est ce que je pensais. Mais les événements allaient un peu se précipiter. Tout d'abord, Myriam et Gabbie Perkins sont arrivées. Mais ça, c'était plutôt bien.

Les fillettes ont frappé au portail.

– Simon ? Tu es là ? Salut ! C'est Gabbie et moi, Myriam !

– Mallory ! a crié Simon perché sur sa balançoire. Mes amies sont là. Je peux les laisser entrer ?

– Bien sûr, ai-je répondu, bien que ni Mme Newton ni Claudia n'aient laissé de consignes à ce sujet.

Simon a ouvert la barrière. Myriam portait un T-shirt qui disait : « Je suis la sœur aînée ». Sur celui de Gabbie, on pouvait lire : « Je suis la sœur du milieu. »

– Tu aimes nos T-shirts ? a demandé Myriam. Laura Beth en a un qui dit : « Je suis la petite sœur. »

– C'est trop mignon, a ajouté Gabbie.

– Comment va votre petite sœur ? Vous êtes contentes qu'elle soit rentrée à la maison ?

– Absolument, a répondu Myriam, comme l'aurait fait un adulte.

– Oui, absolument, a répété Gabbie. Parfois maman nous laisse la porter.

– C'est fantastique ! me suis-je exclamée.

Myriam et Gabbie avaient rejoint Simon sur les balançoires lorsque j'ai entendu un coup de freins dans l'allée. Il était trop tôt pour que ce soit Mme Newton. J'ai couru de l'autre côté, pour jeter un coup d'œil furtif. Un camion était garé devant la maison. Le réparateur de machines à laver ! Je l'avais tout à fait oublié, et je n'avais aucune idée de l'endroit où se trouvait la machine.

Mais je n'ai pas perdu mon sang-froid. J'ai décidé que Simon, Gabbie et Myriam pouvaient très bien rester seuls dans le jardin pendant quelques minutes. J'ai pris Lucy Jane dans les bras pour rejoindre le technicien.

– Bonjour.

– Bonjour, a-t-il répondu, tout en prenant quelques outils dans son camion. Vous avez une machine à laver en panne ? Elle fuit ?

– Oui. Venez.

J'imaginais qu'une machine à laver devait se trouver dans une buanderie ou dans un sous-sol, et je savais que les Newton n'avaient pas de buanderie. J'ai donc conduit l'homme à la cave.

J'avais à peine allumé la lumière dans le sous-sol que le téléphone a sonné. Avec Lucy Jane dans les bras, je me suis précipitée pour répondre. À l'autre bout du fil, une voix me dit qu'elle s'était trompée de numéro. J'ai profité de l'occasion pour jeter un regard par la fenêtre de la cuisine, et Simon a choisi cet instant précis pour tomber de la balançoire.

– Accroche-toi, petite Lucy Jane, nous allons piquer un sprint !

J'ai foncé dans le jardin. Simon pleurait. J'ai déposé avec précaution Lucy Jane sur le gazon.

– Où t'es-tu fait mal ?

– Au genou… ! a gémi Simon, en montrant sa jambe droite.

J'ai retroussé la jambe de son jean.

– Tu sais quoi, Simon ? Pas une seule égratignure. Rien qu'une bosse, je crois. (Son genou n'avait rien.)

Myriam et Gabbie sont venues examiner la blessure. Et ils se sont mis à raconter leurs bobos respectifs. Simon s'est arrêté de pleurer.

Je me suis retournée vers Lucy Jane, assise dans l'herbe, toute souriante.

– Bon travail, a remarqué une voix derrière moi.

J'ai sursauté.

– Désolée ! s'est excusée Claudia. Je ne voulais pas t'effrayer, mais je suis revenue au bon moment. Tu t'es bien débrouillée. Je suppose que tu as indiqué au réparateur où se trouvait la machine à laver ?

– Bien sûr, pas de problème, ai-je fait avec désinvolture, mais en tremblant intérieurement.

Heureusement, elle croyait que tout s'était bien passé.

– Simon… La chute de Simon était un accident, ai-je ajouté très vite. Je veux dire… Il fallait que j'aille à l'intérieur avec le technicien et…

– Ne t'en fais pas, m'a rassuré Claudia. Il est normal

que les enfants tombent parfois. Nous le savons toutes. La meilleure des baby-sitters ne peut empêcher ça.

J'ai poussé un soupir de soulagement.

– Eh bien, a repris Claudia, bien entendu, c'est le club qui doit décider mais je crois qu'il n'y a plus aucun doute, tu vas faire partie du Club des Baby-Sitters.

– Oh, vraiment ? Je veux dire, merci ! Merci beaucoup ! C'est formidable !

– Agueu… agueu, a approuvé Lucy Jane.

Claudia et moi, nous avons éclaté de rire.

J'ai pensé à Jessi. J'étais sûre qu'elle deviendrait, elle aussi, membre du club.

Membre du club. C'était fantastique. Moi, Mallory Pike, j'allais être baby-sitter junior du club ! Et Jessi également.

Nous avions réussi.

LE CLUB DES BABY-SITTERS

Le retour de LUCY

Ce livre est dédié à Courtenay Robertson Martin, une nouvelle fan du Club des baby-sitters.

1

– Lucy ? Tu crois que si les dinosaures vivaient encore, un stégosaure pourrait battre un brontosaure ?

– Quoi ?

Je n'avais pas vraiment écouté la question d'Henry et, du coup, je me suis sentie coupable. Une baby-sitter doit toujours être attentive aux enfants qu'elle garde.

– Est-ce qu'un stégosaure pourrait battre un brontosaure s'ils vivaient encore aujourd'hui ?

Henry attendait patiemment ma réponse. Lui et sa sœur, Grace, étaient en train de faire des dessins sur de grandes feuilles avec des pastels gras. Henry avait déjà dessiné quelque chose qui ressemblait à une grande ville.

Je pressentais que la prochaine chose qu'il allait dessiner serait des dinosaures et que ma réponse allait être déterminante pour la suite de son dessin.

Je lui ai retourné la question :

– Eh bien, est-ce qu'un stégosaure pouvait battre un brontosaure au temps des dinosaures ?

Henry, Grace et moi, nous habitons tout près du musée d'Histoire naturelle de New York, et Henry adore aller voir les dinosaures.

Il a haussé les épaules.

– Je ne sais pas. Je crois que ce n'est pas grave. Je vais faire comme si un steg pouvait battre un bronto.

(Henry est très calé sur les noms de dinosaures. Oh, excusez-moi, les noms de dinos.)

Je devrais peut-être m'arrêter ici et vous présenter Henry, Grace et puis moi aussi. Je m'appelle Lucy MacDouglas et j'ai treize ans. Henry, Grace et moi, nous vivons dans le nord-ouest de New York (l'Upper West Side). En fait, nous habitons dans le même immeuble. Je vis au douzième étage et les Walker au dix-huitième. M. et Mme Walker sont artistes et, j'adore garder leurs enfants.

Comme je vis dans un grand (d'accord, un immense) immeuble où il y a plein de petits – mais pas beaucoup d'ados et personne qui fasse du baby-sitting –, j'ai beaucoup de travail, je m'amuse énormément (surtout avec Henry et Grace) et je gagne plein d'argent !

Depuis que je suis née, j'ai toujours vécu à New York sauf pendant un an. Cette année-là, mes parents et moi (je suis fille unique), nous nous sommes installés dans une petite ville du Connecticut qui s'appelle Stonebrook. Mon père avait été envoyé là-bas par son entreprise. Comme nous pensions que ce changement serait définitif, je mourais d'envie de me faire des amis et le plus vite possible. Et devinez ce qui m'a aidée ? Le baby-sitting ! J'avais entendu parler d'un groupe de filles qui voulaient monter une agence de baby-sitting pour les familles de leur quartier et elles cherchaient un autre membre ! Alors je les ai rejointes et elles sont tout de suite devenues mes amies. Je suis toujours très proche d'elles et surtout de Claudia Koshi. C'est ma meilleure amie dans le Connecticut. (Ma meilleure amie ici à New York, c'est Laine Cummings.) Autrement, il y a Carla Schafer, Mary Anne Cook et Kristy Parker. Ce sont aussi de bonnes copines. Mallory Pike est un peu jeune pour être une amie proche et je ne connais pas bien Jessica Ramsey (Mal et Jessi m'ont remplacée quand papa a été de nouveau muté et que nous sommes retournés à New York), mais je les considère quand même comme des amies.

Donc, après un an dans le Connecticut, nous sommes revenus. Comprenez-moi bien. J'♥ New York, comme disent les autocollants et les T-shirts. Je l'♥ vraiment. J'♥ les magasins, les théâtres, les musées, les jardins et l'animation. J'♥ même les touristes, parce qu'ils participent à cette animation. Mais je n'♥ pas les traumatismes et les problèmes qu'entraînent deux déménagements en l'espace d'un an.

Bref, quand nous sommes revenus à New York, j'avais treize ans, et nous nous sommes installés dans ce gigantesque immeuble avec tous ces enfants, et depuis je fais du baby-sitting. Les choses ne sont pas pareilles sans le Club des Baby-Sitters, même si je me considère comme la branche new-yorkaise du club. Mais ça n'empêche que je n'échangerais contre rien au monde ma vie dans une grande ville.

Je n'échangerais pas non plus mes gardes avec les Walker. J'adore Henry et Grace. Il y a quelque chose de super avec eux, et ce n'est pas le fait qu'ils soient bien élevés. Ce n'est pas non plus parce qu'ils sont créatifs et toujours pleins d'entrain pour faire des activités manuelles. Non, c'est surtout que ce sont des enfants très affectueux. Ils font attention l'un à l'autre, ils prennent la défense de leurs amis et essayent toujours de ne blesser personne.

Il n'était donc pas étonnant qu'Henry n'ait rien dit parce que j'avais la tête ailleurs et que, du coup, je n'avais pas entendu sa question. Et, quand je n'avais pas su y répondre, il avait fait comme si ça n'avait aucune importance.

J'ai regardé le dessin de Grace.

– Ça va ?

Elle était penchée sur sa feuille, très concentrée. Elle s'appliquait et tirait la langue.

– Très bien, a-t-elle répondu en se redressant. T'aimes mon dessin, Lucy ? C'est un éléphant. Et il est dans une baignoire, mais il n'y a pas d'eau dedans. Il fait une sieste. Tu vois ? Et ça, c'est son oreiller.

Henry a pouffé de rire.

– Mets-lui une couverture. Et montre qu'il est en train de rêver d'un bronto.

– Comment on dessine un rêve ? a demandé Grace en tortillant une mèche de cheveux.

– Comme ça.

Henry a fait une « bulle rêve » au-dessus de la tête de l'éléphant.

– Maintenant, dessine un bronto à l'intérieur.

– Oh ! Merci, Henry.

J'ai souri. Quels enfants géniaux ! En fait, toute la famille Walker est géniale. M. Walker est peintre et sa femme illustre des livres pour enfants. Ils sont tous les deux très connus. Si je gardais Henry et Grace ce mercredi après-midi-là, c'était parce que leur père allait bientôt exposer certaines de ses œuvres et qu'il était à la galerie pour superviser l'accrochage de ses peintures avec sa femme. Il y a autre chose que vous devez savoir sur les Walker : ils sont noirs. Il n'y a pas beaucoup de familles noires dans notre immeuble. Mais ça ne fait aucune différence. Pareil quand je suis avec Jessica Ramsey, un des nouveaux membres du Club des Baby-Sitters. Je ne la considère pas comme une personne noire mais comme une baby-sitter de onze ans qui est la meilleure amie de Mallory. Je n'ai jamais compris toutes ces histoires sur les Noirs ou les Blancs, les juifs ou les chrétiens, les Irlandais ou les Polonais ou les Chinois ou les Mexicains ou les Italiens ou qui que ce soit d'autre.

En tout cas, j'avais du mal à me concentrer ce jour-là. Heureusement qu'Henry et Grace sont faciles à garder. Quand Henry m'avait posé sa question sur les dinosaures, j'étais perdue dans mes pensées : j'étais en train de penser à mes parents.

Ils ne s'entendent pas très bien depuis quelque temps. C'est comme quand Laine Cummings et moi étions en CM2. Nous nous disions meilleures amies, mais nous passions notre temps à nous disputer. On commençait, en général, par se tourner le dos et l'une de nous disait :

– Je ne te parle pas.

L'autre répondait :

– Je m'en fiche.

– Bien.

– Bien.

– Voilà.

– Voilà.

Ensuite, nous passions deux jours à prétendre que les autres filles étaient nos nouvelles meilleures amies. Mais, au bout d'un moment, on en avait toujours assez et on réalisait que nous étions en fait les meilleures amies du monde. On commençait à se jeter des regards furtifs en classe. Puis une de nous souriait à l'autre, en général celle qui avait dit : « Je ne te parle pas. » Après ça, à la première occasion – dans le vestiaire des filles, à la cantine ou autre part – on s'excusait et on se réconciliait. Souvent, je trouvais que les disputes valaient la peine parce que c'était super de se réconcilier. Étant donné le nombre de disputes qu'ont eues mes parents ces derniers temps, j'espère qu'ils partagent mon opinion sur les réconciliations.

Je n'aime pas les entendre se quereller, ça me donne des frissons. Pas parce que j'ai peur qu'ils se battent ou quelque chose dans ce genre, mais parce que je ne sais jamais ce qui va sortir de leurs bouches. Ils se blessent avec des mots plutôt qu'avec leurs poings, ce qui fait presque aussi mal. On ne peut pas revenir sur un coup de poing ni sur une insulte. On peut s'excuser, mais ce qui est fait est fait, ce qui est dit est dit, et certaines choses sont difficiles à oublier.

Comme la fois où mon père a traité ma mère de « panier percé égoïste ». Je les ai détestés tous les deux à ce moment-là. J'ai détesté ma mère pour ce qu'elle avait fait pour pousser mon père à la traiter de panier percé égoïste, et j'ai détesté mon père de lui avoir dit ça, que ce soit vrai ou non.

J'avais été très perturbée.

– Bonjour ! On est rentrés !

Henry et Grace ont bondi de leur petite table.

– Mamanmamanmamanmamanmaman ! a crié Grace.

Avec son frère, ils ont pris leurs dessins et se sont précipités dans le salon.

Quelle pagaille ! On aurait dit que M. et Mme Walker étaient partis depuis deux mois. Mais c'était vraiment génial de voir deux parents souriants et heureux, accueillis de cette façon par leurs enfants.

– Tout s'est bien passé ? a demandé leur père.

(Grace s'était enroulée autour de sa jambe gauche.)

– Oh ! très bien, comme d'habitude, ai-je répondu en souriant. Nous avons un tas de chefs-d'œuvre à vous montrer.

– Papa, on pourra accrocher mon combat de dinos à ton exposition ?

– On verra.

Mme Walker m'a payée, puis Henry et Grace m'ont embrassée chacun deux fois avant de me laisser partir. Quand la porte s'est refermée derrière moi, j'ai pris l'ascenseur jusqu'au douzième étage.

Avant même d'être arrivée chez moi, j'ai entendu des éclats de voix.

Maman et papa se disputaient encore.

Doucement, je me suis avancée vers l'appartement 12E.

– Regarde cette facture ! hurlait mon père (et je dis bien

hurlait). Quatre cent quatre-vingt-dix dollars de bijoux chez Altman's ! Tu crois que j'imprime des billets ?

– Ce n'est pas le cas ? a répliqué ma mère, sarcastiquement. Tu vis pratiquement à ton bureau. Je suis étonnée que Lucy te reconnaisse encore.

J'ai regardé ma montre. Dix-sept heures trente. Que faisait mon père à la maison ? Normalement, il ne rentre jamais avant dix-neuf heures trente ou vingt heures. Avec maman, nous dînons la plupart du temps sans lui.

J'ai posé ma main sur la poignée, fouillant mes poches à la recherche de mes clés. J'étais sur le point d'entrer, quand finalement j'ai fait marche arrière. Je n'avais pas envie de rentrer en plein milieu d'une dispute. Je l'avais fait une fois et mes parents avaient immédiatement commencé à s'en prendre à moi. Vous voyez, comme je suis diabétique, je dois suivre un régime allégé en sucre très strict, me faire des piqûres d'insuline tous les jours, et aller souvent chez le médecin. Si je ne fais pas tout ça, je peux tomber gravement malade. Du coup, maman et papa me font la morale si je vais à une fête pour que je ne fasse pas d'écart (bien sûr, j'en fais), ou si je leur demande la permission pour aller en colo (ils m'ont finalement laissée y aller). Enfin pour ce genre de choses.

Tout à coup, plus un bruit n'est monté de l'appartement, je me suis donc dit que je pouvais entrer en toute tranquillité. J'allais mettre la clé dans la serrure au moment où mon père s'est remis à hurler :

– Cinq cent soixante-huit dollars chez Tiffany's. Mais qu'est-ce que tu as bien pu acheter ?

2

Je suis restée là, pétrifiée. Je ne pouvais plus bouger. Une partie de moi se demandait ce que ma mère avait acheté et l'autre attendait d'entendre ce qu'elle allait répondre à papa. Souvent, elle se mettait à pleurer.

Pas cette fois-ci. Elle a craché sa réponse comme si les mots avaient un goût amer :

– Des bijoux. Peut-être que si tu étais plus souvent à la maison, je ne m'ennuierais pas autant. Et, quand je m'ennuie, j'achète… de temps en temps.

– De temps en temps ? Tu veux dire tout le temps. Et, si tu t'embêtes tant que ça, trouve-toi un travail ! a hurlé papa. Fais quelque chose d'utile de ta vie plutôt que de remplir les caisses de tous les magasins de la ville. Passe plus de temps avec ta fille.

– Lucy n'a plus autant besoin de moi qu'avant, a répliqué maman au bord des larmes.

– Elle n'a plus besoin de toi ? Mais elle est diabétique !

– Exactement. Elle est diabétique, pas invalide. Et elle a treize ans. Elle grandit. Et ce serait bien pour elle de voir son père. Même occasionnellement, histoire qu'elle n'oublie pas à quoi il ressemble. J'espère qu'elle va… plus tard.

Qu'est-ce que maman avait dit ? J'avais manqué quelque chose. Elle était redevenue sarcastique et n'était plus au bord des larmes. Il devenait clair que je ne pouvais pas rentrer chez moi en plein milieu de cette dispute dont j'étais devenue le sujet.

– Tu sais ce que tu es ? a continué ma mère.

Elle criait autant que papa. Tous les voisins devaient en profiter.

– Tu es un drogué de travail !

– Je suis bien obligé pour payer toutes tes factures, a rétorqué papa. En plus, tu m'en demandes trop. Tu voudrais… en six endroits différents en même temps. (J'avais encore manqué des mots.) Au bureau, avec toi, avec Lucy, avec nos amis. Tu es trop exigeante. Tu es une véritable enfant gâtée. Et maintenant, tu voudrais que nous quittions la ville. Eh bien ! bientôt, nous n'aurons plus à nous inquiéter pour ça.

Pourquoi ? Je me le demandais bien.

– Je dis juste que Lucy était en meilleure santé quand nous habitions dans le Connecticut.

– Alors, tu n'as qu'à déménager ! Mais je ne vais pas m'embêter à faire le trajet tous les jours. Et que deviendrais-tu sans Tiffany's ?

– Je trouverais une autre bijouterie. Je dois…

Zut ! Qu'est-ce que j'avais encore loupé ? J'ai collé l'oreille à la porte.

– Bien, a dit mon père. Lucy et moi sommes parfaitement heureux.

Je tremblais. J'avais déjà entendu mes parents se disputer mais jamais comme ça. Ils s'étaient disputés pour des notes de restaurant, ou parce que papa rentrait trop tard, mais jamais à ce point-là. Cette fois, ça semblait pire que d'habitude. J'étais morte de peur. Maman voulait quitter la ville ? Papa pensait que maman était paresseuse et exigeante et qu'elle dépensait son argent à tort et à travers ? Je croyais pourtant que c'était leur argent.

Doucement, j'ai retiré mes clés de la serrure pour les remettre dans ma poche. Puis je me suis éloignée à pas de loup (comme si mes parents avaient une chance de m'entendre par-dessus leurs hurlements !). Une fois devant l'appartement 12C, je me suis ruée sur l'ascenseur. J'ai appuyé comme une folle sur le bouton. Quelques secondes après, il est arrivé avec fracas. Les portes se sont ouvertes puis refermées derrière moi.

Zoom !

Notre ascenseur ne marche jamais normalement. Il fait du bruit, siffle et vous soulève le cœur chaque fois qu'il s'arrête. Les portes se sont ouvertes dans le hall. Ignorant Lloyd et Isaac au bureau d'accueil, et même James le portier, j'ai foncé droit devant. J'ai couru jusqu'à chez mon amie Laine Cummings, un peu plus loin sur l'avenue. Quand je suis arrivée, j'étais en larmes.

Laine habite dans un des immeubles les plus fantastiques de tout New York, le Dakota. Beaucoup de gens connus ont vécu ici, et y vivent encore, et je crois que le film *Rosemary's Baby* de Roman Polanski y a été tourné. M. Cummings est un grand producteur de pièces de théâtre et ils ont beaucoup d'argent.

Bien sûr, avec autant d'habitants riches et célèbres, l'immeuble est bien protégé. Mais les gardiens me connaissent, puisque Laine et moi sommes amies depuis des années, et je n'ai jamais de problèmes pour entrer dans l'immeuble. Même ce jour-là avec mes joues rouges, ruisselantes de larmes, et mes cheveux en bataille.

Laine m'a ouvert, un peu étonnée, puis m'a fait entrer. Nous sommes passées dans le salon puis dans un couloir avant d'atteindre sa chambre.

Elle a fermé la porte derrière nous.

– Mais qu'est-ce qui se passe ? Tu n'es pas retombée malade, j'espère ? s'est-elle inquiétée.

J'ai secoué la tête, en essayant de me calmer. Je savais que, si je me mettais à parler, ma voix tremblerait, alors j'ai respiré profondément avant de réussir à dire :

– Quand je suis arrivée à la maison après mon baby-sitting, papa et maman étaient en train de se disputer.

– Ton père était déjà là ?

J'ai acquiescé.

– Je ne sais pas à quelle heure il est rentré. Je ne suis même pas entrée dans l'appartement. Je suis juste restée devant la porte et j'ai écouté. Je pouvais quasiment entendre chaque mot. J'ai cru qu'ils allaient se battre.

À nouveau, j'ai éclaté en sanglots. Laine, qui s'était agenouillée par terre, s'est levée pour passer un bras autour de mes épaules.

– À propos de quoi ils se disputaient ?

– Bah, ai-je fait en m'essuyant les yeux. À propos de tout. Tout : l'argent, New York, moi.

– Toi ?

J'ai hoché la tête.

– Je pense que je ne suis qu'un prétexte. Papa dit que maman devrait passer moins de temps à faire des courses et plus de temps avec moi. Mais, moi, je ne me sens pas du tout délaissée. Et maman dit qu'elle veut déménager hors de la ville parce que ce serait mieux pour ma santé, mais moi je n'ai aucune envie de partir.

– Déménager, pour aller où ?

– Je ne sais pas. Je suppose pour aller à Long Island ou un autre endroit à côté.

– Oh !

J'ai regardé Laine. Depuis le temps que nous nous connaissons, nous sommes passées par de bons moments et d'autres moins bons. Nous adorons toutes les deux la mode mais, de nous deux, je dois dire que Laine est la plus chic. Peut-être à cause du style de vie qu'elle mène : elle se déplace en limousine et va aux premières des pièces de Broadway. Et elle est toujours super bien habillée. Ce jour-là, elle portait un pantalon noir en stretch sous une tunique en soie bleue. Des pierres bleues et vertes en forme de larmes pendaient à ses oreilles, et elle avait à peu près vingt joncs en argent autour d'un poignet.

Malgré tout ça, elle semblait très jeune et innocente. Quelque chose dans ses yeux marrons me rappelait la petite Grace quand elle avait peur.

Laine s'est éclairci la voix.

– Hum, il ne m'est jamais rien arrivé de pareil. Papa et maman n'ont jamais eu de grosse dispute. Ils se querellent quelquefois, mais la plupart du temps ils s'entendent vraiment bien. Ils passent du temps ensemble dès qu'ils peuvent et, parfois, je les surprends en train d'échanger ces regards très tendres qui me montrent qu'ils s'aiment toujours. Exactement comme quand ils étaient jeunes mariés.

– Tu sais quoi ? ai-je soupiré. Je ne suis pas sûre que mes parents soient toujours amoureux. Je veux dire…

– Mais si, ils doivent l'être ! m'a coupée Laine. Ils traversent juste une mauvaise passe, comme dirait ma tante. Tu verras. Tout ira mieux très bientôt.

– Ouais. Bien sûr. Tu as raison. C'est juste une dispute un peu plus violente que d'habitude.

– Tu sais pourquoi elle a commencé ?

– Je n'en suis pas sûre. Mais, quand je suis arrivée devant notre porte, papa était en train de hurler à cause des factures de bijoux que maman avait achetés. Et, crois-moi, ce n'étaient pas des bijoux fantaisie. C'étaient vraiment de belles pièces. Papa a raison : maman dépense trop d'argent pour des choses dont nous n'avons pas besoin. Et maman a raison aussi. Elle s'embête. Papa lui manque. Il est vraiment devenu un drogué de travail. Tu sais, je serais moins angoissée s'ils s'étaient jeté des insultes débiles ou fait des reproches non fondés.

Laine jouait avec une de ses boucles d'oreilles. Elle n'arrêtait pas de la retirer de son oreille et de la remettre après.

– Je ne sais pas quoi te dire, m'a-t-elle avoué.

J'ai hoqueté :

– C'est pas grave.

Nous sommes restées assises toutes les deux pendant un bon moment sans rien dire. J'ai regardé ma montre. Il était dix-huit heures dix. Maman et papa ne devaient probablement pas encore s'inquiéter. Comme les Walker ne savaient pas combien de temps ils resteraient à la galerie, j'avais dit, ce matin-là au petit déjeuner, que je rentrerais vers dix-huit heures. Maman et moi savons que cela veut dire entre dix-sept heures trente et dix-huit heures trente.

J'ai soupiré :

– Laine ?

– Oui ?

– J'ai peur. J'ai vraiment peur.

– Peut-être que tu devrais téléphoner à Claudia.

– Ses parents ne se disputent jamais violemment.

– Mais tu te sentirais peut-être mieux si tu parlais à… à ton autre meilleure amie.

J'ai essayé de sourire.

– Peut-être. Le Club des Baby-Sitters est justement en train de tenir une réunion en ce moment. Je pourrais parler à Carla et à Mary Anne et à tout le monde !

Avant même que Laine ne me tende le téléphone, je me sentais déjà mieux.

3

Avant de vous raconter mon coup de téléphone avec Claudia, je devrais peut-être vous en dire un peu plus sur le club et les filles qui en font partie.

Et, je crois que le meilleur moyen est de commencer par Kristy Parker. Parce qu'elle en est la présidente et la fondatrice. Vous voyez, Kristy a trois frères. Deux d'entre eux sont plus âgés (ils vont au lycée), et le dernier est plus jeune. L'année dernière, quand David Michael (le plus petit) avait six ans, je venais d'emménager à Stonebrook. Kristy et moi, nous avions douze ans et nous entrions en cinquième. À cette époque, les trois aînés Parker devaient s'occuper de David Michael la plupart des après-midi. Mais, un jour, aucun d'eux n'était libre pour le garder et leur mère a dû passer des tonnes de coups de téléphone pour trouver une baby-sitter. C'est en voyant ça que Kristy a eu l'une de ses fameuses idées. « Quelle perte de temps, a-t-elle pensé, que ma mère doive passer autant de coups de fil. Cela serait plus efficace si les parents pouvaient joindre toute une équipe de baby-sitters en un seul appel. » Alors Kristy a réuni ses meilleures amies – Mary Anne Cook et Claudia Koshi (Kristy habitait à côté de chez elles à l'époque : à côté de chez Mary Anne et en face de chez Claudia) – et elles ont décidé de former le Club des Baby-Sitters. Une des toutes premières choses sur lesquelles elles sont tombées d'accord, c'est qu'il leur fallait au moins un autre membre. Et Claudia a pensé à moi. On venait juste de faire connaissance au collège, et j'avais déjà fait du baby-sitting à New York. Les filles m'ont acceptée dans le club et, après des élections très amicales, Kristy est devenue la présidente du club (ce n'était que justice), Claudia la vice-présidente, Mary Anne la secrétaire et moi la trésorière.

Nous avons décidé de nous réunir trois fois par semaine de dix-sept heures trente à dix-huit heures. Les parents pourraient nous téléphoner à ces moments-là pour retenir une baby-sitter. Comment ont-ils su où nous joindre ? Grâce à « Kristy le génie » qui a organisé une campagne de publicité. Avant même notre première réunion, les gens avaient déjà entendu parler de nous. Et nous avons tout de suite eu des appels.

Je pense qu'une des raisons du succès du club, c'est la façon professionnelle dont il marche, et Kristy insiste beaucoup là-dessus. Les membres du club tiennent un agenda et un journal de bord. L'agenda est l'endroit où les informations importantes sont notées et où Mary Anne, la secrétaire, programme les baby-sittings.

Le journal de bord ressemble plus à un journal intime. Chaque membre doit y décrire ses baby-sittings. Et, une fois par semaine, chacun doit lire les expériences que les autres ont eues. Presque personne n'aime écrire dans le journal, mais nous sommes toutes d'accord sur le fait que ça nous aide vraiment de savoir ce qui se passe avec les enfants que nous gardons.

Maintenant, laissez-moi vous en dire plus sur les filles du club, et comment le club est passé de quatre à sept membres (si vous me comptez parmi eux). Je vais commencer à nouveau par Kristy. Eh bien ! Kristy et moi, nous sommes différentes l'une de l'autre. S'il n'y avait pas eu le club, je parie qu'on ne serait jamais devenues amies. C'est un véritable garçon manqué. Elle adore le sport, se fiche des vêtements, elle est assez musclée, maigre, et c'est la plus petite de sa classe. Elle est aussi, comme je l'ai dit, pleine de bonnes idées, et elle fait généralement en sorte de les mener à bien. Kristy a la langue bien pendue, mais elle est aussi drôle, fidèle en amitié et excellente baby-sitter. Elle est géniale avec les enfants.

La vie de famille de Kristy n'a pas toujours été facile. Son père les a quittés quand elle était toute petite, et sa mère a dû travailler dur pour garder ses enfants avec elle. Mais elle a réussi. Et ensuite, à peu près au moment de la fondation du club, Mme Parker a rencontré Jim Lelland, un millionnaire divorcé, et elle est tombée amoureuse de lui. Jim a deux adorables enfants, Andrew et Karen, qui vivent avec leur mère la plupart du temps et qui ont trois ans et cinq ans. Au début, Kristy ne voulait rien avoir à faire avec eux ni avec Jim. Elle voulait que sa vie reste telle qu'elle était. L'été dernier, pendant les vacances, Jim et la mère de Kristy se sont mariés et les Parker se sont installés dans l'hôtel particulier des Lelland, à l'autre bout de la ville. Et récemment, les Lelland ont adopté une petite fille, du coup les week-ends où Karen et Andrew viennent chez leur père, la maison est pleine. De toute façon, Kristy fait face à tout.

Claudia Koshi, ma meilleure amie du Connecticut, est la vice-présidente du club. Comme elle a un téléphone avec sa propre ligne dans sa chambre, c'est un très bon endroit pour tenir nos réunions. Claudia et moi, nous avons beaucoup de points communs et c'est sans doute pour cela que nous sommes devenues amies. Le premier, c'est que nous sommes toutes les deux assez chics, presque autant que Laine. (J'espère que cela ne paraît pas trop prétentieux. C'est juste la vérité.) Et aussi parce que nous aimons la mode, les vêtements, et porter des tenues extravagantes. Je pense que Claudia est une des personnes les plus jolies que j'aie jamais vues. Elle est américano-japonaise, elle a de longs cheveux noirs soyeux, des yeux noirs en amande et une peau à mourir. Je ne sais pas comment elle fait pour avoir une si jolie peau avec toutes les cochonneries qu'elle ingurgite. Elle a de la chance. Parce qu'avec toutes ces choses qu'elle cache dans sa chambre et qu'elle n'est pas supposée manger (bonbons, chips, gâteaux, etc.), elle devrait avoir des boutons et des kilos en trop. Ses parents désapprouvent le penchant de Claudia pour tout ça mais, pour moi, ça fait tout simplement partie de son caractère.

Les autres choses que vous devez savoir sur elle, c'est

qu'elle peint et dessine très bien, qu'elle aime les romans d'Agatha Christie et qu'elle est très mauvaise élève. C'est vraiment dommage car elle est intelligente et, si elle ne réussit pas, c'est tout simplement parce qu'elle ne s'applique pas assez. En plus, sa grande sœur, Jane, est surdouée. Elle est tellement intelligente qu'elle est déjà à l'université. Bien que Claudia aime ses parents et sa sœur, elle a vécu un moment très dur, dernièrement. Sa grand-mère, Mimi, est morte il n'y a pas longtemps. Claudia et Mimi étaient extrêmement proches. Pour elle, perdre Mimi était comme perdre son père ou sa mère. Mais elle a assez bien réussi à surmonter cette épreuve.

La secrétaire du club, c'est Mary Anne Cook. Mary Anne ressemble plus à Kristy qu'à Claudia ou à moi, quoiqu'elle ne soit pas exactement comme les autres membres du club. Elle ressemble à Kristy physiquement : cheveux châtains, yeux marrons, petite. Et, pendant longtemps, elle se fichait pas mal de la façon dont elle s'habillait. Non, attendez, ce n'est pas exact. Elle s'habillait comme une petite fille modèle, mais c'était à cause de son père, ce n'était pas parce qu'elle s'en fichait. Vous voyez, M. Cook a élevé sa fille tout seul, car sa femme est morte quand Mary Anne était toute petite. Et, pendant très longtemps, il a pensé que le meilleur moyen pour élever tout seul une fille, c'était d'être très strict. Il avait mis au point tout un tas de règles pour Mary Anne : elle devait porter des nattes, elle ne pouvait pas passer ou recevoir des appels après le dîner à moins que ce soit pour les devoirs. Récemment, cependant, M. Cook a assoupli ces règles, et Mary Anne peut s'habiller et se coiffer comme elle le veut.

Bizarrement, c'est la seule du club à avoir un petit ami régulier. Il s'appelle Logan Rinaldi et c'est une des personnes les plus gentilles que je connaisse. Il est membre intérimaire du club. Ça veut dire qu'il n'assiste pas aux réunions, mais on peut l'appeler pour un baby-sitting si aucune de nous n'est libre. Cela arrive de temps en temps. (Il y a un autre membre intérimaire. C'est une amie de Kristy qui s'appelle Louisa Kilbourne.)

Mary Anne et son père habitent en face de chez Claudia avec leur petit chat, Tigrou. Et je dois ajouter que, malgré ses problèmes, Mary Anne est la personne la plus sincère et la plus compatissante que je connaisse, et qu'elle sait aussi écouter les autres. Elle est aussi très émotive et très romantique. C'est la meilleure amie de Kristy et de Carla Schafer.

Quand Carla a-t-elle rejoint le club ? Bonne question. Ça s'est passé peu après son arrivée à Stonebrook, à une époque où le club était en expansion et avait besoin d'un cinquième membre. Carla arrivait de Californie avec sa mère et son frère David, parce que leurs parents venaient de divorcer et que sa mère avait grandi ici et que ses grands-parents vivaient toujours là. Le déménagement a été difficile pour Carla, mais ça a été encore plus pénible pour David. Il ne s'est jamais acclimaté et il est finalement reparti en Californie vivre avec son père. La famille de Carla est donc divisée en deux.

Carla semble s'être adaptée. Elle peut paraître fragile avec ses longs cheveux blonds presque blancs et ses yeux bleus très pâles, mais elle est forte. Et elle est très individualiste. Elle s'habille comme elle aime (je pense qu'elle a un style très californien), mange uniquement des produits sains (aucune cochonnerie et pas de viande) et se fiche de ce que les autres pensent d'elle. Il y a deux choses intéressantes à propos de Carla : premièrement, elle habite dans une très vieille maison avec un passage secret et qui est peut-être hanté ; et deuxièmement, sa mère et le père de Mary Anne sont sortis ensemble plusieurs fois !

Carla a rejoint le club en tant que membre suppléant, ce qui voulait dire qu'elle prenait la place de n'importe laquelle d'entre nous qui ne pouvait pas venir à une réunion. Mais, quand je suis retournée à New York, elle est devenue trésorière.

Comme le club avait pris de l'importance, Kristy a décidé qu'il fallait me remplacer. Et j'ai finalement été remplacée par deux personnes : Mallory Pike et Jessica Ramsey. Mal et Jessi ont deux ans de moins que les autres. Elles sont en sixième et n'ont pas le droit de faire du baby-sitting le soir, sauf pour leurs propres frères et sœurs. Mais, comme ce sont de bonnes baby-sitters, Kristy a pensé que, si elles prenaient la plupart des gardes de l'après-midi, les autres seraient libres pour celles du soir. Et, autant que je le sache, les membres juniors travaillent très bien.

Le club faisait déjà des gardes pour la famille de Mallory. Croyez-le ou non, mais elle a sept frères et sœurs, et trois des garçons sont des triplés ! Mallory garde toujours son sang-froid et sait rester calme en cas d'urgence. Je suppose qu'elle a appris cela en tant qu'aînée de huit enfants.

Elle est vraiment super. Elle adore lire, écrire, dessiner et voudrait devenir auteur ou illustrateur de livres pour enfants. Elle a pourtant un gros problème. Elle trouve que ses parents la traitent comme un bébé. Peut-être que c'est vrai. Moi, je crois qu'elle est simplement à l'âge difficile, où on se sent plus grande que ses parents ne veulent bien l'admettre. Mallory a vraiment dû faire des pieds et des mains pour convaincre les siens de la laisser se faire percer les oreilles et couper les cheveux. Mais ils n'ont pas cédé quand Mal leur a demandé des lentilles de contact. En plus, maintenant, elle a un appareil dentaire. J'espère qu'elle ne se sent pas trop mal, mais, comme elle l'a dit une fois, avoir onze ans est une véritable épreuve. Mallory s'en tire tant bien que mal.

Une chose qui l'a beaucoup aidée, c'est d'avoir une merveilleuse meilleure amie. Devinez qui c'est ? Jessica Ramsey. Mal et Jessi se sont connues au moment où elles avaient toutes les deux besoin d'une meilleure amie. Mallory était en train de traverser une période difficile en essayant de grandir, et Jessica et sa famille venaient de s'installer à Stonebrook (dans mon ancienne maison !). Ils arrivaient d'une petite ville du New Jersey. L'entreprise de M. Ramsey l'avait muté à Stamford, dans le Connecticut. Et Jessica a eu du mal à s'adapter. Sa famille est noire, ils étaient très bien intégrés dans leur quartier du New Jersey et aussi dans l'école où Jessica et sa petite sœur Becca allaient. Mais, à Stonebrook, il y a seulement quelques enfants noirs à l'école primaire, et pas un seul, excepté Jessi, en sixième. Je dois dire que les habitants de Stonebrook n'ont pas accepté tout de suite les Ramsey.

Ils ne se sont pas donné la peine de les connaître car ils se sont arrêtés à leur couleur de peau. Maintenant, ça va mieux mais, au début, s'ils avaient eu moins de préjugés, ils auraient découvert Becca (huit ans), qui est très timide mais une amie fidèle et une bonne élève. Ils auraient découvert P'tit Bout, le bébé de la famille, qui est adorable. Son vrai prénom, c'est John Philip Ramsey Jr. Mais, quand il est né, il était tellement minuscule que les infirmières lui ont donné ce surnom. (Il a rattrapé les enfants de son âge maintenant.) Et ils auraient découvert Jessi. Jessi adore les enfants, les chevaux et la danse. C'est une baby-sitter géniale. Mallory et elle passent leur temps à lire des histoires de chevaux. Jessi prend des cours de danse depuis toute petite. Quand sa famille a emménagé, elle a été acceptée dans cette très bonne école de Stamford où elle se rend deux fois par semaine. Elle travaille dur et elle est même déjà montée sur scène devant un grand public.

Donc, voilà les personnes que j'étais sur le point d'appeler quand j'ai pris le téléphone dans la chambre de Laine : Claudia, Kristy, Mary Anne, Carla, Mallory et Jessica. Certaines sont plus proches de moi que les autres, mais elles sont toutes mes amies.

Le téléphone a sonné deux fois.

Une voix familière m'a répondu :

– Allô, Claudia ?

4

Mercredi

Aujourd'hui, j'étais surexcitée parce que Lucy a téléphoné ! Je sais que ce n'est pas une expérience de baby-sitting, Kristy, mais ça concerne le club, c'est pour ça que je le raconte. En tout cas, on aurait dit que la branche new-yorkaise du club avait quelques soucis à la maison. Alors on a essayé de l'aider.
Je suis sûre que les choses vont rentrer dans l'ordre.

Du moins, je l'espère...

J'étais un peu nerveuse d'appeler en plein milieu d'une réunion du Club des Baby-Sitters. Kristy tient à ce que les réunions restent strictement professionnelles – vu qu'elles ne durent qu'une demi-heure – et elle n'aime pas occuper la ligne pour autre chose que pour du travail.

Mais personne n'a semblé trouver mon coup de téléphone déplacé (et surtout pas Claudia).

– Lucy ! s'est-elle exclamée.

– Ouais, c'est moi.

Tout de suite, ses antennes émotives se sont déployées. Celles de Mary Anne sont toujours sorties (c'est pour ça qu'elle est si sensible), mais celles de Claudia se mettent en marche aussitôt qu'une personne à qui elle tient traverse un moment difficile.

– Qu'est-ce qui ne va pas ? Quelque chose ne va pas, pas vrai ?

– Oui. Tu peux parler une minute ? Je sais que j'appelle pendant une réunion, mais…

– Attends une seconde.

J'ai entendu de drôles de bruits. D'abord un bruit sourd, ça devait probablement être Claudia qui posait sa main sur le combiné, puis des murmures, ça devait être Claudia et Kristy en train de discuter sur le fait de recevoir un appel personnel pendant une réunion. Claudia a rapidement obtenu gain de cause.

– C'est bon, Lucy, vas-y. Qu'est-ce qui se passe ?

– Eh bien, ai-je commencé, ce sont mes parents.

C'était difficile de parler au téléphone. J'aurais aimé que mes amies soient à côté de moi.

– Tes parents ? L'un d'eux est malade ?

– Oh ! non. Pas du tout.

Je savais que Claudia pensait à Mimi, à l'hôpital et à l'enterrement.

– C'est juste qu'ils se disputent trop et c'est de pire en pire. Aujourd'hui, quand je suis arrivée devant la porte de chez moi, j'ai entendu que papa était déjà là. Je suis restée dans le couloir et je les ai écoutés s'insulter. Ils disaient des choses horribles, Claudia.

– Quel genre de choses ?

Je lui ai raconté l'histoire des bijoux et que maman avait traité papa de drogué du travail et tout ce dont je me souvenais.

– Ça alors ! On dirait que c'est sérieux, a-t-elle fait une fois que j'ai eu fini.

– Je sais.

J'ai senti les larmes couler à nouveau sur mes joues, mais je ne voulais pas pleurer au téléphone, alors je me suis calmée.

– Je ne sais pas quoi te dire. Mes parents ne se sont jamais disputés comme ça. Ils essayent toujours de discuter. Tu sais quoi ? Peut-être que tu devrais en parler à Carla. Ses parents se sont beaucoup disputés avant qu'elle parte de Californie.

Claudia s'est interrompue.

– Quoi ? a-t-elle demandé à quelqu'un derrière elle.

Puis :

– Oh !

Elle a repris le téléphone.

– Kristy dit que, quand son vrai père est parti, lui et sa mère se disputaient beaucoup, mais elle était toute petite et ne s'en souvient presque pas. Bon, je te passe Carla.

Il y a eu quelques ronchonnements et je m'imaginais très bien Kristy montrant l'heure à Claudia et tapant sur le bras de son fauteuil de présidente. Mais, après quelques secondes, Carla a pris le téléphone.

– Salut, Lucy ! Je suis vraiment désolée que tu aies des problèmes.

– Merci, mais ce sont mes parents, pas moi.

– S'ils te rendent malheureuse, c'est ton problème aussi. Crois-moi, je m'y connais. Alors, qu'est-ce qui ne va pas ?

– Rien ne va, ai-je soupiré amèrement.

Je voulais tout raconter à Carla mais, soudain, je n'ai pas pu. Cette image que je me faisais de Kristy s'impatientant me bloquait. En plus, je trouvais ça bizarre de raconter les problèmes de mes parents à Carla. En fait, ça me faisait bizarre de savoir que tout le club était au courant de mes problèmes. J'aurais aimé qu'elles me soutiennent, et en même temps je n'avais pas envie de repenser à tout ça. Ce n'était peut-être pas une bonne idée de téléphoner pendant une réunion, après tout.

J'ai toussoté.

– Hum, maman et papa se disputent tout le temps. Sur tout.

– L'argent et le reste ?

– Ouais.

– Leur vie de couple ?

– Ouais.

– Toi ?

– Ouais.

– Oh ! c'est mauvais signe…

D'accord, j'en avais assez entendu. J'ai immédiatement changé de sujet.

– Et comment va David ?

– David ? Mon frère ?

– De qui d'autre veux-tu que je parle ?

Nous avons ri. Sans doute que la conversation avait été un peu trop grave pour nous deux.

– Il va bien. Maman et papa nous laissent nous téléphoner quand on veut, mais c'est dur à cause du décalage horaire. Je ne peux pas appeler trop tôt le matin parce qu'en Californie, il est vraiment très tôt, et David ne peut pas téléphoner après huit heures parce qu'il est plus de onze heures ici. Enfin, il est avec papa et il est super content… Quoi ?

(Une autre conversation avec quelqu'un de la réunion.)

– Lucy ? Mary Anne voudrait te dire bonjour, d'accord ?

– Bien sûr.

Je me suis retournée vers Laine pour lui dire :

– Je te rembourserai le coup de téléphone. Promis.

Elle m'a souri.

– Ne t'inquiète pas pour ça.

– Lucy ?

C'était la voix surexcitée de Mary Anne, et cela m'a rappelé que, la dernière fois que j'avais parlé à mes amies de Stonebrook, Claudia exceptée, c'était le jour de l'enterrement de Mimi. Depuis, j'espérais que nous pourrions parler ensemble ou nous voir dans des circonstances normales.

– Salut, Mary Anne !

J'ai essayé de paraître un peu plus joyeuse.

– Tu voulais parler ? m'a-t-elle demandé gentiment.

– Oui, ai-je répondu, mais pas encore de maman et papa.

– D'accord.

(C'est une des choses que j'aime chez Mary Anne. Elle n'essaye jamais de forcer les gens et elle respecte toujours ce qu'ils veulent.)

– Alors, comment va Logan ?

– Il va bien. Ou, comme il dirait, il va « bieng ».

Nous avons ri. Logan vient du sud des États-Unis, et il a un drôle d'accent.

– Et Tigrou ?

– Très bien aussi. Il a attrapé une souris hier.

– Dans ta maison ?

Il nous arrive d'avoir de temps en temps des cafards chez nous, mais je n'ai jamais vu un rongeur.

– Non ! Elle était dehors. Mais Tigrou l'a rapportée à l'intérieur et l'a déposée dans sa gamelle.

– Tu plaisantes !

– Non. C'était vraiment dégoûtant. Oh ! attends, Kristy veut te dire bonjour.

J'ai regardé ma montre. Il était dix-huit heures. J'avais gâché la fin de leur réunion. Oh, bon ! Elle ne devait pas être trop en colère, sinon elle n'aurait pas voulu me dire bonjour.

– Lucy ?

– Salut ! Désolée d'avoir occupé la ligne du club.

– Ce n'est pas grave. Ça va ?

– Bien. Comment vont les Imbattables ?

Kristy est entraîneuse d'une équipe de base-ball de jeunes enfants à Stonebrook.

– Pas trop mal. Plus ça va et plus nous sommes prêts pour battre les Invincibles de Bart.

– Et comment va notre désastre ambulant ?

– Jackie Rodowsky ? Toujours pareil. Je l'ai gardé la semaine dernière et il est rentré dans le mur du garage avec son vélo. Il s'est écorché les genoux, a cassé un pot de fleurs et, plus tard, il a fait tomber une pizza par terre. Par chance, elle n'a pas atterri sur un tapis.

– Le pauvre, ai-je compati, en pouffant.

– Je sais. Écoute, Jessi et Mal veulent te dire bonjour et après nous devrons y aller. Enfin, sauf Claudia. Il est plus de dix-huit heures.

– D'accord.

J'ai donc parlé à Jessi et je lui ai posé des questions sur la danse, sur Becca et P'tit Bout.

– Hé, comment va Charlotte ?

Charlotte Johanssen est la meilleure amie de Becca et ma préférée dans les enfants que je gardais à Stonebrook. Elle a huit ans, elle est timide et créative, exactement comme Henry et Grace. Elle me manque vraiment.

– Charlotte vient juste d'avoir une grosse angine, mais…

– Une grosse angine ! Elle va se faire enlever les amygdales ?

– Non, pas pour l'instant. Ne t'inquiète pas. Elle va bien maintenant. Avec Becca, elles se sont déguisées comme des adultes hier, et elles ont passé l'après-midi à faire semblant de travailler. Ça paraissait vraiment ennuyeux, mais elles ont joué pendant des heures… Je te passe Mallory. Au revoir, Lucy.

– Au revoir, Jessi… Salut, Mallory !

– Salut, Lucy ! Devine quoi ? Claire m'a demandé de tes nouvelles l'autre jour.

– C'est vrai ?

(Claire est la plus jeune des enfants Pike. Je les connais bien car je suis partie deux fois en vacances avec eux pour aider leur mère.)

– Qu'est-ce qu'elle a dit ?

– Elle a dit : « Lucy petite bêbête gluante me manque. »

Mal et moi, nous avons ri. Et, à ce moment-là, Claire et mes amies de Stonebrook m'ont terriblement manqué. Mais je savais qu'il était temps de raccrocher. La réunion du club était finie et, si je n'étais pas rentrée vers dix-huit heures trente, mes parents appelleraient probablement la police.

Je devais raccrocher. Je ne pouvais pas rester comme ça au téléphone. Le seul avantage, c'est que, quand je suis partie de chez Laine, personne ne m'a crié : « Amuse-toi bien et sois prudente » (ce que me dit toujours ma mère quand elle me laisse sortir de son champ de vision).

Laine m'a simplement dit :

– Je sais que les choses vont bien se passer.

Et, sur le chemin du retour, j'ai essayé de me convaincre que Laine avait raison et que j'avais été un peu trop mélodramatique.

5

Même si j'espérais que Laine avait raison, j'étais angoissée en arrivant devant chez moi. Cependant, je me suis efforcée d'être polie avec James et les autres gardiens qui étaient à la réception.

– Bonjour, James ! Bonjour, Isaac ! Bonjour, Lloyd !

Tous les trois ont paru soulagés de me voir agir à nouveau normalement.

J'ai appelé l'ascenseur. Il est arrivé avec fracas au rez-de-chaussée et les portes se sont ouvertes en grinçant. Quand j'étais petite, je sautais dans l'ascenseur pendant le trajet, ce qui me donnait l'impression d'être plus lourde ou plus légère (cela dépendait si je montais ou si je descendais). Mais, un jour, Laine m'a raconté que je risquais de faire casser le câble et que l'ascenseur s'écraserait. Du coup, j'ai arrêté, même si je me demandais si elle n'avait pas tout inventé.

Les portes se sont ouvertes à mon étage. J'ai tendu l'oreille. La seule chose qu'on entendait, c'était la télé de l'appartement 12C.

Je me suis avancée sur la pointe des pieds en m'arrêtant régulièrement.

Je n'entendais toujours que le son de la télévision.

Une fois devant chez moi, j'ai écouté très attentivement. Rien.

J'ai sorti mes clés et je suis entrée. Une petite partie de moi avait peur que quelque chose soit arrivé, que maman ou papa soit parti en claquant la porte. Mais, non. Ils étaient assis dans le salon. Ils n'avaient pas l'air de faire quoi que ce soit, ils devaient donc être en train de discuter.

Ouf ! S'ils discutaient, cela voulait dire qu'ils n'étaient pas en train de se disputer.

– Salut, maman ! Salut, papa ! ai-je lancé, l'air de rien, comme si je venais de quitter l'appartement des Walker et que je n'avais pas entendu leur dispute et que je n'étais pas allée chez Laine.

– Bonsoir, chérie, ont-ils répondu en chœur.

Un autre bon signe : ils parlaient à l'unisson.

Mais, juste après, maman a ajouté :

– Lucy, il faut qu'on parle.

Aïe ! mauvais signe.

– C'est vrai ?

J'espérais qu'ils allaient m'accuser de n'avoir pas respecté mon régime. Ou que mon professeur d'anglais leur avait téléphoné pour leur parler du D que j'avais eu à une interrogation.

Malheureusement ce n'était ni l'un ni l'autre. Je me

suis assise sur le canapé et j'ai attendu. Maman et papa se jetaient des coups d'œil comme pour dire : « Vas-y. » « Non, toi, vas-y. »

Finalement, c'est maman qui a commencé :

– Je suppose que ce n'est pas un secret, ton père et moi, nous avons des problèmes.

Pas un secret ? L'immeuble entier devait être au courant.

– Eh bien, je vous ai entendus, hum, vous disputer beaucoup ces derniers temps, ai-je admis.

Maman a hoché la tête.

– Et nous avons décidé de faire quelque chose pour que ça s'arrête. Lucy, ton père et moi, nous allons divorcer.

– Quoi ?

– Nous allons divorcer, a répété papa plus fort.

J'ai eu l'impression que quelqu'un m'avait donné une gifle. Maman a dû croire que j'allais me mettre à pleurer car elle s'est ruée sur moi pour me prendre dans ses bras. Je l'ai repoussée. J'étais furieuse.

– Pourquoi ? Je ne vois pas pourquoi vous devriez divorcer !

Pourtant, je savais qu'ils avaient raison. Autrement, je n'aurais pas hurlé :

– Vous ne pouvez pas arranger les choses comme des adultes ? C'est ce que vous me dites chaque fois que je me dispute avec un ami.

– Chérie, nous avons essayé d'arranger les choses, m'a promis maman. Le divorce est la seule solution.

– Nous avons des problèmes depuis longtemps maintenant, a ajouté papa. Ça n'allait déjà pas au moment où j'ai su que j'allais être muté à Stonebrook.

Depuis si longtemps ? Pourquoi n'avais-je rien remarqué ? Parce que j'étais trop occupée à faire des baby-sittings, à sortir avec des amis, à partir en vacances ou en colonie, à faire du shopping ou à faire mes devoirs, je suppose.

– Depuis ma première mutation, mon travail est devenu plus prenant.

Ça, au moins, je l'avais remarqué.

– Je suppose que l'instabilité a gagné notre couple, a-t-il poursuivi. J'ai l'impression que je dois travailler plus dur que jamais, pour ne pas être licencié. Ta mère pense que je devrais chercher un autre emploi.

Je croyais qu'elle pensait que papa était un drogué du travail.

– Et nous avons d'autres problèmes, a renchéri maman. L'argent et d'autres choses encore.

Ils restaient vagues pour me protéger, mais ce n'était pas le moment d'avouer que j'avais écouté à la porte.

– Ces problèmes ont l'air importants, mais pas... pas insurmontables, ai-je fait, pleine d'espoir. Vous ne pouvez pas faire des compromis ? Je sais ! Vous devriez aller voir un conseiller conjugal !

– Nous en avons vu un, m'a informée maman.

– Et ?

– Et elle nous a beaucoup aidés. Nous l'avons vue pendant trois mois. C'est elle qui nous a suggéré de divorcer.

– Oh ! Vous êtes sûrs que ce n'était pas un conseiller en divorce ?

– Lucy, ne sois pas dure, a dit papa. Cette femme est très respectée et nous l'aimons beaucoup.

– Je ne l'ai jamais vue, mais je la déteste déjà.

Mon père a ignoré mon commentaire.

– Elle connaît nos problèmes, notre vie, toi et même nos finances. Après nous avoir suggéré qu'un divorce serait la meilleure solution à nos problèmes, elle nous a aidés à faire en sorte qu'il se passe aussi bien que possible.

– Qu'est-ce que c'est supposé vouloir dire ?

– Ça veut dire se séparer avec le moins de problèmes possible, et nous débrouiller pour que ce soit le moins pénible pour toi.

– Est-ce qu'on ne pourrait pas revenir en arrière une seconde ? ai-je demandé.

Mais maman a changé de sujet :

– Lucy, est-ce que tu as bien fait ta piqûre d'insuline, aujourd'hui ?

– Bien sûr que je l'ai faite.

– Simple vérification.

Puis elle a regardé sa montre.

– C'est l'heure du dîner.

– J'ai pas faim.

– Tu dois manger.

Maman perdait patience.

Elle avait raison cependant. Je devais manger. Avec mon diabète, je ne peux pas sauter de repas. Je dois manger régulièrement, manger ce que le médecin a ordonné, et absorber un certain nombre de calories par jour. C'est une vraie corvée. Si je ne fais pas ces choses, mon taux de sucre dans le sang se détraque et je suis malade.

– Viens, m'a dit maman. Nous pourrons continuer cette discussion pendant le dîner. J'ai acheté quelques trucs chez le traiteur.

– Encore une dépense inutile, a murmuré papa.

Mais ni maman ni moi n'avons répondu quoi que ce soit.

Elle avait pris différentes sortes de salades et des sandwiches : de la viande maigre dans du pain au froment. Des choses saines que j'ai le droit de manger. Elle a posé une corbeille de fruits sur la table. J'ai rempli mon assiette même si je n'avais pas le moindre appétit. Nous étions tous les trois assis autour de la table de la cuisine. Aucun de nous n'avait faim, mais nous avons pourtant commencé à dîner.

– Alors, qu'est-ce que tu voulais nous demander ? m'a interrogée maman.

– Je voulais en savoir un peu plus sur vos problèmes. Je veux dire, si vous pouvez m'en parler. Je veux simplement savoir ce qui est si difficile pour que vous ne puissiez pas en venir à bout.

– Lucy, c'est tout un tas de choses, m'a répondu mon père.

– Et, a enchaîné maman, tu ne pourrais…

– Je ne pourrais pas comprendre ? l'ai-je coupée. Écoutez, je ne suis plus un bébé. J'ai treize ans.

– Ce n'est pas ça. Je pense que personne, à part ton père et moi, ne peut comprendre certaines choses. C'est personnel. Il s'agit de nos sentiments l'un pour l'autre. Et ces sentiments ont changé.

– Vous vous aimez toujours ? ai-je demandé brusquement.

Maman et papa se sont regardés.

Il y a eu un silence.

Enfin papa a dit :

– Ta mère et moi, nous prendrons toujours soin l'un de l'autre. Nous nous aimerons toujours, et nous t'aimerons toujours, bien sûr. Mais nous ne sommes plus amoureux.

J'ai ressenti une vive douleur. J'ai baissé les yeux vers mon assiette. Comme elle était presque pleine, je me suis mise à piquer dedans. Plus vite j'aurais fini, plus vite je sortirais de table. Pendant que je mangeais (et écoutais ma propre mastication puisque personne ne parlait), j'ai réalisé que mes parents n'avaient pas vraiment répondu à ma question initiale.

– S'il vous plaît, dites-m'en un peu plus sur vos problèmes, ai-je insisté.

Je n'avais pas levé les yeux, je fixais mon assiette qui se vidait.

J'ai entendu papa dire :

– Nous avons des points de vue divergents, Lucy.

– Et incompatibles, a complété maman. Nous ne voulons plus vivre ensemble.

Voilà. J'avais enfin terminé mon assiette. J'ai posé ma fourchette sur la table, je me suis levée, j'ai jeté ma serviette et je suis sortie de table sans même demander la permission.

J'ai filé dans ma chambre. J'ai claqué la porte tellement fort que j'ai senti les murs vibrer. Et je l'ai fermée à clé.

Puis j'ai allumé ma chaîne. J'ai mis un CD de hard rock et j'ai poussé le volume à fond, histoire de faire exploser mes tympans pendant une minute ou deux.

Mais j'ai baissé le son avant qu'un voisin vienne se plaindre.

Maman et papa ont frappé à ma porte cinq fois ce soir-là. Je n'ai pas répondu. Je ne voulais pas sortir de ma chambre. À vingt-deux heures trente, je me suis endormie tout habillée et je ne me suis réveillée que le lendemain matin.

6

Ce jeudi matin fut le pire de ma vie. Je me sentais sale parce que j'avais dormi tout habillée, et j'avais un goût de vieille chaussette dans la bouche.

Enfin, j'imagine, parce que je n'ai jamais mangé de vieille chaussette, vous vous en doutez.

Je me suis levée, toute groggy, j'ai trébuché sur mes baskets qui étaient au pied de mon lit. J'ai éteint ma chaîne avant de regarder par la fenêtre. (Je n'avais pas non plus fermé les volets la veille.)

Dehors, il faisait froid et gris.

« Parfait », ai-je pensé. Le temps était tout à fait en accord avec mon humeur.

Je suis restée un moment à la porte de ma chambre, à tendre l'oreille. Je voulais retarder le plus possible l'instant où j'allais croiser mon père ou ma mère. Je n'entendais aucun bruit. Papa était-il déjà parti travailler ?

Il part tôt, en général, mais quand même pas à sept heures.

J'ai entrouvert ma porte. Puis je me suis avancée sur la pointe des pieds jusqu'au salon.

Mon père dormait sur le canapé ! Maman et lui ne partageaient plus leur chambre. Quelle horreur ! Depuis combien de temps cela durait-il ? Je me le suis demandé. Est-ce que maman dormait quelquefois sur le canapé ou seulement papa ? J'ai fait demi-tour, avec l'impression que j'avais vu quelque chose que je n'étais pas censée voir. Tant pis. Ça ne serait pas arrivé si nous ne nous étions pas tous réveillés en retard ce matin-là.

J'ai reculé jusqu'à la salle de bains où je me suis enfermée. J'ai pris une longue douche chaude et je me suis lavé les cheveux deux fois. Ensuite, je me suis brossé les dents deux ou trois fois pour essayer d'enlever ce goût de vieille chaussette. C'est à ce moment-là que quelqu'un a frappé à la porte.

– Bonjour, chérie ! (C'était maman.) Pourquoi ne prendrais-tu pas ton temps aujourd'hui ? Si tu veux, tu n'es pas obligée d'aller en cours.

En guise de réponse, j'ai tourné le robinet à fond.

Ensuite, je me suis barricadée dans ma chambre pour décider comment j'allais m'habiller. J'avais, bien sûr, l'intention d'aller au collège. Il était hors de question que je reste à la maison, avec maman ou avec papa. (J'étais sûre qu'ils ne voudraient pas non plus rester là tous les deux.)

On a encore frappé à ma porte.

Cette fois-ci, c'était la voix de mon père.

– Salut, Lucy ! Qu'est-ce que tu dirais de manger des œufs au bacon pour le petit déjeuner ? Je vais les préparer. J'irai au bureau plus tard ce matin.

J'ai gardé le silence.

Je n'avais jamais été autant en colère contre mes parents. Même pas quand ils m'avaient traînée chez ce médecin atroce qui voulait bouleverser toute ma vie pour soigner mon diabète.

Papa a attendu ma réponse. Quand il a compris qu'il n'en aurait pas, il est reparti. Je l'ai entendu retourner dans le salon avant d'entrer dans la cuisine.

J'ai mis une de mes tenues préférées : un pantacourt rouge, avec un sweat-shirt jaune vif et noir, et une paire de baskets montantes rouges.

J'ai ajouté des bijoux : un grand collier avec des bananes et des oranges en bois, et des boucles d'oreilles en forme de lunettes de soleil.

Je me suis brossé les cheveux jusqu'à ce qu'ils soient parfaitement lisses. Puis, j'ai noué un foulard rouge autour de ma tête comme un bandeau. Ma tenue était vraiment très colorée. Je pense que j'essayais de compenser le temps gris.

J'étais prête pour aller en cours. J'aurais aimé pouvoir me téléporter comme dans *Star Trek*. Ça m'aurait évité de devoir voir mes parents. Mais évidemment c'était impossible. Et puis même, qu'est-ce que cela aurait changé ? Je serais bien obligée de voir papa ou maman tôt ou tard.

Alors, j'ai ouvert ma porte et je suis allée dans la cuisine.

– Bonjour ! ont lancé mes parents.

Maman était en train de mettre la table. Papa était devant la cuisinière en train de retourner le bacon et de remuer les œufs.

Je me suis servi un verre de jus d'orange. J'ai pris un petit pain et une banane dans la corbeille de fruits, puis je me suis assise pour prendre mon petit déjeuner.

– Pas d'œufs ? a demandé papa au moment même où maman disait :

– Pas de bacon ?

J'ai rusé : j'ai fait semblant de lire le *New York Times*. En fait, je me concentrais juste pour manger le plus vite possible.

Maman et papa ont essayé plusieurs fois de me parler :

– Nous savons que tu es furieuse, a dit maman.

(Sans blague !)

– Nous comprenons, a ajouté papa.

(Ah bon ? C'est vrai ?)

Finalement, ils se sont tus.

Je suis sortie de table aussi vite que possible. Je me suis lavé une nouvelle fois les dents, j'ai enfilé ma veste en jean et je suis sortie. Pour la première fois de ma vie, ma mère ne m'a pas dit de bien m'amuser et d'être prudente.

Même si je n'avais pas de temps à perdre, j'ai traîné sur le chemin de l'école. Je n'avais pas fait mes devoirs hier soir, alors qu'est-ce que ça pouvait bien faire que j'arrive en retard ? En plus, connaissant maman et papa, j'étais sûre que l'un d'eux avait déjà téléphoné à mon conseiller d'orientation pour lui raconter ce qui se passait. « J'aurai sans doute droit à un traitement de faveur pendant quelque temps », ai-je pensé au moment où je tournais dans une avenue, pleine de monde.

C'était arrivé à Caitlin. C'était arrivé à Keith. C'était arrivé à Shayla.

Qui sont Caitlin, Keith et Shayla ? Ce sont des élèves de quatrième dont les parents viennent de divorcer. Trois autres divorces et rien qu'en quatrième. J'étais loin d'être la seule enfant de divorcés dans mon entourage. Mais cela ne me réconfortait pas. En fait, cela m'énervait encore plus.

Qu'est-ce qui arrivait donc aux parents d'aujourd'hui ? Pourquoi ne pouvaient-ils pas rester mariés comme les parents d'autrefois ? Le mariage n'avait-il donc plus aucun sens ? Qu'était-il arrivé au « pour toujours » ? Au « jusqu'à ce que la mort nous sépare » ? Vraiment, il fallait que quelqu'un réécrive le serment du mariage, pour que les jeunes mariés disent : « Jusqu'à ce que le divorce nous sépare. »

Tout à coup, je me suis souvenue d'avoir entendu Caitlin dire au début de l'année : « Je suis contente que mes parents divorcent. Maintenant, je n'aurai plus à entendre leurs disputes. »

J'avais cru qu'elle ne le pensait pas vraiment. À présent, je n'en étais plus aussi sûre : j'étais contente que les disputes prennent fin.

Et pourtant, je ne voulais toujours pas que maman et papa divorcent.

Je suis entrée dans ma classe cinq minutes après la sonnerie.

Mme Kaufman, mon professeur principal, m'a regardée, m'a souri et a poursuivi l'appel du matin.

Donc un de mes parents avait bien téléphoné au collège. Mme Kaufman était au courant. Sinon, elle m'aurait demandé pourquoi j'étais en retard comme elle le fait d'habitude. Et, si un élève n'a pas un mot d'excuse, elle lui donne une punition. Jamais elle ne sourit, jamais elle ne continue l'appel comme si de rien n'était.

La journée est passée dans un véritable brouillard. Je n'ai quasiment parlé à personne. Et j'étais constamment en train d'imaginer comment faire pour éviter mes amis. Je ne pouvais pas encore leur annoncer la nouvelle. J'ai pris différents itinéraires pour aller dans les salles de cours et à mon casier. Quand j'ai dû aller aux toilettes, je suis allée dans les vieux du premier étage que n'utilisent pratiquement que les professeurs. Je me suis même débrouillée pour éviter Laine à la cafétéria. Une fois mon repas terminé, je suis allée à la bibliothèque. Je suis restée là pendant toute la fin de la pause, installée à une table dans un coin, derrière le rayon des livres d'histoire.

Je n'ai absolument pas travaillé, j'ai passé mon temps à réfléchir. Et voilà ce que je me disais :

« Quand les parents de Caitlin ont divorcé, son père a déménagé et sa mère est restée dans leur appartement. »

« Quand les parents de Keith ont divorcé, son père a déménagé et sa mère est restée dans leur appartement. »

« Et quand les parents de Shayla ont divorcé, son père a déménagé et sa mère est restée dans leur appartement. »

Où papa allait-il partir ?

Puis je me suis souvenue de quelque chose. La veille, j'avais entendu maman dire qu'elle désirait quitter la ville. Avait-elle voulu dire qu'elle souhaitait que toute notre famille déménage, pour essayer de sauver leur mariage ? Ou voulait-elle déménager sans papa ? Si elle s'en allait, devrais-je la suivre ? Arrivait-il que les enfants restent avec leur père ? Est-ce que papa garderait notre appartement ou bien en chercherait-il un autre ?

D'autres pensées se bousculaient dans ma tête. Je pensais à Théodore – un affreux bonhomme que la mère de Carla a beaucoup fréquenté. Et ce n'est pas le seul homme avec qui elle est sortie depuis son retour à Stonebrook. Il y a aussi eu le père de Mary Anne et d'autres encore.

Que se passerait-il si je vivais avec maman et qu'elle se remariait avec un homme que je détestais ? J'aurais un affreux beau-père. Et s'il avait des enfants que je détestais ? J'aurais des demi-sœurs et des demi-frères affreux.

Tout à coup, j'étais complètement perdue. J'avais l'impression d'être au milieu d'un lac, dans un bateau, et de tomber à l'eau sans gilet de sauvetage alors que je ne savais pas nager.

Bien sûr, le divorce est quelque chose de très commun de nos jours. Il n'y avait qu'à voir Caitlin, Keith, Shayla. Et tous les autres enfants de quatrième dont les parents ont déjà divorcé. Et Carla. Et Kristy. Le divorce touche cinquante pour cent des enfants. J'ai lu ça quelque part. Cela veut dire que la moitié des couples qui se sont mariés divorceront un jour.

Je me sentais perdue.

Je savais que c'était pour ça que j'avais évité Laine. J'étais perdue et furieuse. Je ne pouvais pas lui annoncer l'horrible nouvelle. En plus, trop de questions sans réponses se bousculaient dans ma tête. Où est-ce que j'allais habiter ? Avec qui ? Et si je me retrouvais avec un beau-père ou une belle-mère que je détestais ?

J'étais franchement malheureuse. Tout ce que je voulais, c'était retourner vingt-quatre heures en arrière et laisser les choses se passer : les disputes et le reste. Finalement, je préférais les disputes au divorce.

Je ne voulais pas qu'il y ait de changements dans ma vie.

7

Je ne sais pas comment j'ai fait, mais j'ai réussi à éviter Laine pendant toute la journée. Ça n'a pas été facile, parce que nous avions le même cours en fin de journée.

Du coup, je me suis arrangée pour arriver en retard (bien sûr, mon professeur n'a rien dit). Et, à la fin du cours, j'ai vite ramassé mes affaires pour aller demander quelque chose à M. Berlenbach. J'ai fait semblant de ne pas avoir compris ce que nous avions vu en classe ce jour-là. Nous avons eu une longue discussion. Laine m'attendait à la porte, mais je lui ai fait signe qu'elle pouvait partir.

Cinq minutes plus tard, je suis sortie de la classe et je suis rentrée chez moi tranquillement. Bon, aussi tranquillement que le permettent les rues bondées de New York. J'ai pris mon temps. Je n'avais pas de baby-sitting, mais ça ne voulait pas dire que je devais rentrer directement chez moi.

Tout à coup, j'ai eu une idée. J'ai sorti mon portable et j'ai appelé chez moi. C'est ma mère qui a répondu.

Je lui ai annoncé que je passerais l'après-midi à la bibliothèque, mais que je serais là pour le dîner, sans lui laisser une chance de placer un mot. Elle a commencé à dire :

– D'accord, Lucy, mais…

– À tout à l'heure. Au revoir, l'ai-je coupée avant de raccrocher et d'éteindre mon téléphone.

Bien sûr, je n'avais aucune intention de m'enfermer à la bibliothèque. J'ai flâné dans les rues. Je suis allée regarder les boutiques de Columbus Avenue. J'ai fait un tour dans ce magasin qui ne vend que des choses gigantesques : des crayons de la taille d'une batte de base-ball, des trombones qu'un éléphant pourrait utiliser, des balles de golf qui ressemblent plus à des ballons de plage et plein d'autres choses géantes. Puis j'ai regardé les vêtements et les cartes postales. J'ai acheté un soda sans sucre à un vendeur dans la rue.

Comme l'heure de dîner approchait, je me suis dirigée vers chez moi. Devant mon immeuble, j'ai aperçu Judy. C'est une sans domicile fixe qui vit dans notre quartier, dans la rue. Quand il fait très froid, elle va dans un foyer, mais elle revient toujours. Les gens qui vivent ici lui donnent de temps en temps de l'argent. Les patrons des restaurants et les épiciers lui fournissent de quoi manger.

Judy et moi, nous sommes amies (en quelque sorte) depuis que je suis arrivée ici.

– Bonjour, Judy, ai-je fait tristement en arrivant à son niveau.

Elle était assise sur le trottoir, au milieu d'un tas de sacs pleins de… je ne sais quoi. On dirait des ordures, mais je sais que, pour elle, ce sont des trésors.

Judy portait à peu près soixante-dix couches de vêtements sur elle, et elle était en train de mettre de la lotion sur ses pauvres mains et son visage tout crevassés. Je me demandais où elle l'avait eue.

– Bonjour, miss, a-t-elle répondu chaleureusement.

(Elle m'appelle comme ça quand elle est de bonne humeur. Quand ce n'est pas le cas, elle ne répond pas. Ou alors elle hurle des choses insensées pendant des heures.)

J'ai fouillé dans mon sac pour voir si je n'avais pas quelque chose à lui donner. Je lui ai tendu un crayon. Elle a choisi un sac en particulier et a fourré le crayon à l'intérieur.

– Merci. Comment vas-tu aujourd'hui, miss ?

– Mes parents vont divorcer.

– Quel malheur !

Je ne savais pas ce qu'elle voulait dire par là. Était-ce ironique ?

– Le monde d'aujourd'hui ne tourne pas rond, a-t-elle poursuivi. Trop de divorces. Trop de vols et de violence aussi. Fin de la civilisation.

Ouh ! là, là ! Il était temps d'y aller.

– Au revoir, Judy. À demain.

Je suis vite rentrée dans mon immeuble, j'ai pris l'ascenseur jusqu'au douzième étage et je me suis avancée à contrecœur vers notre appartement.

Il était à peu près dix-huit heures. En entrant chez moi, j'ai trouvé mes parents installés tous les deux dans le salon, exactement comme la veille.

– Salut, Lucy, a dit papa en même temps que maman disait :

– Bonjour, chérie.

J'ai foncé droit dans ma chambre en les ignorant royalement. Mais, à ma grande surprise, ma porte était fermée. Un mot avait été collé dessus : « Ne rentre pas. retourne dans le salon discuter avec tes parents. »

Avec un profond soupir, j'ai laissé tomber mon sac par terre dans le couloir et je suis retournée dans le salon. Je devais parler à mes parents. Je le savais. Je ne pourrais pas toujours les ignorer.

Je me suis affalée dans un fauteuil en demandant :

– Quoi ? Qu'est-ce que vous avez à me dire ?

– Nous n'avons pas fini notre discussion, a commencé mon père.

– À propos de quoi ?

– Tu ne te poses pas de questions ? s'est étonnée maman. Tu n'as pas envie de savoir ce qui va se passer maintenant ? Où nous allons vivre ? Avec qui tu vas habiter ? Si j'étais toi, j'aurais envie de savoir tout ça.

J'ai haussé les épaules.

– Lucy, tu dois nous parler, a insisté papa. Nous sommes désolés de ce qui se passe, mais tu as eu vingt-quatre heures pour encaisser le choc. Maintenant, nous devons régler certaines choses. Il faut que nous nous organisions, et nous aimerions avoir ton avis.

– D'accord, d'accord.

Je me suis enfoncée dans le fauteuil en posant mes pieds sur la table basse, ce que je n'ai absolument pas le droit de faire. Je voulais juste voir ce qui allait se passer ;

voir si j'allais encore avoir droit à un traitement de faveur.

Mais papa a immédiatement réagi :

– Tes pieds, Anastasia.

Waouh ! Anastasia !

J'ai aussitôt remis mes pieds par terre.

– Très bien, est intervenue maman. Je commence.

Elle a regardé papa pour obtenir son approbation.

Il a hoché la tête.

– Bien, bien. Tout d'abord, la conseillère conjugale...

– Tu veux dire la conseillère en divorce, ai-je corrigé.

– Anastasia Elizabeth MacDouglas ! a grondé mon père.

Je me suis tue.

– La conseillère conjugale, a repris maman, nous a suggéré de quitter tous les deux l'appartement. Ton père et moi, nous allons déménager tous les deux.

– C'est vrai ? Pourquoi ?

– Parce que la conseillère nous a dit que, si l'un de nous restait et que l'autre partait, tu pourrais avoir l'impression que celui qui est parti t'a abandonnée. Donc, nous allons partir tous les deux.

– Mais où ? Et avec lequel de vous je vais habiter ?

– Nous te laissons choisir, a répondu papa. Ce sera ta propre décision. Tu n'auras rien à dire sur l'endroit où nous allons nous installer, mais c'est toi qui décideras avec qui tu veux vivre.

– Où comment tu veux partager ton temps entre nous, a précisé maman.

– Partager mon..., ai-je répété, hébétée.

Et puis, je me suis souvenue que Shayla m'avait parlé de « garde alternée ». Ses parents vivent à peu près à dix pâtés de maison, l'un de l'autre, et Shayla et ses sœurs vivent avec leur mère du mercredi après-midi (après l'école) jusqu'au samedi soir. Ensuite, le samedi soir, elles vont chez leur père et restent là-bas jusqu'à ce qu'elles partent à l'école le mercredi. Elles ont tout ce dont elles ont besoin aux deux endroits, et n'ont donc pas besoin d'emporter des affaires sauf leurs livres de cours. Keith a une organisation différente. Ses parents habitent aussi très près l'un de l'autre, mais lui et son frère passent un mois chez l'un, un mois chez l'autre et comme ça toute l'année. Et pour Caitlin c'est encore différent. Son père est parti en banlieue de Chicago après le divorce. Caitlin et son frère vivent avec leur mère pendant l'année scolaire, mais passent toutes leurs vacances avec leur père.

– Est-ce que vous allez demander une garde alternée pour moi ? ai-je interrogé mes parents.

– Oui, ont-ils répondu, surpris.

Papa m'a demandé :

– Où as-tu entendu parler de garde alternée ?

– Je connais, c'est tout. Donc, je peux vivre avec n'importe lequel de vous et passer de l'un à l'autre… quand je veux ?

Mes parents ont acquiescé.

– Bon, il va falloir s'organiser en fonction de l'endroit où vous allez habiter, ai-je dit en pensant à Caitlin.

– Je vais rester à New York, m'a informée papa, à cause de mon travail.

J'ai regardé maman sachant qu'elle voulait déménager. Mais pour aller où ? Long Island ? New Jersey ? Ou peut-être dans le merveilleux quartier du Bronx qui est plus près. Finalement, ce ne serait pas si mal que ça. Elle serait toujours en ville – techniquement –, mais elle se sentirait un peu comme à la campagne.

– J'ai assez envie de retourner à Stonebrook, a-t-elle annoncé.

J'ai ouvert des yeux tellement grands que mes sourcils sont quasiment remontés jusqu'à la racine de mes cheveux.

– Retourner à Stonebrook ?

Maman a hoché la tête.

– J'aimais vraiment cet endroit. J'ai été très triste de devoir partir.

– Mais... mais qu'est-ce que tu vas faire là-bas ?

– Trouver du travail. Il est grand temps que je me remette à travailler. Mais pas ici, pas en ville. Dans un endroit plus calme.

Je n'arrivais pas à y croire. J'étais complètement chamboulée. J'avais pensé que je vivrais avec maman dans notre appartement la moitié du temps et avec papa l'autre moitié. Cela semblait être le meilleur arrangement. Et je me retrouvais à choisir entre New York et Stonebrook ! Et je devais aussi choisir entre mes parents. Apparemment, je ne pourrais pas faire comme Shayla ou Keith. J'allais plutôt devoir m'organiser comme Caitlin.

– Je... je ne peux pas prendre une décision tant que je ne sais pas avec exactitude où vous allez habiter, ai-je balbutié.

– Très bien, a répondu papa.

– Mais nous pouvons t'assurer une chose, a ajouté maman, c'est que nous allons tous les deux acheter ou louer un endroit assez grand pour toi. Tu auras ta propre chambre où que tu ailles.

– D'accord.

Tout se bousculait dans mon esprit. Retourner à Stonebrook ? Retrouver le Club des Baby-Sitters et toutes mes amies ? Quitter à nouveau New York ? Je ne savais pas quoi faire.

– Je peux aller dans ma chambre ? J'ai besoin de réfléchir.

– Après le dîner, a répliqué papa. Tu as avant tout besoin de manger.

J'ai dîné rapidement. Plus vite je mangerais, plus vite je pourrais m'échapper.

Dès que j'ai eu terminé mon repas, je me suis éclipsée dans ma chambre et j'ai décroché mon téléphone. Je n'ai pas ma propre ligne comme Claudia, mais il y a une prise dans ma chambre et je peux donc passer des coups de téléphone personnels, tranquille.

J'ai appelé Laine en premier. Je lui ai annoncé la nouvelle comme ça :

– Salut, Laine. C'est moi, Lucy. Mes parents vont divorcer.

C'était la deuxième fois que je laissais ces mots affreux sortir de ma bouche, et je commençais à les dire plus facilement.

Je pense que Laine a failli lâcher le combiné.

– Ils vont quoi ? Oh ! Lucy, je suis vraiment désolée.

Je lui ai exposé les projets de déménagement de mes parents, et elle a gémi :

– S'il te plaît, ne repars pas, pas encore, Lucy. Reste avec ton père, d'accord ? Ce sera plus facile, de toute façon.

Je ne savais pas quoi dire, sauf que je n'avais pas encore pris de décision pour l'instant.

Ensuite, j'ai téléphoné à Claudia. Sa réaction a été un peu différente :

– Tu reviens ? Tu reviens ? a-t-elle hurlé. Super ! Oh, je veux dire… je veux dire, je suis désolée. Pour le divorce. Vraiment. Mais tu vas revenir ? Je ne peux pas le croire ! S'il te plaît, s'il te plaît, s'il te plaît, reviens !

– Encore un « s'il te plaît » et en te mettant à genoux, l'ai-je taquinée.

Claudia s'est mise à rire.

– Écoute. Je ne sais pas encore ce que je vais faire. Tu sais à quel point j'adore New York. En plus, maman n'est pas encore certaine de retourner à Stonebrook. Elle y pense simplement.

Enfin, j'ai décidé d'appeler Carla pour lui demander conseil. Elle me comprendrait mieux. Et elle ne donnerait pas trop d'importance à l'endroit où j'allais habiter. Elle voudrait certainement que je retourne à Stonebrook, mais pas autant que Claudia. Et elle serait un peu plus compréhensive sur mes autres problèmes.

– Ce qu'il faut savoir faire avec les divorces, m'a-t-elle dit, c'est attendre. Tu dois attendre une éternité pour les décisions, les avocats et même pour les déménageurs. (J'ai piqué un fou rire.) La meilleure façon de voir les choses, c'est de te dire que le pire est derrière toi. Tu sais que tes parents vont se séparer. Maintenant, il va falloir que tu règles les problèmes au fur et à mesure qu'ils se présentent, un par un.

C'était un conseil de Carla qui a toujours l'esprit pratique. J'ai donc décidé de le suivre et d'attendre… que chacun de mes parents ait trouvé un nouvel endroit pour vivre. Ensuite, je prendrais ma décision.

8

– Au revoir, maman ! Au revoir, papa ! s'est exclamé joyeusement Henry.

– Au revoir, Henry, ont répondu les Walker qui s'apprêtaient à partir. Au revoir, Grace.

– Au revoir, a fait la fillette d'une toute petite voix entrecoupée de sanglots.

Grace a beau m'aimer beaucoup, elle déteste quand ses parents s'en vont. Elle pleure chaque fois. Et ce vendredi soir-là n'a pas fait exception.

Je l'ai prise dans mes bras en lui chuchotant :

– Envoie un baiser à ta maman et à ton papa. Et, eux, ils te feront plein de bisous dans ton lit quand ils rentreront.

– Pendant que je dormirai ? m'a-t-elle demandé en hoquetant.

J'ai hoché la tête. Grace a envoyé des bisous bruyants à ses parents tandis qu'ils refermaient la porte derrière eux.

– Bon, ai-je dit en la posant par terre. Je ferais bien de préparer le dîner.

Ce soir-là, je devais garder les enfants pendant assez longtemps. C'était l'inauguration de l'exposition de M. Walker, un événement important.

– C'est le soir des hot dogs ? a demandé Henry, tout excité.

(Il sait que sa mère me laisse tout le temps soit des hamburgers soit des hot dogs à préparer quand je dois les faire dîner.)

– Tout à fait.

– Waouh.

Il s'est mis à bondir dans tous les sens et Grace l'a imité.

– Quelle super soirée ! Des hot dogs pour le dîner, une émission spéciale dessins animés à la télé et, en plus, maman nous a acheté des nouveaux crayons de couleur, aujourd'hui.

Voilà les ingrédients d'une soirée réussie quand on a cinq ans.

– Bien, qui a faim ?

– Moi ! Moi ! a crié Henry.

– Moi ! Moi ! a crié Grace.

– Bon. Voyons. Pendant que je prépare les hot dogs, vous, vous allez faire la course pour mettre la table. Je vais vous chronométrer et je vous dirai combien de temps vous avez mis.

(Juste pour que vous sachiez, on ne peut organiser une course pour mettre la table que lorsqu'on utilise des assiettes et des verres en carton et c'est exactement ce que les Walker laissent toujours quand une baby-sitter garde les enfants. Comme ça, pas d'inquiétude pour la casse.)

Grace a pris quelques serviettes.

Henry a attrapé trois assiettes en carton.

– À vos marques, prêts… partez ! ai-je hurlé.

Les enfants ont foncé vers la table. Pendant ce temps-là, j'ai retourné les hot dogs qui étaient dans le four, puis j'ai sorti le lait et la compote de pommes du réfrigérateur.

– Ça y est ! Ça y est ! a hurlé Grace tout à coup.

J'ai regardé ma montre.

– Vous savez quoi ? Vous avez battu votre record ! De trois secondes.

– C'est vrai ? Oh, waouh ! s'est exclamé Henry.

– Parfaite synchronisation, ai-je ajouté. Le dîner est tout juste prêt.

J'ai servi les hot dogs et la compote de pommes (ce n'est pas ce que j'appellerais un super repas, mais c'était facile à préparer) et nous nous sommes installés pour dîner.

– Dis, Lucy, on a des cure-dents ? a demandé Henry au moment où il allait mordre dans son pain.

– Je pense, pourquoi ?

– Tu verras. Je veux faire quelque chose.

Il a reposé son hot dog dans son assiette et a sorti la saucisse du pain.

Je lui ai tendu une boîte de cure-dents. Avec beaucoup de soin, il en a cassé plusieurs. Ensuite, il a coupé un bout de son hot dog et a planté avec application les cure-dents dedans avant d'annoncer :

– Regardez ! Je l'ai transformé en teckel !

– Hé, c'est génial ! me suis-je exclamée.

Bien sûr, Grace a voulu faire la même chose et, du coup, le dîner a duré un peu plus longtemps que d'habitude. Juste au moment où nous finissions, l'émission de dessins animés commençait.

Henry et Grace se sont installés sur la table, devant la télé, avec une pile de papiers et leurs nouveaux crayons. Une chose que j'adore chez les petits Walker, c'est qu'ils ne restent jamais cloués devant la télé. Quand ils l'allument, ils font toujours quelque chose d'autre en même temps.

Donc, les enfants ont dessiné pendant que je rangeais la cuisine. Une fois l'émission terminée, Grace m'a demandé :

– Tu pourrais nous lire une histoire ?

– Bien sûr. Qu'est-ce que vous voulez comme histoire ?

Henry et Grace ont une immense collection de livres. Parce que M. et Mme Walker aiment lire et aussi, bien sûr, parce que leur mère connaît très bien les livres pour enfants puisqu'elle en illustre.

– Nous voulons… *Un lion dans la neige*, a dit Grace.

– Et *Comme chien et chat*, a ajouté Henry.

– Super. D'abord les pyjamas. Et vous vous brossez les dents. Après je vous lirai les histoires dans la chambre de Grace puisque c'est elle qui doit se coucher en premier.

Une fois les enfants prêts, nous nous sommes installés en rang sur le lit de Grace. J'ai lu *Un lion dans la neige* d'abord et Henry a dit qu'il aimerait qu'il neige plus souvent à New York. Et sa sœur a ajouté qu'elle aimerait que la neige reste blanche. (À New York, la neige fond tout de suite et devient grise et marron la plupart du temps.)

Ensuite, nous avons lu *Comme chien et chat*, et Grace a essayé de raconter le début de l'histoire en même temps que je lisais, mais elle s'embrouillait un peu.

Après la lecture, Henry et moi, nous lui avons dit bonsoir. Elle s'est pelotonnée sous ses couvertures, puis elle a tendu les bras pour avoir un câlin.

– Bonne nuit, Grace, ai-je chuchoté en sortant de la chambre avec son frère.

En fermant sa porte, comme d'habitude, j'ai regardé attentivement ses murs. Ils sont couverts de dessins et de peintures qu'elle a faits.

Puis j'ai emmené Henry dans sa chambre et nous avons lu une autre histoire ensemble, *Aux fous les pompiers !*, avant qu'il se couche. Quand je suis sortie, j'ai aussi jeté un œil sur ses murs. J'avais l'impression que je ne les reverrais plus.

Pourquoi avais-je cette impression ?

Je me suis assise par terre dans le salon. Mes livres de cours étaient en tas sur la table basse. Je les ai feuilletés. J'avais plein de travail à rattraper, mais je savais que je n'arriverais jamais à me concentrer.

En les refermant, je me suis adossée contre le canapé pour réfléchir. Ce qui m'est venu tout de suite à l'esprit, c'est ce que m'avait dit Judy la veille à propos du divorce : « Quel malheur ! » Qu'avait-elle voulu dire ? Était-ce ironique ? Après tout, elle n'a pas de famille, pas de travail et même pas d'appartement. Mes parents allaient divorcer, c'était tout. Je n'étais pas dans une situation aussi délicate qu'elle.

Enfin, j'avais quand même des problèmes. J'allais bientôt devoir prendre d'importantes décisions. Si maman quittait New York, est-ce que j'irais avec elle ? Avais-je envie de repartir de New York ? Comment quitter tout ce que j'adorais ? Quitter Laine, Grace, Henry, et la ville elle-même et j'♥ vraiment New York. Chaque fois que je dois en partir, je passe un moment difficile. Déménager pour aller à Stonebrook avait été pénible, et j'avais été heureuse de revenir. Même quand j'étais allée à Camp Mohawk pendant deux semaines, ça avait été dur. J'avais été heureuse de rentrer.

D'un autre côté, j'avais plus d'amis à Stonebrook qu'à New York. Ici, je passais mon temps avec Laine et ses copains de l'école, mais je me sentais toujours un peu sur mes gardes avec sa bande. À Stonebrook, je passais pour une personne très cool, mais pas à New York.

Je savais que j'allais traverser une mauvaise période, une période pendant laquelle je devrais régler beaucoup de choses. Est-ce que ça serait plus facile dans un endroit calme comme Stonebrook, où je serais entourée par de bons amis ? Sans doute.

D'un autre côté, avais-je envie de quitter New York une deuxième fois ? De quitter les grands magasins et Broadway et les super cinémas et même les restaurants géniaux comme le Hard Rock Café ? Je risquais de m'ennuyer à mourir à Stonebrook avec le centre commercial Washington comme seule distraction.

Mais j'oubliais deux pièces du puzzle : si j'allais à

Stonebrook, je devrais quitter mon père. Comment pourrais-je lui faire ça ? Si je restais à New York, je devrais quitter ma mère. Comment pourrais-je lui faire ça ? J'avais beau être furieuse contre eux, je les aimais toujours. Et énormément.

En plus, j'étais sûre que papa serait blessé si je choisissais de vivre avec maman, et que maman serait blessée si je choisissais de vivre avec papa. Ils avaient dit que c'était à moi de prendre la décision, ce qui était gentil, mais quelqu'un – maman ou papa – allait forcément être déçu. Et ce serait ma faute.

Peut-être que je pourrais m'organiser pour vivre avec l'un pendant la semaine et avec l'autre le reste du temps. Ce serait équitable puisque la semaine je vais à l'école et donc je ne verrais pas un parent plus que l'autre. Ça pourrait marcher si maman ne voulait pas partir si loin. Mais que se passerait-il si elle emménageait dans un autre État ?

C'était trop dur de penser à ça.

Ce devait être pour ça que Carla m'avait recommandé de prendre les problèmes les uns après les autres.

Toutefois, je n'aurais pas eu tous ces problèmes si mes parents n'avaient pas été sur le point de divorcer. J'avais une idée… Peut-être, je dis bien peut-être, que je pourrais réussir là où que cette soi-disant conseillère conjugale avait échoué. Peut-être que je pourrais faire oublier à mes parents cette idée de divorce et rappeler à leur bon souvenir le « jusqu'à ce que la mort nous sépare ».

Cela valait le coup d'essayer.

Tout ce dont j'avais besoin, c'était de bonnes idées et d'un peu de romantisme.

J'ai pris un cahier pour griffonner (ce n'était pas des devoirs, mais une liste d'idées). Le temps que les Walker rentrent, j'avais pratiquement rempli une page. J'étais impatiente d'essayer mes idées !

J'étais sûre que je réussirais à remettre mes parents ensemble. Ils avaient sans doute simplement besoin d'encouragements venant de quelqu'un qui les connaissait. Et qui était la conseillère conjugale ? Une étrangère !

Mais, moi, j'étais Lucy MacDouglas, leur fille.

Et si quelqu'un pouvait les réconcilier, c'était bien moi.

9

La semaine suivante fut très chargée. Le samedi après-midi, pendant que mes parents voyaient leurs avocats, je suis allée acheter des places de cinéma (avec l'argent de mes baby-sittings) pour un film que nous voulions voir tous les trois.

Mon plan était d'attendre jusqu'à la dernière minute pour les donner à maman et papa afin d'être certaine que nous ne pourrions pas trouver trois places côte à côte une fois au cinéma. Alors, j'insisterais pour que mes parents s'assoient tous les deux ensemble et que moi, je m'installe un peu plus loin, toute seule.

Mais, quand je leur ai donné les places, papa a dit :

– Lucy, quelle bonne surprise, mais j'ai prévu de passer la soirée à éplucher les annonces immobilières. Pourquoi n'emmèneriez-vous pas Laine avec vous ?

C'est donc ce que nous avons fait et, en plus, nous avons trouvé trois places côte à côte.

Le dimanche, j'ai suggéré une balade en calèche dans Central Park. C'était une idée particulièrement ingénieuse, puisque papa avait demandé maman en mariage dans une de ces calèches des années auparavant. Mon nouveau plan était d'attendre que mes parents soient montés dans la calèche et de dire à ce moment-là :

– Oh, non ! J'ai oublié de faire ma piqûre d'insuline. Tant pis, allez-y sans moi.

Mais nous n'y sommes jamais allés. Maman a aimé l'idée mais, cette fois-ci, c'était elle qui était plongée dans les annonces immobilières et qui ne voulait pas sortir.

Le lundi, quand je suis rentrée de l'école, j'ai été ravie de ne pas trouver maman à la maison. Ça m'a permis de mettre le plan numéro 3 à exécution. J'ai poussé la table au milieu de la salle à manger, j'ai choisi une belle nappe blanche et de beaux couverts, sans oublier les bougies. Bref, le cadre parfait pour un dîner romantique. Puis j'ai préparé un poulet et des légumes. J'ai même fait deux parfaits au chocolat pour le dessert. J'avais prévu de dire à mes parents que j'étais invitée à dîner chez Laine, et de les laisser en tête à tête. Mais papa n'est pas rentré à la maison. Il a téléphoné pour dire qu'il allait passer la soirée à chercher un appartement et qu'ensuite il dormirait au bureau. (Ça lui arrive de temps en temps. Il a un canapé-lit dans son bureau et un costume propre sur un cintre accroché à sa porte.)

Donc, maman et moi, nous avons dîné toutes les deux, mais j'ai gardé le deuxième gâteau pour papa.

Le mardi, j'étais complètement à court d'idées. Idem le mercredi.

Mais, le jeudi, j'ai été prise d'une soudaine inspiration. J'ai glissé dans les affaires de chacun de mes parents un mot écrit sur un papier à en-tête de mon collège disant que j'étais en retard dans mon travail et que mon professeur principal voulait les rencontrer pour dîner au Silver Spur, un restaurant qui est juste à côté de chez nous. Malheureusement, maman et papa ont tous les deux senti que c'était bizarre et ils ont téléphoné à mon professeur. Pourquoi sont-ils si malins ? S'ils avaient simplement suivi les instructions, ils auraient passé une soirée romantique tous les deux et auraient annulé leur divorce. Au lieu de ça, j'ai eu des problèmes avec maman, papa et mon professeur qui, en plus, m'a donné trois semaines pour rattraper mon retard. Je suppose que le temps des faveurs était fini.

Et aussi celui de la romance.

Puis est arrivé le samedi matin. Maman m'a annoncé subitement :

– Lucy, je vais à Stonebrook pour chercher une maison, aujourd'hui. Tu ne veux pas venir avec moi ?

J'ai réfléchi et réfléchi. Laine m'avait proposé d'aller voir une pièce de théâtre, ce soir-là. D'un autre côté, j'avais envie de voir Claudia et les autres membres du Club des

Baby-Sitters. Et si maman prenait une maison à Stonebrook, je voulais pouvoir avoir quelque chose à dire sur son choix. Je ne voulais pas finir dans une bicoque minable, collée à une autre, sur un minuscule terrain sans herbe.

– D'accord, ai-je répondu nonchalamment. Je vais venir avec toi.

J'ai à peine eu le temps d'appeler Laine pour lui dire que je ne pourrais pas l'accompagner. Maman m'attendait en tenant la porte de l'appartement ouverte, et je n'ai donc même pas pu téléphoner à Claudia. Tant pis, ce serait la surprise.

Et, les amis, pour une surprise, ce fut une surprise ! Alors que nous étions sur la route, maman m'a demandé :

– Chérie ? Est-ce que ça te ferait plaisir que Claudia vienne avec nous visiter des maisons ?

– Bien sûr ! me suis-je exclamée. Oh ! elle va avoir le choc de sa vie !

– Bon, ne la laisse pas mourir, quand même, a dit maman en souriant. Et rappelle-lui bien que nous ne sommes pas sûres de nous installer à Stonebrook. Nous venons juste jeter un coup d'œil. J'ai entendu dire qu'il y a de l'offre en ce moment, mais je veux vérifier par moi-même.

Je ne savais pas ce qu'était de « l'offre » et je m'en fichais. J'étais trop occupée à m'imaginer en train d'arriver dans l'allée des Koshi, monter en courant vers chez eux, sonner à la porte, et causer une crise cardiaque à Claudia quand elle m'ouvrirait la porte. Il ne m'est pas venu un instant à l'esprit que les Koshi pourraient ne pas être là, ou que ça pourrait être Jane ou M. ou Mme Koshi qui viendrait ouvrir la porte.

Et, d'ailleurs, ça n'avait aucune importance parce que les choses se sont passées exactement comme je les avais imaginées. Quand nous sommes arrivées à Stonebrook, maman s'est arrêtée pour acheter un journal, appeler une agence immobilière et convenir d'un rendez-vous pour une visite. Puis nous nous sommes rendues chez les Koshi. J'ai remonté l'allée en courant, j'ai sonné, Claudia a ouvert la porte et, pendant une seconde, j'ai vraiment cru qu'elle allait avoir une attaque.

Enfin, elle a réussi à articuler :

– Lucy ?

Je me suis mise à rire.

– Ouais, c'est moi.

Claudia a ouvert la porte en grand et nous nous sommes jetées dans les bras l'une de l'autre.

– Qu'est-ce que tu fais là ? Pourquoi tu n'as pas téléphoné ?

– Ça s'est fait sur un coup de tête. Maman ne m'a pas laissé le temps de te prévenir tellement elle était pressée. Nous avons rendez-vous avec un agent immobilier dans un quart d'heure. Tu veux venir avec nous visiter des maisons ?

– Tu plaisantes ? Bien sûr !

Claudia a dû chercher son père pour lui expliquer ce qui se passait et lui montrer que ma mère nous attendait vraiment dans la voiture. Puis elle a grimpé à l'arrière avec moi.

– Donc, tu vas venir habiter à Stonebrook ? C'est génial ! Absolument génial !

Maman a souri.

– Ce n'est pas encore certain, Claudia. Mais c'est mon premier choix.

Claudia m'a regardée en levant les sourcils comme pour dire : « Et toi ? C'est aussi ton premier choix, n'est-ce pas ? »

Mais j'ai secoué la tête. Nous discuterions de ça à un autre moment, quand maman ne pourrait pas nous entendre.

– Bon, a-t-elle déclaré, nous sommes censées retrouver une certaine Mme Keller, au 42, Rosedale Street.

– Je sais où c'est, a affirmé Claudia et elle nous a guidées jusque là-bas.

Nous avons trouvé l'adresse sans problème, ainsi que Mme Keller qui nous attendait sur le trottoir.

Maman et elle se sont serré la main. Puis maman a commencé à lui expliquer pourquoi nous déménagions et ce qu'elle cherchait comme maison pendant que Claudia et moi regardions avec méfiance le 42 Rosedale Street.

Ce n'était pas la bicoque de mes cauchemars, mais ce n'était pas non plus une maison de rêve.

– C'est un peu petit, a risqué Claudia.

(On aurait cru un nid d'oiseau.)

– Il n'y a pas d'arbres, ai-je ajouté en montrant le jardin.

Mais il y avait quand même de l'herbe, il n'était donc pas complètement à l'abandon.

Juste à ce moment-là, Mme Keller a dit gaiement :

– Bien, nous allons visiter la maison, d'accord ?

Nous nous sommes toutes les quatre aventurées dans l'allée de gravier jusqu'à la porte. J'ai pris maman à part pour lui glisser :

– On ne pourrait pas avoir quelque chose de mieux ?

– Nous avons un petit budget.

Petit budget ou pas, personne n'a aimé l'intérieur. Même Mme Keller. Les robinets gouttaient, la cuisine devait être entièrement décapée avant même de pouvoir être nettoyée, et trois des pièces étaient peintes en violet.

Maman a adressé un petit sourire à Mme Keller.

– Qu'est-ce que vous avez d'autre dans nos prix ?

– Une petite maison sur Burnt Hill Road.

– Burnt Hill Road. C'est là où habite Carla ! s'est écriée Claudia.

Nous sommes retournées dans notre voiture et avons suivi Mme Keller jusqu'à la deuxième maison. Elle n'était pas à côté de chez Carla, et elle n'était pas jolie non plus. La porte d'entrée avait besoin d'être remplacée, le toit avait besoin d'être refait et les murs extérieurs étaient roses. Il fallait la repeindre.

– J'aimerais retourner dans notre ancienne maison, ai-je soupiré, mélancolique, mais c'est Jessi qui y habite maintenant.

– De toute façon, elle n'est pas dans nos prix, a murmuré maman.

La suivante n'était pas mal du tout, mais celle d'à côté était horrible. Il n'y avait pas un brin d'herbe ni de plante dans le jardin mais, par contre, il y avait deux voitures en panne, un réfrigérateur sans porte, trois vélos rouillés, et plein d'outils un peu partout.

Claudia m'a prise à part pour me préciser :

– Et c'est encore pire au moment de Noël. Les propriétaires entourent la maison tout entière, les fenêtres, les portes, tout, avec des guirlandes lumineuses. Ils mettent un père Noël mécanique sur la cheminée, qui agite la main jour et nuit en criant : « Ho-ho-ho ! Ho-ho-ho ! » Ils installent des chanteurs en bois dans la cour et des elfes sur les marches, et ils éclairent le toit avec un projecteur à l'endroit où ils ont mis un bonhomme avec un gros nez rouge.

– Maman, je ne pourrais pas vivre à côté d'un réfrigérateur tout rouillé et d'épaves de vélos et de voitures.

– Je suis d'accord. Vous avez autre chose ?

L'agent immobilier a consulté son cahier.

– Eh bien…, a-t-elle répondu après un moment, j'ai quelque chose de plus grand dans vos prix et dans un quartier charmant, mais…

– Allons la voir, l'a coupée maman.

Nous sommes donc parties visiter cette maison qui n'était pas très loin de celle que l'on venait de voir. Et, dès que nous sommes descendues de la voiture, Claudia s'est exclamée :

– Je connais ! C'est juste à côté de chez Mallory ! Regarde par là-bas, Lucy. Tu vois ? C'est l'arrière de la maison des Pike.

J'ai suivi son regard. J'ai même aperçu les triplés en train de faire les imbéciles avec une batte et une balle.

– Je croyais que quelqu'un habitait ici, a dit Claudia à l'agent immobilier.

Puis elle m'a chuchoté :

– Les gens qui vivent ici sont bizarres et les enfants Pike les espionnent.

– Ce couple a déménagé il y a peu de temps.

– Ils ne sont pas restés très longtemps, a constaté Claudia d'un ton songeur.

De dehors, la maison semblait plutôt bien. Un peu étrange, peut-être, mais en bon état à part quelques petits détails comme une tuile qui était tombée du toit et un volet de travers.

– De quand date-t-elle ? a voulu savoir maman tandis que Mme Keller ouvrait la porte.

– Du début du siècle dernier. En fait, peut-être un peu plus vieille, 1880.

– 1880, ai-je murmuré à Claudia. C'est très vieux.

Nous sommes entrées. Le couloir était sombre. La maison sentait le moisi, l'air était irrespirable, et il y avait une fine couche de poussière partout.

– Il y a quelques problèmes typiques des vieilles demeures mais, avec un peu de travail, vous pouvez en faire un endroit très joli. Pas trop grand, pas trop petit, plein de charme et original.

Mme Keller nous a montré une baignoire avec des pieds en forme de pattes, une chambre avec des lucarnes, et une cuisine dont les appareils avaient l'air de dater d'une centaine d'années.

– Ils marchent tous, nous a-t-elle précisé.

Maman m'a regardée. J'ai haussé les épaules. C'était plutôt bien, mais…

– Je vous donnerai ma réponse d'ici une semaine, a dit maman à l'agent.

Samedi

Quelle surprise !

Qui aurait pu imaginer que nous ferions une soirée-pyjama avec Lucy aujourd'hui ? Eh bien, c'est pourtant ce qui s'est passé. Nous nous sommes toutes retrouvées chez Claudia, même Kristy et Mary Anne qui sont arrivées plus tard, après leurs baby-sittings. C'était vraiment chouette d'être toutes réunies.

J'espère vraiment, vraiment que Lucy va revenir, mais on ne peut pas la forcer. Je vous assure, les filles. Il ne faut pas essayer de l'influencer. Elle a déjà bien trop de décisions à prendre en ce moment.

Carla était au téléphone avec son frère David quand nous l'avons appelée de chez les Koshi. Comme les Schafer ont le signal d'appel, elle a fait attendre David pour nous parler quelques instants.

– Tu ne devineras jamais où je suis, lui ai-je dit.

– Où ça ?

– À Stonebrook. Chez Claudia. Maman et moi, nous sommes venues visiter des maisons aujourd'hui. Ma mère est retournée à New York, mais elle m'a dit que je pouvais passer la nuit ici et prendre le train demain pour rentrer.

Claudia m'a pris le téléphone des mains pour ajouter :

– Une soirée-pyjama avec le Club des baby-sitters, ce soir chez moi, ça te dit ?

– Bien sûr ! s'est exclamée Carla.

– Génial. Sois là vers sept heures.

Carla devait reprendre David, nous avons donc raccroché. Puis, nous avons téléphoné aux autres membres du club.

Quel week-end inespéré ! D'abord des visites de maisons et ensuite une soirée-pyjama, comme au bon vieux temps ! Je n'arrivais pas à croire que maman m'avait laissée rester. (Mais j'étais contente de savoir que je rentrerais le lendemain à New York.)

À exactement dix-neuf heures, la sonnette des Koshi a retenti.

– Ça doit être Carla, a dit Claudia. Elle est toujours pile à l'heure. Mon réveil indique exactement dix-neuf heures.

C'était bien elle. Elle a été très vite suivie par Jessi et Mal. Nous nous sommes installées toutes les cinq dans la chambre de Claudia avec des sandwiches et de la salade.

C'était un véritable festin. Puis Claudia et Mal ont attaqué un paquet de nounours en chocolat (qui était caché dans le placard), Jessi en a pris un seul (elle fait attention à son poids à cause de la danse) et Carla et moi n'y avons pas touché. Nous étions en train de nous faire des tresses.

À vingt heures trente, la sonnette a retenti à nouveau et bientôt nous avons entendu des pas bruyants dans les escaliers.

– Voilà Kristy ! a annoncé Claudia en riant.

Nous avons toutes souri. Il n'y a qu'elle pour grimper les escaliers en faisant autant de bruit qu'un éléphant.

– Salut ! Salut, les filles ! Salut, Lucy !

Kristy n'est pas quelqu'un de très démonstratif, mais nous nous sommes quand même embrassées.

– Je suis tellement contente de te voir ! Est-ce que tu as trouvé une maison bien ? Je suis affamée.

Kristy est un vrai moulin à paroles.

– Tu es affamée ? s'est étonnée Claudia. Pourtant tu étais chez les Rodowsky à l'heure du dîner. Tu n'as pas mangé ?

– J'ai grignoté un bout de hot dog quand je les ai préparés mais c'est tout. Après j'ai été tellement occupée à nettoyer derrière Jackie que je n'ai pas eu le temps de manger autre chose.

Je me suis rassise sur le lit de Claudia à côté de Carla et nous avons recommencé à nous faire des coiffures, pendant que Jessi et Mal essayaient le maquillage et le vernis à ongles de Claudia.

– Qu'est-ce que Jackie a fait, ce soir ? n'ai-je pu m'empêcher de demander.

Kristy a fait la grimace.

– Il a fait gicler son hot dog à travers la cuisine au moment même où il mordait dedans…

– Il a mordu dans la cuisine ? a fait Carla.

– Non, le hot dog !

– Le hot dog a mordu la cuisine ?

Nous avons toutes piqué un fou rire.

Vous voyez ? C'est ce que j'aime avec mes amies ici. Elles sont tellement… naturelles. Elles ne passent pas chaque seconde de leur vie à essayer d'impressionner les autres. Bien sûr, elles parlent de temps en temps des garçons, et elles se soucient de leur look (enfin, quelques-unes), mais ce n'est pas le centre de leur vie. Mes amis de New York (sauf Laine), tout ce qu'ils font, c'est de parler de qui sort avec qui, où ils vont, ce qu'ils mangent et ce qu'ils portent. Ou qui va aller skier à Aspen, ou qui sera le plus bronzé au retour des vacances d'été.

– Tu veux quelque chose à manger, Kristy ? a proposé Claudia.

– Je mangerais n'importe quoi, a-t-elle avoué.

– Il reste la moitié d'un sandwich dans la cuisine. Je vais te le donner.

Tandis que Claudia descendait, Kristy s'est assise à sa place favorite, dans son fauteuil de présidente. Mais elle n'a pas mis sa visière car nous n'étions pas en réunion.

Quelques minutes plus tard, Claudia est revenue non seulement avec le sandwich, mais aussi avec Mary Anne.

Une joyeuse soirée a suivi. Nous avons laissé Mallory et Jessi se vernir les ongles puis nous les avons imitées. J'ai appliqué du vernis rose sur mes ongles de mains et du rose clair avec un rond vert au milieu sur mes ongles de pieds.

– Franchement, qui va voir nos doigts de pieds ? s'est exclamée Kristy qui avait simplement verni ses ongles de mains avec du transparent.

– Moi, ai-je répondu. J'aime être belle pour moi.

Carla a souri.

– La personne la plus importante, c'est toi-même. Je m'habille toujours comme moi j'aime.

– En parlant de ça, a repris Kristy, vous savez ce qu'Alan Gray portait mercredi dernier à l'école ?

– Oh ! non, a grommelé Claudia en enfouissant son visage entre ses mains à ce souvenir.

– Un chapeau avec un alligator dessus et, quand il tirait sur une ficelle, la gueule de la bestiole s'ouvrait et se fermait, et sa queue bougeait.

Nous avons ri de nouveau. C'est une autre chose que j'adore à propos de mes amies. Nous rions beaucoup. Nous avons déjà pleuré ensemble et nous nous sommes déjà disputées, mais la plupart du temps quand je pense à elles, je pense à nos super fous rires.

– Il a quel âge, Alan ? ai-je demandé.

Kristy ne peut pas le supporter. Il voudrait sortir avec elle, mais il est trop gamin. En plus, elle est amoureuse de Bart Taylor, l'entraîneur des Invincibles.

– Pas envie de parler de lui.

– D'accord. Changeons de sujet, alors. Comment va Emily ?

Immédiatement, Kristy s'est radoucie. Elle adore sa nouvelle petite sœur.

– J'ai des photos ! J'allais oublier. Je les ai apportées pour toi.

Nous nous sommes toutes installées sur le lit de Claudia.

– Regarde. Voilà Emily. Elle était très bien habillée pour aller voir les parents de Jim. Et là, elle jouait à faire coucou avec Mamie.

(C'est la grand-mère de Kristy, la mère de sa mère, qui vit avec eux pour les aider à s'occuper des enfants et de la maison.)

– Et la voilà habillée avec mes affaires. Regardez, mon T-shirt des Imbattables lui fait une robe !

Kristy avait au moins une centaine de photos d'Emily Michelle. Bon, pas cent, mais ça nous a occupées un bon moment. Après, nous nous sommes mises en pyjama. Puis nous avons installé les sacs de couchage par terre, nous nous sommes glissées dedans et nous avons commencé à discuter. Régulièrement, il y en avait une qui se levait, allait dans la salle de bains, se brossait les dents, retournait se coucher et s'endormait.

À la fin, il ne restait plus que Claudia et moi à être éveillées. Les lumières étaient éteintes mais chacune de nous savait très bien que l'autre ne dormait pas.

– Lucy ? a chuchoté Claudia.

– Oui ?

– Tu te souviens comme ça a été horrible quand tu as dû repartir à New York ?

– Oui.

– On avait essayé de trouver un moyen pour que tu restes.

– Oui.

– Et je t'avais dit que tu étais ma première et ma seule meilleure amie.

– Je m'en souviens.

– Eh bien, tu l'es toujours. Tu le seras toujours. Même si tu habites ici ou à New York ou… ou au Népal.

– Au Népal ?

Nous avons plaqué nos mains sur nos lèvres pour étouffer nos rires.

– Merci, Claudia. Tu sais quoi ? Je te considère comme ma sœur.

Je me suis endormie, heureuse… mais coupable ! Parce que, malgré le bon moment que je venais de passer et, bien que je me sente extrêmement proche de Claudia et de mes autres amies, j'étais impatiente de retourner à New York le lendemain.

Car New York, je dois le reconnaître, c'était mon vrai chez-moi.

11

Retour à New York, retour chez moi. Et retour à l'école. Je passais mon temps avec Laine. Je gardais Grace et Henry.

Je regardais maman et papa lire les annonces immobilières dans les journaux.

Et Stonebrook me manquait. Comment cela se faisait-il ? New York était mon chez-moi, mais la seule chose à laquelle je pensais, c'était au Connecticut, à Claudia et au Club des Baby-Sitters.

Un soir, papa est rentré tard en nous annonçant qu'il avait trouvé un appartement. Maman et moi, nous étions dans la cuisine. Nous avions fini de dîner et nous étions en train de boire une tasse de thé. Je terminais mes devoirs de maths (ma matière forte), et maman faisait une liste de « pour et contre » à propos de la maison de Stonebrook. Elle n'arrivait pas à prendre une décision, et je ne lui étais pas d'une grande aide. J'avais décidé d'arrêter de dire quoi que ce soit à propos de l'endroit où je voulais vivre et avec qui je voulais vivre depuis mon effort pitoyable pour tenter de remettre papa et maman ensemble.

Papa a donc fait son entrée dans la cuisine, sourire aux lèvres.

– J'ai trouvé un endroit parfait, Lucy, m'a-t-il annoncé comme si maman n'était pas là. Tu vas adorer, j'en suis sûr. C'est dans un vieil immeuble, petit, qui a beaucoup de charme et, comme je te l'avais promis, il y a deux chambres : une pour moi et une pour toi. Tiens, regarde l'annonce.

Papa m'a tendu un minuscule morceau de papier qu'il avait découpé dans le *New York Times*.

Je l'ai déchiffré en fronçant les sourcils : « Chem. Exp. su. Imm. av. gue. Mu. br. »

– Chemin ? Expérience super ? Immense avec guépard ? Multitude de brebis ? Où est-ce que tu vas habiter ? Au pays magique ?

Papa s'est mis à rire.

– Non. Ça veut dire cheminée, exposition sud – en d'autres termes beaucoup de soleil – et un immeuble d'avant-guerre avec des murs en briques. Crois-moi, tu n'as jamais vu un immeuble comme celui-là.

– Et tu l'as déjà pris ? a demandé maman avec une drôle de voix.

– Oui, j'ai payé deux mois de loyer d'avance. Je n'ai plus qu'à signer quelques papiers demain.

– Et, il est où ? l'ai-je questionné.

– Dans l'Upper East Side, dans la 65e rue, pour être exact.

– Mais je n'ai jamais habité dans l'East Side.

– Eh bien ! tu vas pouvoir essayer, maintenant.

Une expression horrifiée s'est peinte sur le visage de ma mère. Sur le mien aussi, mais pour une autre raison.

– Tu veux vivre avec ton père, Lucy ? a crié maman.

Au même moment, je disais :

– Vous voulez dire que vous allez vraiment le faire ? Vous allez vraiment divorcer ?

Pendant un moment, personne n'a su quoi dire. Puis nous avons tous commencé à parler en même temps. Papa a dit :

– Tu savais que notre décision était prise, Anastasia.

Et maman :

– Je pensais que tu voulais retourner à Stonebrook, Lucy.

Et moi :

– Je pensais que je pourrais habiter où je voudrais. Vous aviez dit que c'était moi qui décidais. En plus, je n'ai pas dit que j'allais habiter avec papa, simplement que je n'avais jamais habité dans l'East Side.

Puis papa a précisé :

– L'est de la 65e rue, c'est juste à côté de Bloomingdale's.

Et maman a protesté :

– N'essaye pas de l'acheter. Ce n'est pas juste.

Et moi :

– Je pensais que vous traversiez juste une mauvaise passe.

Et maman :

– Fais ta piqûre, Lucy.

Et papa :

– Ne t'acharne pas sur elle.

Et moi :

– Je vous déteste tous les deux !

Et je suis partie en courant dans ma chambre et j'ai claqué la porte.

Le lendemain était un samedi. Papa est allé signer des papiers à l'agence immobilière et, ensuite, dans un magasin gigantesque qui vend de tout, des clous aux aimants qu'on met sur les réfrigérateurs. Il nous a dit qu'il avait besoin de quelques bricoles pour sa nouvelle garçonnière.

Sa nouvelle garçonnière. Il avait vraiment prononcé ces mots.

Je suis restée avec maman à la maison, je me sentais affreusement coupable de ce que j'avais dit la veille.

Je me suis installée avec elle dans la cuisine pendant qu'elle consultait les petites annonces. J'essayais de faire ma rédaction (la prof nous avait demandé d'écrire sur le sujet qu'on voulait, alors j'avais choisi de parler des parents qui ne respectent pas leur serment de mariage), mais c'était difficile de me concentrer avec maman qui passait son temps au téléphone.

Ça a été encore plus difficile quand je l'ai entendue dire :

– Bonjour, madame Keller ?

À ce moment-là, j'ai dressé l'oreille.

– C'est Mme MacDouglas. Oui… Bien… Bon, je sais

que ça fait une semaine, et je vous appelle pour vous dire que je n'ai pas encore réussi à me décider. C'est une très jolie maison, mais elle doit sans doute coûter cher d'entretien, et... Oui, je sais... Je sais. Donc je voulais vous dire que vous feriez mieux de recommencer à la faire visiter. Si je décide de la prendre, je vous rappellerai pour savoir si elle est toujours libre et, si ce n'est pas le cas, je comprendrai... D'accord... Oui... Très bien. Merci. Au revoir.

– Qu'est-ce qu'elle t'a dit ? ai-je demandé lorsqu'elle a raccroché.

– Que la maison allait sans doute être louée très vite.

– Oh !

Elle a repris son journal.

– Maman ?

– Oui, chérie ?

– Comment ça se fait que tu n'arrives pas à te décider pour la maison ?

– Je suppose que c'est parce qu'elle est trop grande pour une personne. Si je savais ce que tu veux faire, je veux dire, où tu veux habiter...

– Tu n'as qu'à prendre une maison plus petite, avec seulement deux chambres. Celle-là en a quatre.

– Je n'ai pas vu de maison plus petite qui me plaisait.

– Hum, c'est vrai.

– Je pense que je vais plutôt chercher à Long Island, dit maman en tournant les pages du journal.

Long Island ? Quand j'irais la voir, je ne connaîtrais personne, alors.

J'ai arraché la dernière page de mon cahier. Puis j'ai

dressé une liste de pour et de contre. D'un côté, j'ai mis les raisons de rester à New York et de l'autre les raisons d'en partir et de retourner dans le Connecticut. Et voilà ce que ça a donné :

New York

J'adore.
Un million de choses à faire.
Je peux aller quand je veux à Stonebrook.
Laine.
Henry et Grace.
Baby-sitting.
J'adore papa.
J'aimerais être avec papa.
J'aimerais mieux connaître papa.
Si papa veut partir en week-end, il me laissera peut-être toute seule (ou peut-être pas).
Je vais dans un bon collège.
J'aimerais bien connaître l'East Side.
Les gens de mon âge sont super cools.

Stonebrook

C'est bien.
Pas grand-chose à faire.
Je peux aller quand je veux à New York.
Claudia, Kristy, Mary Anne, Carla, Jessi, Mallory.
Charlotte.
Le Club des Baby-Sitters.
J'adore maman et je suis très proche d'elle.
Maman est plus souvent là que papa.
Maman me comprend mieux que papa.
Si maman veut partir en week-end, j'ai des tas d'amies chez qui aller.
Mes amis de Stonebrook ne sont pas snobs du tout.
Je préfère le collège de Stonebrook à celui de New York.
Je sais où je vais habiter si j'emménage à Stonebrook.

J'ai comparé les deux colonnes de ma liste. Je n'ai pas eu besoin d'hésiter très longtemps pour savoir quelle décision j'allais prendre.

– Maman ? Tu peux rappeler Mme Keller tout de suite ?

– Bien sûr. Pourquoi ?

– Pour être sûre que personne n'a sauté sur la maison depuis cinq minutes.

Maman m'a dévisagée d'un air interrogateur mais a tout de même composé le numéro. Elle a brièvement discuté avec l'agent immobilier, puis a posé la main sur le combiné.

– Elle est encore libre. Alors ?

J'ai pris une profonde respiration.

– Demande-lui si nous pouvons emménager dedans.

Les yeux de maman se sont emplis de larmes, et elle a annoncé d'une voix tremblante à Mme Keller que, finalement, elle prenait la maison. Puis elles ont commencé à parler des formalités et je suis sortie de la pièce. La seule chose à laquelle je pensais, c'était comment j'allais pouvoir annoncer la nouvelle à mon père.

Il est rentré tard ce soir-là. Il avait posé des étagères et des meubles de cuisine dans sa nouvelle « garçonnière ».

– Papa, il faut que je te parle. En privé. On peut aller dans ma chambre ?

– Bien sûr, chérie.

Il m'a suivie et s'est installé à côté de moi sur mon lit. Comment allais-je pouvoir le lui dire ? Je l'adore. Je n'avais aucune envie de lui faire de la peine. Il est resté à mes côtés à l'hôpital. Il m'a aidée à apprendre à me faire mes piqûres d'insuline. Il m'a acheté des poupées et des robes et m'a emmenée voir ma première pièce de théâtre à Broadway.

– Papa, ai-je commencé en sachant très bien que j'allais pleurer. J'ai pris une décision aujourd'hui. Je vais aller habiter à Stonebrook avec maman. Elle a pris la maison qu'on a trouvée la semaine dernière.

Mon père s'est contenté de hocher la tête. Je ne sais pas s'il s'attendait à cette nouvelle ou non.

– Tu as dit que c'était comme je voulais, non ? ai-je murmuré.

Papa a hoché à nouveau la tête. Sa pomme d'Adam montait et descendait.

– Je le savais. Je savais que j'allais te faire de la peine.

– Oh ! Lucy. Je suis, eh bien, je suis triste. Je mentirais si je disais le contraire. Mais je ne suis pas fâché. Tu vas horriblement me manquer. C'est tout.

– Je viendrai te voir, lui ai-je promis en essuyant les larmes qui coulaient sur mes joues. Tous les quinze jours. Et peut-être toutes les vacances d'été. Nous allons nous débrouiller.

– Je sais.

Je lui ai tendu un mouchoir en papier et j'en ai pris un pour moi. Puis il m'a serrée dans ses bras et nous avons pleuré, pleuré…

12

– Hé, maman ! On a encore besoin de cartons !

– Cours chez Grisede's, m'a-t-elle répondu du salon. Va voir s'il leur en reste.

Courir chez Grisede's. Courir chez Grisede's. Si j'avais eu un dollar chaque fois que j'étais allée dans cette supérette demander des cartons, je n'aurais plus besoin de faire du baby-sitting pendant toute ma vie.

Cela faisait quinze jours que j'avais pris ma décision. Nous devions déménager tous les trois dans une semaine. J'avais l'impression que toute ma vie était emballée. Et ce n'était pas fini… Arrivé à Stonebrook, il faudrait déballer.

– Sois prudente ! m'a crié maman alors que je sortais.

– Toi aussi !

J'ai pris l'ascenseur jusqu'au rez-de-chaussée. J'avais annoncé la nouvelle à Laine pas très longtemps après l'avoir dit à papa. Laine avait pleuré aussi et, du coup, je m'étais, moi aussi, remise à pleurer.

– Tu ne peux pas déménager. Qu'est-ce que je vais faire sans toi ?

– La même chose que quand je suis partie à Stonebrook la première fois. Tu m'écriras. Tu m'appelleras. Nous ferons grimper les factures de téléphone.

– Ça ne sera pas pareil.

– Je sais. Mais tu as Allison et Jane et tous les autres.

– Ce n'est pas toi.

J'ai soupiré.

– Tu vas me manquer aussi, au cas où tu l'aurais oublié.

C'est à ce moment-là qu'elle s'était mise à pleurer.

J'avais alors décidé de téléphoner à une personne qui, elle, serait heureuse d'apprendre la nouvelle : Claudia.

– C'est pas vrai. C'est pas vrai ! a-t-elle hurlé. Tu vas vraiment revenir ?

Et elle avait fondu en larmes.

Des larmes de joie, bien sûr, mais des larmes quand même et je n'ai pas pu m'empêcher de pleurer encore une fois. À ce rythme-là, mon cerveau allait se dessécher.

Chez Grisede's, je me suis dirigée vers le bureau de la responsable et j'ai jeté un œil par la petite fenêtre. J'étais venue tellement souvent dans le magasin pour prendre des cartons que la responsable, Mlle Antonio me connaissait bien, mais elle ne m'aimait pas beaucoup pour autant. Elle était en train d'essayer un nouveau chapeau. Trois des caissières étaient attroupées dans son bureau, et lui donnaient leur avis sur la façon de le porter.

– Hum.

J'ai toqué au carreau.

– Tournez-le un peu, suggérait une des caissières à Mlle Antonio. (Son nom était inscrit sur son badge : Anita.)

– Comme ça ?

– Non, plus comme ça, a dit Anita en l'ajustant.

– Hum, hum, ai-je toussoté.

– Et inclinez-le un peu, a-t-elle ajouté.

Mlle Antonio s'est exécutée.

J'ai appuyé sur la sonnette.

Ding ! Ding ! Ding !

La responsable et ses amies ont levé les yeux avec mécontentement.

– Oh, c'est encore vous. Il y a des cartons dans le fond. Vous pouvez aller les chercher vous-même.

– Merci infiniment pour votre attention et votre courtoisie, ai-je répliqué.

La prochaine fois que nous aurons besoin de cartons, maman ira les chercher. J'en ai trouvé cinq (sans rabats sur le dessus, malheureusement) et je les ai empilés les uns sur les autres pour les rapporter à la maison. En chemin, je suis passée devant Judy. J'ai tout de suite vu qu'elle n'était pas dans un bon jour, mais je me suis arrêtée quand même.

– Bonjour, Judy. La semaine prochaine, je pars dans le Connecticut avec ma mère.

Elle m'a fixée un moment avant de hurler :

– Les gens au pouvoir sont tous des menteurs ! Tu m'entends ? (On l'aurait entendue en Californie.) Ils ont corrompu notre pays…

J'ai entendu sa voix continuer dans mon dos alors que je rentrais dans l'immeuble.

Là-haut, maman et papa étaient en train de se disputer. Du coup, je me suis mise à hurler plus fort qu'eux :

– J'ai été prudente et je me suis beaucoup amusée. La prochaine fois, l'un de vous pourrait y aller pour s'amuser avec Mlle Antonio. Et admirer son chapeau.

Mes parents ont dû penser que j'étais folle, mais ils ont repris de plus belle sans même m'avoir demandé de quoi je parlais. Du coup, j'ai laissé trois cartons dans le salon et emporté les autres dans ma chambre.

J'ai fermé la porte.

Mais j'entendais quand même maman râler :

– Le vase en cristal ? Tu ne peux pas prendre le vase en cristal. C'était un cadeau de Donna et Stewart. Donna est une de mes meilleures amies.

– Et Stew est un de mes meilleurs amis, a riposté papa.

Ce n'est pas facile de partager une maison pleine de meubles et de souvenirs. Maman et papa passaient leur temps à se quereller pour savoir qui allait prendre quoi. Les plus grandes disputes éclataient à propos des choses qui avaient une valeur sentimentale, comme les albums de photos et les cadeaux de mariage. Bien sûr, ils les voulaient tous les deux.

J'ai mis de la musique avec mes écouteurs pour ne plus les entendre et je me suis concentrée sur mes cartons. La plupart de mes affaires partaient dans le Connecticut, bien sûr, mais j'en envoyais certaines chez papa. Je n'avais pas envie d'avoir une chambre complètement vide là-bas et, en plus, moins j'aurais de choses à emporter chez lui à chaque fois, mieux ce serait. Des vêtements, du maquillage, des livres, des cassettes, mon lecteur MP3, des posters et d'autres choses partiraient chez papa. Le reste irait dans notre nouvelle maison du Connecticut.

J'ai contemplé ma chambre à moitié vide.

J'ai fait une tentative en enlevant un écouteur, juste le temps d'entendre maman dire :

– Tu ne peux pas avoir ce tableau. C'est moi qui l'ai acheté !

– Avec mon argent ! a hurlé papa.

Je me suis dépêchée de remettre les écouteurs.

Puis j'ai éclaté en sanglots pour la millionième fois.

Jeudi soir. Je gardais Henry et Grace. C'était la dernière fois. Quarante-huit heures avant mon départ pour Stonebrook.

Je savais que M. et Mme Walker avaient expliqué à leurs enfants que j'allais déménager, mais je n'étais pas certaine qu'ils aient compris ce que ça signifiait.

Effectivement, dès que leurs parents ont été partis et que Grace a cessé de pleurer, Henry m'a dit :

– Maman et papa ont dit que tu ne nous garderais plus.

J'ai hoché la tête.

– C'est vrai.

– Comment ça se fait ?

Il était dix-neuf heures trente. Henry et Grace étaient en pyjama, prêts à aller se coucher. Je les ai fait asseoir sur le canapé du salon, un de chaque côté de moi, pour leur expliquer :

– Vous voyez, ma maman et mon papa ne veulent plus vivre ensemble, alors ils vont chacun emménager dans une nouvelle maison. J'ai décidé de vivre avec ma maman, et elle va habiter loin, dans le Connecticut.

– Pourquoi ta maman et ton papa ne veulent plus vivre ensemble ? a demandé Grace.

– Parce qu'ils se disputent tout le temps. Ils ne sont plus amoureux l'un de l'autre.

Henry a paniqué.

– Ce soir, notre maman et notre papa se sont disputés. Maman est arrivée et a dit : « Où sont tes clés ? Tu ne les poses jamais au même endroit. » Et papa lui a dit : « Je t'ai dit qu'elles étaient sur la bibliothèque. » Et maman a répondu : « Excuse-moi, je n'avais pas entendu. »

– Oh ! mais Henry, c'était juste une petite dispute, l'ai-je rassuré. Les gens se chamaillent tout le temps. Mes parents, eux, se disputaient violemment. Ils ne voulaient même plus être dans la même pièce. Donc, ils ont décidé de divorcer. Tes parents ne vont pas divorcer.

– Oui, ce matin, maman a dit à papa : « Je t'aime. » et papa lui a répondu : « Je t'aime aussi. » Et ils se sont embrassés, a renchéri Grace.

J'ai souri.

– C'est mignon. Vous n'avez vraiment aucune raison de vous inquiéter.

Ensuite, nous sommes allés dans la chambre de Grace où nous avons lu *Chut, chut, Charlotte !* Puis je l'ai bordée, lui ai souhaité une bonne nuit et j'ai emmené Henry dans la sienne où nous avons lu *Salsifi, ça suffit !*

– Je te verrai samedi avant de partir. Vous viendrez chez moi pour qu'on se dise au revoir. D'accord ?

– D'accord.

– Bonne nuit, Henry.

– Bonne nuit, Lucy. Je t'aime.

– Je t'aime aussi.

Je me suis installée dans le salon avec mon livre de maths ouvert devant moi. Henry et Grace auraient-ils une nouvelle baby-sitter ? Qu'ils aimeraient autant que moi ? Une partie de moi espérait que oui, mais l'autre ne voulait pas, parce que je voulais être une baby-sitter unique. Mais je savais aussi que j'allais garder Charlotte Johanssen bientôt. Et ça me remontait le moral.

Le samedi matin, je me suis réveillée en sursaut. Normalement, ça m'arrive uniquement quand le réveil sonne.

Mais, cette fois-ci, aucune alarme n'avait sonné, excepté celle dans ma tête qui hurlait : « Tu déménages aujourd'hui ! ».

« Oh ! non. S'il vous plaît. Pas ça », ai-je pensé. J'ai enfoui ma tête sous mon oreiller. C'était dur de déménager mais, en plus, ce jour-là marquait aussi la véritable séparation de mes parents. J'allais officiellement devenir une enfant de divorcés et renforcer les rangs de Carla et Kristy, de Keith, Shayla et Caitlin.

– Lucy ! a crié mon père du couloir. Allez, debout !

Quand était-il arrivé ? Quelle heure était-il ? Plus tard que je ne le pensais apparemment. Papa dormait dans son nouvel appartement depuis que son lit avait été livré. Mais il avait promis de venir tôt ce matin pour nous aider et me dire au revoir. (J'avais remarqué qu'il avait dit pour « me dire au revoir » et pas « nous dire au revoir ». J'espérais que maman n'y avait pas trop prêté attention.)

– D'accord ! ai-je répondu.

J'ai sorti la tête de sous l'oreiller et je me suis tournée vers mon réveil. C'était une des seules choses qui restaient dans ma chambre avec quelques vêtements et mes meubles. Tout le reste avait été mis en cartons. Même mon tapis avait été roulé.

– Huit heures quarante-cinq ! C'est pas possible !

Les déménageurs étaient censés arriver à dix heures. Et, avant, Laine et les Walker devaient passer me voir. J'ai sauté de mon lit.

Je parie que j'ai battu un record pour prendre ma douche et m'habiller ce matin-là. Vers neuf heures cinq, je suis entrée dans la cuisine pour le petit déjeuner.

C'est à ce moment-là qu'un des gardiens nous a appelé par l'interphone.

– Oh ! non. Les déménageurs ne peuvent pas déjà être là.

– Ne t'inquiète pas, m'a rassuré papa.

Il était en train de trier des cartons dans le salon en faisant une pile pour lui et une pour maman.

– Les déménageurs ne sont jamais en avance. C'est une règle. Ça doit même être inscrit dans la constitution, a-t-il affirmé.

J'ai piqué un fou rire. Mon père me fait souvent rire. Ça allait me manquer.

J'ai appuyé sur le bouton de l'interphone :

– Oui ?

– Laine est en train de monter, m'a annoncé Isaac.

Il la laisse toujours monter sans prendre la peine de me demander si elle peut. On gagne du temps. Normalement, il ne m'appelle même pas pour me dire qu'elle va arriver.

– Merci, ai-je répondu au moment même où la sonnette retentissait.

En ouvrant la porte, je me suis retrouvée nez à nez avec mon amie qui portait un gros sac de courses.

– Euh, j'espère que ce n'est pas quelque chose que nous allons devoir encore emballer…

Laine a fait la grimace.

– Mais non, c'est le petit déjeuner.

– Le petit déjeuner ?

– Un dernier fameux petit déjeuner new-yorkais : des petits pains, du saumon fumé, de la crème de fromage et du jus d'orange. Oh ! et du café pour tes parents. Je me suis dit que la cafetière et tout le reste devaient être dans des cartons.

– Laine, je t'adore ! C'est génial.

J'ai reniflé.

– Tu ne vas pas te remettre à pleurer, hein ?

– Non, ai-je promis même si ce n'était pas vrai et que j'étais au bord des larmes.

Je n'arrivais toujours pas à croire ce qui était en train de m'arriver ce jour-là. Une fois dans la cuisine, j'ai jeté un coup d'œil dans le sac.

– Oh ! Des assiettes en carton ! Et des cuillères en plastique et aussi des couteaux ! Tu as pensé à tout ! Papa ! Maman ! Venez voir ce que Laine nous a apporté !

Mes parents nous ont rejointes. Ils ont tout de suite vu

les tasses de café chaud, les petits paquets de sucre et les dosettes de crème.

Je me suis penchée vers mon amie pour murmurer :

– Je parie que maman va dire : « Laine, tu n'aurais pas dû ! »

– Laine, tu n'aurais pas dû ! s'est écriée ma mère.

Nous avons piqué un fou rire.

Maman et papa ont souri.

– Qu'est-ce qui se passe ? Un petit secret entre vous ?

– Oui, oui.

J'ai regardé Laine et nous avons recommencé à rire. « Tu vas me manquer », ai-je pensé.

Pour m'empêcher de pleurer, j'ai sorti les assiettes en carton. Puis nous avons commencé à couper en deux les petits pains, à les tartiner de crème de fromage et à poser le saumon fumé par-dessus.

– Humm ! me suis-je exclamée en savourant la première bouchée. C'est le paradis.

Nous étions assis autour de la table, maman, papa, Laine et moi. « Nous aurions pu être une famille », ai-je pensé. Maman et papa pourraient être des parents non divorcés et Laine, ma sœur. Puis je me suis dit : « Peut-être que nous sommes une famille après tout. Peut-être qu'on n'a pas besoin d'avoir des liens de sang pour être une famille. »

– C'est extrêmement gentil de ta part, Laine, l'a remerciée mon père.

– Eh bien, j'ai pensé que Lucy et Mme MacDouglas devaient prendre un dernier petit déjeuner new-yorkais authentique avant de partir pour une région sauvage.

– Une région sauvage ! ai-je répété en me remettant à rire.

– Il y a des petits pains dans le Connecticut, a affirmé maman en souriant.

– Mais ils ressemblent plus à des palets de hockey, tu te souviens ? ai-je remarqué.

Elle a hoché la tête. Puis elle a regardé sa montre.

– Mon Dieu ! Plus qu'une demi-heure avant que les déménageurs arrivent ! Nous ferions mieux de…

– … nous y mettre, a fini mon père pour elle.

Alors, je me suis dit : « Comment peuvent-ils divorcer ? Ils finissent tout le temps les phrases l'un de l'autre. » Puis quelque chose d'horrible m'est venu à l'esprit. En fait, plusieurs choses. Comment n'y avais-je pas pensé plus tôt ?

– Papa ! Tu ne sais pas cuisiner… hein ? Et maman, comment on va faire pour s'occuper du jardin ? Aucune de nous n'a jamais tondu une pelouse. Et papa, tu sais qu'il faut laver le linge blanc à haute température et le linge de couleur à… ?

– Chérie, calme-toi, est intervenu papa. Tout ira bien.

J'allais protester quand il y a eu un nouveau coup de sonnette.

– Comment se fait-il qu'Isaac n'ait pas annoncé les déménageurs ? a grogné maman en bondissant de sa chaise.

– Ne t'inquiète pas. Je pense que ce sont les Walker. Ils voulaient nous dire au revoir.

J'ai couru à la porte. Mais avant de l'ouvrir, j'ai demandé :

– Qui est-ce ? (À New York, on n'est jamais trop prudent.)

– C'est nous ! C'est nous ! a crié Henry.

J'ai fait entrer les Walker pendant que mes parents et Laine discutaient dans le salon.

– Lucy ? a murmuré Grace.

Elle s'agrippait à mes jambes et penchait la tête en arrière pour me voir.

– Oui ?

– Henry et moi, nous t'avons apporté des cadeaux.

Ils m'ont tous les deux tendu un paquet.

– Ça alors ! me suis-je exclamée en m'asseyant entre les deux enfants sur le canapé. On dirait que c'est mon anniversaire ! Lequel j'ouvre en premier ?

– Le mien ! ont-ils répondu en même temps.

Tout le monde a éclaté de rire. Puis maman a dit à M. et Mme Walker de s'asseoir et elle est allée chercher le saumon et les petits pains qui étaient dans la cuisine. Pendant que les adultes mangeaient, j'ai essayé d'ouvrir les deux paquets en même temps. J'ai retiré le ruban de l'un, puis celui de l'autre, ensuite le Scotch de l'un puis celui de l'autre, et comme ça jusqu'à ce qu'ils soient tous les deux ouverts.

J'avais devant moi deux peintures, l'une de Grace et l'autre d'Henry, encadrées comme si elles sortaient d'une boutique.

– L'encadrement, c'est notre cadeau, à ma femme et à moi, pour ton départ, m'a précisé M. Walker.

– Merci beaucoup. Je les accrocherai dans ma nouvelle chambre.

Les Walker sont restés jusqu'à l'arrivée des déménageurs puis ça a été l'heure de se dire au revoir.

– Vous allez tellement me manquer, les enfants. Et vous aussi, ai-je ajouté à l'adresse de leurs parents.

Puis nous nous sommes embrassés. (Bien sûr, j'ai pleuré et, du coup, Grace aussi, mais seulement parce qu'elle s'était pris les pieds dans ceux d'Henry et qu'elle avait trébuché.)

Les deux heures qui ont suivi ont été un véritable chaos. Les Walker et les déménageurs se sont croisés dans le couloir, et Grace a de nouveau trébuché. Il y avait une seule entreprise de déménagement, mais deux camions : un pour papa et un pour maman et moi. J'étais persuadée que nos affaires allaient être mélangées. (En fait, non.)

Toute la matinée, les seuls mots que j'ai entendus ont été : « camion un » et « camion deux » quand le chef des déménageurs disait à ses employés où mettre les meubles et les cartons.

Maman et papa se sont disputés trois fois, je croyais pourtant qu'ils avaient déjà tout réglé. La première dispute a été pour le canapé en cuir. (Maman a gagné.) La deuxième pour savoir qui aurait cet affreux repose-pieds que mes parents avaient l'air d'aimer. (Papa a gagné.) La troisième pour le téléphone sans fil. (Maman a gagné à nouveau. Parce qu'elle avait aussi eu la voiture et, pour compenser, papa a eu le micro-ondes, la chaîne hi-fi et deux tableaux de valeur. Mais ça ne semblait pas très juste comme partage, vu l'état de notre break. De toute façon, comme mes parents n'arrivaient pas à se mettre d'accord, c'est moi qui ai pris la décision pour le téléphone sans fil.)

Enfin, les camions et notre voiture ont été chargés. Laine était restée toute la matinée, pendant les disputes et tout le reste. Elle était avec nous quand papa a fermé notre appartement vide, quand nous sommes descendus à toute vitesse dans l'ascenseur jusqu'au rez-de-chaussée, et quand les camions sont partis. Elle a attendu (discrètement) pendant que je disais au revoir à papa. Ce qui, je dois l'avouer, a été une des choses les plus difficiles que j'aie jamais eu à faire.

Papa et moi, nous n'avons pourtant pas craqué. Nous avions déjà assez pleuré. Nous nous sommes juste serrés très fort pendant un long moment. Puis papa m'a tapoté le dos et m'a dit :

– On se voit dans deux semaines, chérie.

(Je devais passer le week-end chez lui.)

Et il s'est retourné, a hélé un taxi et il est parti en criant :

– Au revoir !

Maman est montée dans la voiture.

Laine et moi, nous nous sommes retrouvées l'une en face de l'autre sur le trottoir.

– Je ne suis pas sûre d'avoir pris la bonne décision, lui ai-je confié.

– Mais si, j'ai vu ta liste.

J'ai hoché la tête.

– J'espère que je te verrai aussi dans deux semaines.

– Tu rigoles ? Bien sûr. Tu as intérêt à venir me voir chaque fois que tu seras à New York.

Laine paraissait très gaie, mais sa lèvre inférieure tremblait. Du coup, nous nous sommes embrassées très vite et je me suis installée rapidement dans la voiture à côté de maman.

– Au revoir, madame MacDouglas.

– Au revoir, Laine, a répondu maman.

Puis nous avons démarré.

Ni maman ni moi n'avons prononcé un mot avant d'être sorties de la ville.

Le voyage jusqu'à Stonebrook a duré à peu près deux heures. Mais j'ai seulement repris un peu mes esprits quand maman m'a demandé, au bout d'une heure :

– Regarde dans mon agenda, Lucy. Il y a quelque chose pour toi dedans, de la part de Laine.

– C'est vrai ?

J'ai fouillé dans le sac de maman et j'en ai tiré une enveloppe.

Je suis restée tellement longtemps à la serrer contre ma poitrine que maman a fini par me dire :

– Ouvre-la avant que j'aie un accident. Je meurs de curiosité !

Je l'ai ouverte. Dedans, il y avait la moitié d'une médaille en forme de cœur sur une chaîne en or et un petit mot qui disait : « Chère Lucy, j'ai l'autre moitié. Je la porte en ce moment. Je t'adore, Laine. » Elle devait l'avoir en dessous de son T-shirt, ce matin, parce que je ne l'avais pas vue. J'ai mis la mienne en dessous de mon T-shirt aussi.

– Je la porterai tous les jours.

Maman m'a souri. Puis elle a dit pensivement :

– Hum, aujourd'hui nous sommes samedi. Juste deux jours avant ta première réunion du Club des Baby-Sitters.

– Oui.

– Et bientôt tu vas voir la nouvelle petite sœur de Kristy. Tu ne l'as pas vue depuis le jour de son arrivée. Je parie qu'elle a dû beaucoup changer.

– Oui ! ai-je répondu en repensant aux photos de Kristy.

– Et ton père et moi nous sommes mis d'accord pour que tu puisses arranger ta chambre comme tu veux. Du papier peint, un nouveau dessus-de-lit, enfin tout ce que tu veux.

– C'est vrai ? Merci !

La fin du voyage m'a paru interminable tellement j'avais hâte d'arriver à Stonebrook, j'en avais même mal au ventre. J'étais impatiente d'être dans notre maison, même si ce n'était pas notre ancienne maison. Bon, c'était une ancienne maison, mais pas notre ancienne maison. C'était notre nouvelle ancienne maison.

Je m'attendais à voir les camions, les grands arbres et le vieux porche en entrant dans l'allée. Par contre, je ne m'attendais pas à voir tous mes amis et la moitié des enfants de Stonebrook. Mais ils étaient bien là.

Claudia, Mary Anne, Carla, Jessi, Kristy, Mallory et

Logan Rinaldi étaient en rang en haut de l'escalier. Et puis, en dessous d'eux, il y avait Charlotte, les sept frères et sœurs de Mallory, David Michael, le frère de Kristy, son demi-frère et sa demi-sœur (mais pas la petite Emily), la sœur de Jessi, les frères Rodowsky, Gabbie et Myriam Perkins, Simon Newton, les jumelles Arnold, Mathew et Helen Braddock, et je ne sais plus qui d'autre. Les jambes tremblantes, je suis descendue de la voiture.

Les enfants tenaient une énorme banderole avec écrit dessus : « Nous savions que tu reviendrais, Lucy ! » Et mes amis hurlaient :

– Bienvenue ! Bon retour à la maison !

J'ai couru vers les membres du club, les bras grands ouverts. Ils ont couru vers moi, les bras grands ouverts. Nous nous sommes rentrés dedans en riant.

Ensuite, les enfants ont laissé tomber leur banderole et se sont précipités vers nous. Si vous avez trouvé qu'il y avait eu beaucoup d'embrassades au moment de mon départ de New York, vous auriez dû voir ce qu'il s'est passé devant notre nouvelle ancienne maison. Pourtant je dois avouer que certains garçons, David Michael Parker et Jackie Rodowsky en particulier, disaient que s'embrasser, c'était « dégueu ».

Puis nous avons tous été distraits quand Jackie, notre catastrophe ambulante, est tombé sur un carton et s'est coupé la lèvre. Mallory l'a emmené chez elle pour le soigner, et les enfants ont commencé à rentrer chez eux. À la fin, il n'y avait plus que Claudia, Kristy, Mary Anne et Carla. Elles regardaient les déménageurs déposer les cartons et les meubles dans la maison. Après un moment, maman nous a toutes emmenées déjeuner. Il était tellement tard que c'était plutôt un dîner. Puis, elle a déposé Kristy, Mary Anne et Carla chez elles, mais Claudia, elle, est revenue à la maison avec moi.

Mon amie Claudia. Ses cheveux pendaient dans son dos, ils étaient retenus par un bandeau avec une grosse rose attachée dessus. Elle avait un sweat-shirt noir et blanc long et trop grand, un caleçon noir, des chaussettes rose et noir et des ballerines de danse noires. Ses bijoux étaient nouveaux, et je peux dire qu'elle les avait faits elle-même. Vous savez ces choses-là quand c'est votre meilleure amie. Son collier était un cordon avec des perles vernies qu'elle avait dû faire à son cours de poterie. Et à ses oreilles pendaient des nombres en plastique attachés à un cercle en or.

– Elle est où, ta chambre ?

– La première sur la gauche, en haut. Viens, on va voir si les déménageurs ont bien installé tous mes meubles dedans.

Et ce n'était pas le cas.

– Maman ! Les déménageurs ont mis mon lit dans ta chambre et le tien dans la mienne.

– Tu plaisantes !

Elle a monté les escaliers à toute vitesse.

– Oh ! non, tu as raison !

– Et alors qu'est-ce qu'on fait maintenant ? ai-je demandé.

Si c'était arrivé à New York, papa aurait grogné et soufflé et aurait remis les lits à leur place. Au lieu de ça, maman, Claudia et moi, nous avons grogné et soufflé et remis les lits à leur place. Ça n'a pas été facile mais nous l'avons fait.

– Les femmes peuvent tout faire, a affirmé maman fièrement.

– Sauf être père, lui ai-je fait remarquer.

Personne ne savait s'il fallait rire ou pleurer. Finalement, nous avons ri.

– De toute façon, est intervenue Claudia, je pense que les mères peuvent être des pères et les pères peuvent être des mères, en quelque sorte. Regardez, M. Cook. C'est le père et la mère de Mary Anne. Elle l'a toujours dit et je pense qu'elle a raison.

Maman a embrassé Claudia sur le sommet du crâne.

– Merci. Je suis contente de voir que Lucy a une amie aussi sensée. Maintenant, je vais vous laisser à votre déballage. À tout à l'heure.

Elle a quitté la pièce.

– Waouh ! s'est exclamée Claudia. Personne ne m'avait jamais décrite comme quelqu'un de sensé.

– Tu es forcément sensée puisque tu es une bonne baby-sitter.

– Ouais, mais mes parents et les profs me décrivent plutôt comme originale ou farfelue.

– Trop dissipée, ai-je ajouté en imitant le professeur de maths qu'on avait eu en cinquième.

– Pas assez attentive, a renchéri Claudia.

Mais, ensuite, j'ai enchaîné :

– Talentueuse, gentille, compréhensive, drôle, s'occupe très bien des enfants et bien plus intelligente que ne le pensent les gens.

Claudia m'a souri avec gratitude. Puis nous avons toutes les deux parcouru ma chambre du regard. C'était une véritable pagaille. Il y avait des cartons partout.

– On commence par quoi ? m'a demandé Claudia qui n'avait jamais déménagé de sa vie.

– Par mes vêtements.

– C'est vraiment trop bien que tu sois revenue.

Elle s'est tue, avant de reprendre, doucement :

– Tu sais, quand Mimi est morte, je pensais que ma vie était finie aussi. Vraiment. Tu m'as encore plus manqué, à ce moment-là. Tu n'aurais pas pu combler le vide laissé par Mimi dans mon cœur, mais tu m'aurais soutenue.

– Est-ce que ça t'a aidée que je sois venue à son enterrement ?

J'essayais de me souvenir où j'avais rangé les cintres.

– Oh, oui ! Tu rigoles ? Même si nous n'avons pas pu être ensemble pendant l'enterrement. Je savais que tu étais là. Tout le temps. Tu m'as empêchée de devenir folle.

Nous avons arrêté de ranger pendant un moment. Et je sais que nous étions en train de penser à ce jour ensoleillé où Mimi avait été enterrée, au moment où elle avait été descendue dans un trou dans la terre. Claudia avait lancé une fleur sur le cercueil. Elle a soupiré. J'ai soupiré. Même si elle était ravie de mon retour, je n'étais toujours pas contente à cent pour cent d'être revenue à Stonebrook. Du coup, j'ai répété à Claudia ce que j'avais déjà expliqué à Laine le matin même :

– Je ne suis pas certaine d'avoir pris la bonne décision.

– À propos de quoi ?

Claudia a sorti la tête d'une des valises. J'avais trouvé les cintres et j'étais en train de ranger soigneusement mes habits dans l'armoire au fur et à mesure qu'elle me les passait.

– À propos... à propos...

Je ne voulais pas qu'elle pense que je n'étais pas heureuse d'être avec elle, mais... mais je ne l'étais pas. Pas complètement.

– À propos de mon choix de vivre avec maman.

– Tu devais choisir un des deux.

– Je sais, mais papa est triste et c'est de ma faute.

– Non, ce n'est pas de ta faute. Tu ne leur as pas demandé de divorcer. C'est eux qui l'ont voulu. Les parents peuvent faire ce qu'ils veulent, les enfants n'y peuvent rien.

– Ouais. Quelquefois, je comprends pourquoi ils ont fait ça, après tout, ils sont adultes. D'autres fois, ça ne me semble pas juste. Et, dans ces moments-là, je me dis qu'ils nous élèvent, prennent soin de nous et tout, c'est dur.

– Je ne suis pas sûre que ça leur donne le droit de faire tout ce qu'ils veulent avec nous. Regarde comme ils t'ont rendue malheureuse.

– Est-ce que j'ai vraiment l'air malheureuse ?

– Pas autant que je le pensais. J'avais peur que tu passes ton temps à pleurer.

– C'est déjà fait. Il ne me reste plus de larmes.

– En tout cas, je veux juste que tu saches, a poursuivi Claudia en me tendant une jupe, que je comprends que tu ne sois pas complètement ravie d'être revenue à Stone-brook.

– C'est vrai ?

– Bien sûr. J'aime Stonebrook, mais c'est parce que j'ai grandi ici. Toi, tu as grandi dans la ville géniale, énorme et glamour qu'est New York. Et, en plus, tu y as laissé ton père.

Je n'ai pas su quoi répondre. Je suppose que j'aurais dû faire plus confiance à Claudia, elle m'avait parfaitement comprise. Les meilleurs amis sont faits pour ça.

Finalement, j'ai juste répondu :

– Merci.

Ça n'avait pas grand-chose à voir avec ce qu'elle venait de me dire, mais je savais qu'elle comprenait ce que je voulais exprimer.

Puis j'ai changé de sujet :

– Maman m'a dit que je pouvais décorer ma chambre comme je voulais. Avec un nouveau tapis, de nouveaux rideaux, du papier peint, enfin bref, tout ce que je veux.

– Ouah ! Je peux t'aider ?

C'était tout à fait le domaine de Claudia.

– T'as intérêt ! Je vais avoir besoin de ton avis.

– Tu veux quelles couleurs ?

– Bleu et blanc.

– Tes affaires sont déjà bleues et blanches.

– Oui, mais je veux un autre bleu et un autre blanc.

Claudia a éclaté de rire.

– Je suis tellement contente que tu sois revenue !

Elle m'a serrée dans ses bras.

Mais je n'ai pas pu répondre : « Je suis contente d'être revenue, moi aussi. »

Pas encore.

15

Maman et moi, nous avons mis une semaine à déballer toutes nos affaires. Mais la maison paraissait toujours aussi vide.

– Normal, nous avons déménagé la moitié d'un appartement plein à craquer, dans une immense maison..., a remarqué maman.

J'ai piqué un fou rire.

– Qu'est-ce qu'il y a ?

– La brocante ! ai-je hoqueté. Tu te souviens de la brocante ?

En quittant Stonebrook, au début de l'année scolaire, nous avions été obligés de nous rendre à l'évidence : toutes nos affaires ne tiendraient jamais dans notre nouvel appartement. Du coup, nous avions organisé une brocante pour nous débarrasser de pas mal de choses.

– Peut-être que nous pourrions racheter nos affaires, a suggéré maman en souriant.

– Ouais ! Pour le même prix que nous les avions vendues…

– En fait, tu as raison. Nous pourrions acheter des choses dans des brocantes de particuliers. Nous n'aurons jamais assez d'argent pour tout acheter neuf.

– Tu es sûre qu'on a assez d'argent pour ma chambre ?

– Certaine. C'est à part. Ton père et moi, nous avons mis une somme de côté pour ça. Tu pourras arranger aussi ta chambre à New York.

Ça ressemblait un peu à une récompense… pour les avoir laissés divorcer. Mais, bien sûr, je ne pouvais pas dire ça.

– Alors, comment se passe l'école ?

Nous étions vendredi après-midi. J'étais retournée au collège de Stonebrook depuis cinq jours. Je dois admettre que j'avais l'impression de n'en être jamais partie. Quand j'avais écrit sur ma liste que je préférais le collège de Stonebrook à mon école privée de New York, c'était vrai. Les élèves d'ici forment aussi des petits clans, mais ils ne sont pas aussi snobs. Attention, je ne dis pas que tous les élèves qui vont dans les écoles privées sont snobs (parce qu'autrement je le serais aussi !) mais, dans mon ancienne école, l'ambiance n'était pas terrible.

– Ça va très bien.

– Et en maths ?

Je suis une excellente élève en maths et, quand je suis revenue au collège de Stonebrook, les professeurs m'ont mise dans le cours le plus difficile. C'était dur… mais drôle.

– Pas de problème. T'as compris ma blague ? Pas de problème ?

Maman s'est contentée de secouer la tête.

– Bon, je ferais mieux d'y aller. Je dois garder Charlotte cet après-midi et, après, j'ai une réunion du Club des Baby-Sitters. Je rentrerai un peu après six heures, d'accord ?

– D'accord.

J'ai mis mon blouson et j'ai ouvert la porte.

– Au revoir !

– Au revoir !

J'ai attendu un instant.

Rien.

Maman n'avait pas dit une seule fois : « Amuse-toi bien et sois prudente. » depuis que nous étions revenues à Stonebrook, et ça me manquait un peu.

J'ai enfourché mon vélo et j'ai filé chez Charlotte. En arrivant, j'ai attaché mon vélo au lampadaire des Johanssen (ce n'était sans doute pas la peine, mais les habitudes new-yorkaises sont dures à perdre), et j'ai couru jusqu'à la porte. Charlotte m'a ouvert avant même que j'aie eu le temps de sonner.

– Lucy ! Lucy ! Lucy !

C'était mon premier baby-sitting officiel pour Charlotte depuis mon retour, et nous étions toutes les deux surexcitées.

– Bonjour, docteur Johanssen.

– Oh, Lucy, ça me fait plaisir de te revoir.

La mère de Charlotte et moi, nous nous apprécions beaucoup. Elle m'a aidée à traverser une période difficile à cause de mon diabète quand je suis arrivée la première fois à Stonebrook.

– Lucy, je dois te montrer quelque chose ! a crié sa fille.

Et elle a foncé dans sa chambre pour me montrer ce que c'était.

– Je pense que tu vas découvrir une nouvelle Charlotte, m'a murmuré sa mère. Elle est plus ouverte, plus joyeuse et elle a plein de nouveaux amis maintenant… mais elle a toujours besoin de toi.

Puis elle a ajouté :

– À tout à l'heure, Charlotte. Je vais à l'hôpital. Papa sera là vers cinq heures et quart. Toi et Lucy savez où sont les numéros d'urgence.

– D'accord, maman !

Elle n'a même pas levé les yeux.

Sa mère a haussé les sourcils en me lançant un regard comme pour dire : « Tu vois comme elle a changé ? » L'ancienne Charlotte aurait dévalé les escaliers pour serrer sa maman dans ses bras.

Sa mère avait raison. Charlotte et moi nous sommes beaucoup amusées. Elle était toujours douce, pensive et plus intéressée par les histoires que par autre chose. Mais elle n'était plus aussi collante et peureuse. Et elle a reçu trois coups de téléphone d'amis avec lesquelles elle a discuté.

Elle avait grandi.

M. Johanssen est rentré à dix-sept heures quinze précises. J'ai filé chez Claudia pour une réunion du club. C'était ma troisième réunion depuis mon retour et je dois dire que j'en ai savouré chaque minute.

J'étais la première à arriver. Je me suis installée à ma place habituelle sur le lit de Claudia pendant qu'elle fouillait pour trouver des cochonneries à grignoter. Ce jour-là, sa recherche n'a pas été très fructueuse : elle n'a trouvé que d'horribles bonbons fourrés d'une mixture crémeuse aux fruits, et un paquet de chips.

Ensuite j'ai attendu les autres. Kristy a fait irruption soudainement, toujours en jean, baskets et col roulé. Mary Anne est entrée calmement, vêtue d'une nouvelle robe verte à fleurs. Carla a déboulé dans la pièce en jean avec des fermetures Éclair en haut des jambes, ses longs cheveux tombant sur ses épaules en cascade. Jessi a fait son entrée en courant, elle était essoufflée et, comme elle venait tout droit de son cours de danse, elle avait encore son collant sous ses vêtements. Et Mallory est arrivée la dernière, dans une toute nouvelle tenue : T-shirt décolleté, jupe courte et collant roses. Aucune de nous ne l'avait jamais vue habillée comme ça. Apparemment, ça n'avait pas été du goût de sa mère et de son père.

– Non, mais vous imaginez ? s'est-elle exclamée avant même de nous avoir dit bonjour. Mes parents ont piqué une crise de nerfs à cause de mes vêtements. Je les ai achetés avec mon argent, ce que je suis autorisée à faire, mais ils ont dit que cette tenue faisait trop femme. J'ai onze ans, quand même !

C'est un vieux problème de Mallory. Nous avions déjà entendu des centaines de fois le même genre d'histoires. Mais ça ne nous empêchait pas de compatir et nous l'avons donc écoutée pendant qu'elle continuait. (Heureusement pour elle, il était seulement dix-sept heures vingt-cinq et il lui restait donc cinq minutes pour parler avant que Kristy s'énerve.)

– Qu'est-ce qu'ils veulent ? a-t-elle gémi. J'ai arrêté de leur demander des lentilles de contact. Et, en plus, j'ai ce stupide appareil pour deux ans.

– Mal..., ai-je commencé.

Mais elle ne m'a pas entendue.

– J'aimerais faire quelque chose de vraiment génial pour prouver à maman et à papa que je ne suis plus un bébé.

Kristy, Carla, Mary Anne, Claudia et moi, nous nous sommes regardées. Quelquefois Mallory faisait tellement jeune. Mais nous lui avons quand même fait quelques suggestions et, ensuite, Kristy a voulu commencer la réunion.

– Quelque chose à signaler ? a-t-elle demandé.

Nous avons toutes secoué la tête. J'étais contente qu'on soit vendredi. Si on avait été lundi, j'aurais dû collecter les cotisations et personne n'aime se séparer de son argent.

Oui, c'est vrai. Carla m'avait gentiment rendu mon ancien poste de trésorière. Elle n'est pas aussi bonne en maths que moi, et elle préférait être remplaçante.

– C'est plus varié, avait-elle dit. Je peux essayer tous les postes. J'espère simplement que vous allez être plus souvent absentes pour que je puisse vous remplacer. Kristy, je ne pense pas que tu aies jamais manqué une réunion. Je meurs d'envie d'être présidente juste pour un jour.

– Aucune chance, avait-elle répondu avec une grimace.

Le téléphone a sonné. Kristy et Carla se sont jetées dessus, mais c'est Carla qui a décroché.

– Allô ? le Club des Baby-Sitters. Bonjour, madame Perkins... Mardi après-midi ? Nous allons voir et nous vous rappelons.

Elle a raccroché et nous a annoncé que Mme Perkins avait besoin d'une baby-sitter pour Myriam, Gabbie et Laura. C'est Kristy qui a eu la garde, et Carla a rappelé Mme Perkins pour le lui dire.

À dix-huit heures, la réunion s'est terminée. Nous avions programmé cinq baby-sittings et mangé le paquet de chips en entier.

Mal et moi, nous sommes rentrées ensemble à vélo.

– Tu es contente d'être revenue ? m'a demandé Mallory alors que nous approchions de l'endroit où je tourne.

– Oui, ai-je répondu.

Mais, en mon for intérieur, je savais que papa me manquerait toujours et que je regretterais toujours que mes parents ne soient plus ensemble. Mais ça ne regardait pas Mallory et je savais que j'avais de la chance. De la chance qu'ils me laissent faire la navette entre eux deux tant que ça n'affectait pas mes résultats scolaires. De la chance de ne plus avoir à entendre leurs disputes, de la chance que ma mère ait insisté pour revenir à Stonebrook où j'avais retrouvé mes amies du Club des Baby-Sitters.

– Oui, ai-je repris, je suis contente d'être revenue.

Elle a souri.

– Je t'appelle demain. Peut-être que je pourrais venir te voir maintenant que nous sommes voisines.

– Bien sûr, lui ai-je dit en lui rendant son sourire.

Puis j'ai descendu la rue en roue libre jusqu'à ma nouvelle maison.

À propos de l'auteur

ANN M. MARTIN

Ann Matthews Martin est née le 12 août 1955. Elle a grandi à Princeton, aux États-Unis, avec ses parents et sa jeune sœur, Jane.

Elle a été enseignante, puis éditrice de livres pour enfants, avant de se consacrer à la littérature. Pour écrire, elle s'inspire d'expériences personnelles, mais aussi de sa connaissance du monde de l'enfance et de l'adolescence.

Tous ses personnages, même les membres du Club des Baby-Sitters, sont des personnages imaginaires (ainsi que la ville de Stonebrook). Mais beaucoup d'entre eux ressemblent à des gens qu'Ann M. Martin connaît.

Ann M. Martin vit actuellement à New York et ses passe-temps favoris sont la lecture et la couture – elle aime particulièrement réaliser des habits pour les enfants.

Sa série *Le Club des baby-sitters*, dont nous avons regroupé ici trois titres, s'est vendue à plusieurs millions d'exemplaires et a été traduite dans plusieurs dizaines de pays.

Retrouvez

LE CLUB DES BABY-SITTERS

dans neuf volumes hors série

Nos plus belles histoires de cœur

Mary Anne et les garçons
En vacances au bord de la mer, Mary Anne rencontre un garçon formidable. Le problème, c'est qu'elle a déjà un petit ami. Et elle ne sait lequel choisir…

Kristy, je t'aime !
Kristy, la présidente du club, reçoit de mystérieuses lettres anonymes. Qui peut bien être son admirateur secret ?

Carla perd la tête
Pour plaire à son petit copain, Carla a décidé de changer… et de devenir une nouvelle Carla. Mais ses copines du club ne sont pas vraiment d'accord !

Nos passions et nos rêves

Le rêve de Jessica

Jessi a décroché le premier rôle de son spectacle de danse, mais elle commence à recevoir d'étranges menaces. Malgré la jalousie, elle est prête à aller jusqu'au bout de son rêve…

Claudia et le petit génie

Claudia garde une enfant prodige qui chante, danse, joue du violon… mais elle aimerait elle aussi avoir du temps pour se consacrer à sa passion : la peinture.

Un cheval pour Mallory

Mallory va prendre son premier cours d'équitation, quelle aventure ! Elle a beaucoup de choses à apprendre et à découvrir, même si ce n'est pas toujours facile.

Nos dossiers TOP-SECRET

Carla est en danger
C'est la panique au Club. Les événements bizarres se multiplient : coups de fil et lettres anonymes… Les filles sont très inquiètes. Il faut agir vite et démasquer le coupable !

Lucy détective
Lucy et la petite fille qu'elle garde, Charlotte, sont témoins de phénomènes étranges dans une maison abandonnée. Quel secret abritent ses tourelles biscornues ? Serait-ce une maison hantée ?

Mallory mène l'enquête
Mallory entend un miaulement à vous glacer les sangs… dans une maison où, normalement, il n'y a pas de chat ! Les filles partent à la recherche du chat fantôme…

Nos joies et nos peines

Félicitations, Mary Anne

Le père de Mary Anne va épouser la mère de Carla ! Il faut préparer le mariage, déménager… Que de bouleversements en perspective… mais aussi tant de joies !

Pauvre Mallory

Le père de Mallory se retrouve brusquement au chômage. Heureusement, Mallory a plein d'idées pour faire vivre sa grande famille.

Lucy aux urgences

Lucy ne se sent pas bien du tout : elle n'arrive plus à contrôler son diabète et doit aller à l'hôpital. Mais ses parents et ses amies sont là pour la soutenir.

Quelle famille !

Une nouvelle sœur pour Carla
Mary Anne est devenue la demi-sœur de Carla ! Mais depuis qu'elle et son père ont emménagé, les filles se disputent souvent. Pas si facile de former une nouvelle famille !

D'où viens-tu, Claudia ?
Claudia se sent vraiment différente du reste de sa famille. Et si elle était une enfant adoptée ? Pour en savoir plus sur ses origines, elle décide de mener l'enquête.

Mallory fait la grève
Entre les cours, les baby-sittings et ses sept frères et sœurs, Mallory n'a pas une minute à elle ! Une seule solution : faire la grève !

Nos plus grands défis

Le langage secret de Jessica
Jessica fait la rencontre de Matthew, un jeune garçon sourd-muet. Elle décide d'apprendre la langue des signes pour communiquer avec lui.

Le défi de Kristy
Susan est une petite fille autiste qui vit enfermée dans son monde. Kristy voudrait qu'elle ait la même vie que les autres enfants, mais ce n'est pas facile…

Carla à la rescousse
Les enfants de Stonebrook sont sous le choc : le village de leurs correspondants a brûlé ! Carla organise une grande opération de solidarité.

Amies pour toujours

Pas de panique, Mary Anne !
Ça ne va vraiment plus au Club. Depuis que Mary Anne s'est disputée avec Kristy, Claudia et Lucy, les filles ne se parlent plus. Mary Anne va essayer d'arranger les choses.

La revanche de Carla
C'est le concours des mini-Miss Stonebrook ! Carla espère faire gagner ses protégées, mais les filles du Club ont eu la même idée… la compétition s'annonce acharnée !

La meilleure amie de Lucy
Laine, la meilleure amie new-yorkaise de Lucy, vient passer une semaine à Stonebrook ! Mais quand elle arrive, rien ne se passe comme prévu…

Nos plus belles vacances

Lucy est amoureuse
Mary Anne et Lucy gardent les petits Pike au bord de la mer. Lorsque Lucy rencontre un garçon dont elle tombe amoureuse, Mary Anne n'est pas très contente, c'est elle qui doit faire tout le travail !

Le Club à New York
Les filles du Club vont enfin se retrouver ! Lucy a invité ses amies à passer le week-end à New York. Pourvu que tout se passe bien !

Les vacances de Carla
Carla est ravie de retourner en Californie pour les vacances. Entre la plage, les amies, les retrouvailles avec son père et son frère, elle ne sait plus où donner de la tête ! Et si elle restait ?

Chats, chiens et compagnie

Les nouveaux voisins de Kristy
Kristy a emménagé dans un quartier très chic. Ses voisins sont des snobs, fiers de leurs animaux de race. Elle préfère son vieux chien Foxy, même s'il n'est plus très en forme…

Les malheurs de Jessica
Jessica doit s'occuper d'animaux pendant une semaine. Que de travail : il faut promener les chiens, changer les litières et même… nourrir un serpent !

Mary Anne cherche son chat
Quand son petit chat disparaît, Mary Anne est très inquiète : et s'il était arrivé quelque chose à Tigrou ?